비상 독해路

수능 영어 1등급

예비 고등~고등3

수능 개념을 바탕으로 실전 감각을 길러요

| 구문 독해, 유형 독해, 종합 실전, 고난도 유형 등 |

기출 경향을 파악하고 학습하는 수능 예상 문제집

| 독해 기본, 독해, 어법어휘 등 |

기출로 실전 감각을 키우는 기출문제집

| 완자 VOCA PICK 고등 |

고등 필수 어휘와 수능 기출 및 고난도 어휘를 효과적으로 익히는 고등 단어장 시리즈

예비 중등~중등3

독해 전략을 바탕으로 독해력을 강화해요

| 영어 독해 1~3권 |

수능 독해력을 단계별로 단련하는 중등 독해

| 리딩 타파 1~3권 |

중학교 독해의 기본을 잡아주는 구문 독해

| 리더스뱅크 3~9권 |

독해의 기본을 잡아 주는 중등 독해

| 워드 타파 1~3권 |

중학교 학년별 어휘를 단계별로 익히는 어휘집

| 완자 VOCA PICK 중등수능 |

수능 영어 정복의 첫걸음이 되는 기출 어휘를 중학생 난이도에 맞게 수록한 단어장 시리즈

초등5~예비 중등

본격적으로 학습 독해 실력을 쌓아요

| 주니어 리더스뱅크 1~2권 |

독해의 기초를 다지는 초등 독해

중등 수능독해

영어 독해

Level 2

미니 단어장

visang

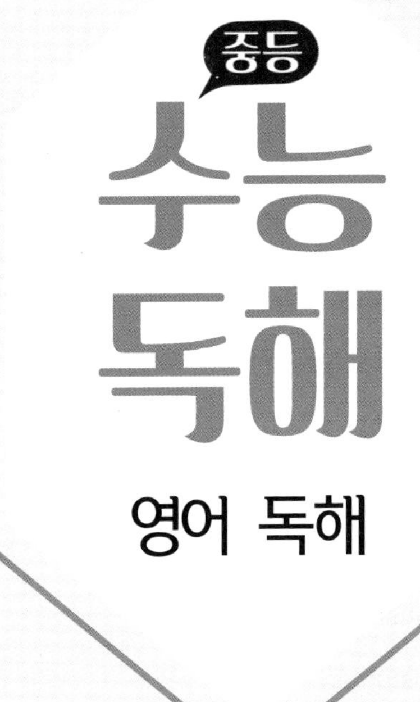

Level 2

미니 단어장

UNIT 01

글의 목적 찾기

□ complain	항의하다, 불만을 털어놓다
□ work	작동하다; 효과가 있다; 작품
□ refund	환불
□ warranty	품질 보증(서)
□ replace A with B	A를 B로 바꾸다, 교환하다
□ receipt	영수증
□ dealer	판매인
□ on the spot	그 자리에서 바로, 즉석에서
□ satisfaction	만족
□ customer	고객
□ policy	정책, 방침
□ employee	사원, 직원
□ gain	얻다, 획득하다
□ experience	경험; 경험하다
□ department	부(서), 과
□ complete	채우다; 완료하다
□ look forward to	~하기를 기대하다
□ training	교육, 훈련
□ personnel	인사의
□ announce	알리다; 발표하다

□ opening	개업, 개점
□ quality	양질의; 질
□ product	제품, 상품
□ attractive	매력적인
□ location	장소, 위치
□ branch	지점
□ principal	교장
□ education	교육
□ require	(~로 하여금) 요구하다; 필요로 하다
□ miss	(학교 · 수업에) 결석하다, 빠지다
□ athlete	운동선수
□ opportunity	기회
□ understanding	이해
□ brief	간단한, 짧은
□ subscription	구독 (기간)
□ renew	갱신(연장)하다
□ upcoming	곧 있을, 다가오는
□ issue	(출판물의) 호
□ continue	지속하다, 계속하다
□ monthly	매달의, 월 1회의

UNIT 02

글의 심경·분위기 파악하기

□ dive	잠수하다
□ sink	가라앉다
□ run out	다 떨어지다
□ remove	벗다, 제거하다
□ lift	들어 올리다
□ appear	나타나다
□ look into	~의 속을 들여다 보다, 주의 깊게 살펴보다
□ save	보호하다
□ surface	수면, 표면
□ fancy	멋진
□ label	표, 상표
□ be ready for	~할 준비가 되다
□ picture	상상하다, 마음속에 그리다
□ shine	(태양이) 비치다; 빛나다
□ mild	온화한
□ breeze	산들바람
□ slight	약간의, 조금의
□ spread	(더 넓은 범위로) 번지다
□ turn over	몸[자세]을 뒤집다
□ scent	향기

□ trunk	나무의 몸통
□ concern	걱정, 염려
□ go away	사라지다
□ tie	묶다
□ leather	가죽
□ wedding ceremony	결혼식
□ celebration	축하 행사
□ joyful	흥겨운
□ shake	흔들다
□ clap	(손뼉을) 치다
□ freeze	(몸 · 표정이) 굳다
□ control	통제하다
□ have trouble -ing	~하는 데 어려움을 겪다
□ airspeed	풍속
□ report	보고하다
□ emergency	비상사태
□ bump	부딪치다
□ by accident	우연히
□ regain	되살아나다, 회복하다
□ loosen up	긴장을 풀다

UNIT 03

도표 정보 파악하기

□ worldwide	전 세계
□ list	목록
□ follow	~의 뒤를 잇다
□ consumption	소비
□ social network	소셜 네트워크
□ mostly	주로
□ popular	인기 있는
□ daily	하루의, 매일의
□ usage	사용
□ device	기기, 장치
□ mobile	휴대 전화
□ spend	(시간을) 보내다; (돈을) 쓰다
□ overall	전반적으로
□ increase	증가하다
□ steadily	끊임없이
□ desktop	탁상용 컴퓨터
□ laptop	노트북 (컴퓨터)
□ account for	(부분 · 비율을) 차지하다
□ result	결과
□ survey	조사

□ invention	발명
□ interest	흥미, 관심
□ young adult	청소년, 성인기 초반의 사람
□ category	범주
□ respondent	응답자
□ consumer	소비자
□ female	여성; 여성의
□ male	남성; 남성의
□ environmental	환경의
□ gender	성별

UNIT

04 세부 정보 파악하기

□ passenger	승객
□ flight	비행
□ unfortunately	불행하게도
□ injury	부상
□ career	직업; 경력
□ degree	학위
□ name after	~을 따서 이름 짓다
□ frightened	겁먹은, 무서워하는
□ childhood	어린 시절, 유년 시절
□ major in	~을 전공하다
□ congresswoman	여성 하원 의원
□ against	~에 반대하여
□ involvement	개입
□ expansion	확대
□ development	개발; 발달, 성장
□ weigh	무게가 나가다
□ mature	다 자란; 성숙한
□ shiny	윤기가 나는, 빛나는
□ disappear	사라지다
□ distinguish	구별하다

□ resemble	닮다, 비슷하다
□ behavior	행동
□ regulate	조절하다
□ temperature	온도, 기온
□ generate	발생시키다, 만들어 내다
□ take in	~을 섭취하다
□ escape	벗어나다, 빠져 나오다; 피하다
□ feather	깃털
□ layer	층, 겹
□ extreme	극도로, 극심한
□ shiver	(몸을) 떨다
□ surrounding	주위의
□ advantage	이점
□ actively	적극적으로
□ approve	찬성하다
□ desire	갈망, 바람
□ admire	감탄하다
□ inspiration	영감
□ portrait	초상화
□ sight	시력

UNIT 05

실용문 정보 파악하기

□ selfie	셀카 사진
□ competition	대회
□ prize	상
□ deadline	마감 기한
□ detail	세부 사항
□ creative	창의적인
□ entry	출품작
□ winner	수상자
□ comfortable	편안한
□ provide	제공하다
□ registration	등록
□ at least	적어도, 최소한
□ function	기능
□ background	배경 화면
□ decrease	줄이다
□ caution	주의 사항
□ choir	합창단
□ audition	오디션
□ performance	공연
□ freshman	신입생

- ☐ auditorium 강당
- ☐ applicant 지원자
- ☐ participate in ~에 참가하다
- ☐ select 선택하다
- ☐ grand prize 대상
- ☐ voting 투표
- ☐ submission 제출
- ☐ participant 참가자
- ☐ submit 제출하다
- ☐ include 포함하다

UNIT 06 글의 주제·제목 찾기

□ aspect	측면, 양상
□ soothing	진정하는
□ consider	고려하다
□ material	천, 직물
□ property	속성, 특성
□ form	만들다, 형성하다
□ be made up of	~(으)로 구성되다[이루어지다]
□ tiny	미세한, 작은
□ bit	(한) 조각
□ glacier	빙하
□ factor	요인, 요소
□ determine	결정하다
□ enemy	적
□ essential	필수적인
□ drown	물에 빠뜨리다, 익사하다
□ knowledge	지식
□ exception	예외, 제외
□ suffer from	~로부터 고통 받다
□ investment	투자
□ storyteller	스토리텔러, 이야기꾼

□ hang on	~을 걸다[매달다]
□ historical	역사적인
□ currently	현재, 지금
□ dramatic	극적인
□ discussion	토의
□ further	더, 더욱 더
□ indicate	보여 주다, 나타내다
□ impressive	인상적인
□ method	방법
□ cite	인용하다
□ saying	격언, 속담
□ immediate	즉각적인
□ interaction	상호 작용
□ encounter	만남
□ response	반응
□ familiarity	친밀감
□ overcome	극복하다
□ natural	당연한
□ hesitancy	머뭇거림
□ mutual	상호의

UNIT 07

글의 주장 · 요지 찾기

□ float around	(생각 · 소문 등이) 떠돌다
□ ensure	반드시 ~하게 하다; 보장하다
□ record	기록하다
□ aim	목표로 하다
□ hit	(특정 수량 · 수준에) 이르다
□ reminder	상기시키는 것, 생각나게 하는 것
□ motivator	동기를 부여하는 것
□ burden	부담, 짐
□ finding	(조사 · 연구 등의) 발견
□ formation	형성
□ positive	긍정적으로
□ acquire	익히다, 습득하다
□ impulsive	충동적인
□ regularly	규칙적으로
□ condition	조건
□ tool	도구
□ cultivate	함양하다, 기르다
□ calligrapher	서예가
□ capacity	능력
□ lonely	외로운

□ shared	공통된, 공유된
□ purpose	목적
□ be engaged in	~에 관여(참여)하다
□ volunteer	자원봉사하다; 자원봉사자
□ be satisfied with	~에 만족하다
□ enrich	풍부하게 하다
□ loneliness	외로움
□ benefit	혜택을 받다
□ voluntary	자발적인; 자원봉사의
□ attain	얻다, 이루다
□ settle for	~에 안주하다
□ mindset	사고방식, 마음가짐
□ approach	접근하다; 접근법
□ impact	영향을 끼치다
□ mood	기분
□ productive	생산적인
□ productivity	생산성
□ promotion	승진
□ raise	임금 인상
□ consequently	결과적으로

UNIT 08

밑줄 친 부분의 의미 파악하기

□ temper	화
□ argument	논쟁; 논거
□ annoy	화나게 하다
□ respond	대응하다
□ remark	발언
□ effective	효과적인
□ attentive	주의 깊은
□ concept	개념
□ argue	주장하다
□ virtuous	미덕이 있는, 덕이 높은
□ deceive	속이다
□ trait	특성
□ maximize	극대화하다
□ virtue	미덕
□ generous	관대한
□ extremely	매우, 대단히; 극히
□ repetition	반복
□ motivate	~할 동기를 부여하다
□ sharpen	(날카롭게) 깎다; 연마하다
□ valuable	가치 있는

□ passion	열정
□ recognize	인정하다, 인식하다
□ employ	사용하다
□ bond	유대
□ enhance	높이다, 향상시키다
□ assume	가정하다
□ discourse	담화
□ establish	확립(설립)하다
□ identity	정체성
□ obtain	얻다, 획득하다
□ exclude	배제하다, 제외하다
□ deliberately	의도적으로
□ personality	개성
□ associate	연관 짓다
□ treadmill	쳇바퀴
□ satisfy	충족시키다, 만족시키다
□ longing	바람, 갈망
□ silence	잠재우다, 잠잠하게 하다
□ chase	좇다, 추구하다
□ definition	정의

UNIT
09 가리키는 대상 찾기

- □ defeat 패배하다
- □ rival 경쟁하는
- □ create 창조하다
- □ blessing 축복
- □ complaint 불평
- □ bendable 구부릴 수 있는
- □ get rid of ~을 제거하다
- □ cheerful 활기찬, 명랑한
- □ nod (고개를) 끄덕이다
- □ drop 내려놓다
- □ stare 바라보다, 응시하다
- □ lab 실험실 (= laboratory)
- □ practice 연습하다
- □ succeed 성공하다
- □ injure 다치다
- □ realize 깨닫다
- □ bracelet 팔찌
- □ troubled 괴로워하는
- □ guilt 죄책감; 유죄
- □ quietly 조용히; 침착하게

□ punish	벌하다, 처벌하다
□ tear up	(종이를) 갈기갈기 찢다[파기하다]
□ forgive	용서하다
□ vehicle	차, 교통수단
□ teenager	십 대
□ frustration	절망, 좌절
□ explain	설명하다
□ situation	상황
□ round trip	왕복
□ sunset	석양, 일몰

UNIT 10

빈칸 내용 완성하기

□ completely	완전히
□ process	과정
□ heal	치유하다
□ normally	정상적으로, 보통
□ patience	인내
□ suspicious	의심하는
□ rapid	신속한
□ desirable	바람직한
□ available	이용 가능한
□ consideration	숙고
□ particularly	특히
□ impression	인상
□ make sense of	~을 파악하다[이해하다]
□ survivor	생존자
□ mark	나타내다, 표시하다
□ attraction	매력 요소, 사람의 관심을 끄는 것
□ decoration	장식물
□ appeal	관심을 끌다
□ specifiic	특정한
□ dairy	유제품

□ frequently	자주, 흔히
□ experiment	실험
□ trick	속임수
□ inspire	영감을 주다
□ proceed	계속해서 ~하다
□ rationalize	합리화하다
□ observe	관찰하다
□ domain	분야, 영역
□ financial	금전상의
□ norm	규범
□ reflect	반영하다, 나타내다
□ significance	의미
□ translate	전환하다
□ cooperation	협력, 협동
□ literature	문헌; 문학
□ emphasize	강조하다
□ internalize	내재화하다
□ sincere	진심 어린
□ absence	부재
□ relevant	관련된

UNIT 11

무관한 문장 찾기

□ pay attention to	~에 주의를 기울이다
□ dismissive	무시하는
□ arrogant	거만한
□ limit	한계; 제한하다
□ stable	안정된
□ relationship	관계
□ meaningful	의미 있는
□ publiic speaking	대중 연설
□ audience	청중
□ monitor	주시하다
□ verbal	언어적인
□ nonverbal	비언어적인
□ assist	돕다
□ memorize	암기하다, 기억하다
□ respectful	존중하는
□ connection	관계
□ grab	잡다, 움켜쥐다
□ drag	끌다, 끌고 다니다
□ path	통로, 길
□ effect	효과

□ entrance	입구
□ route	경로, 통로
□ checkout	계산대
□ rating	평점, 등급
□ review	후기, 비평
□ purchase	구매; 구매(구입)하다
□ comment	논평; 의견, 견해
□ negative	부정적인
□ interpersonal	사람과 사람 사이의, 대인간의
□ exchange	의견 교환; 교환
□ recommendation	추천
□ potential	잠재력; 잠재적인, (~이 될) 가능성이 있는
□ examine	고찰하다; 검토하다
□ habitually	습관적으로
□ press	강요하다, 압력을 가하다
□ diversity	다양성
□ inhabit	살다
□ shape	형성하다
□ in spite of	~에도 불구하고
□ precisely	바로; 정확히

UNIT 12
글의 순서 배열하기

- □ appropriate 적절한, 알맞은
- □ disclose 공개하다, 드러내다
- □ willingness 기꺼이 하려는 의향(마음)
- □ harmony 조화
- □ improve 개선하다, 향상시키다
- □ unfavorable 불리한
- □ basiic 기본적인
- □ normal 보통의
- □ adapt to ~에 적응하다
- □ environment 환경
- □ obstacle 장애물
- □ circumstance 환경
- □ goal 목표
- □ clarify 분명하게 하다
- □ analyze 분석하다
- □ prove 증명하다
- □ develop (계획을) 세우다, 수립하다; 발달시키다
- □ research 조사하다, 연구하다
- □ write ~ down ~을 적다[기록하다]
- □ vital 중요한

☐ unrealistiic 비현실적인

☐ reward 보답하다

☐ realistiic 현실적인

☐ deal with ~을 다루다(처리하다)

☐ preparation 준비

☐ confidence 자신감

☐ negotiation 협상

☐ identify 알아보다, 확인하다

☐ value 소중하게 여기다

☐ in return 보답으로

UNIT 13

주어진 문장 위치 파악하기

□ dramatically	극적으로
□ symbol	상징
□ central	중심인, 중심의
□ mythology	신화
□ poetry	시
□ ritual	의식, 의례
□ exhibit	보이다; 전시하다
□ opposite	상반되는; 반대의
□ species	종(생물 분류의 기초 단위)
□ honor	숭배하다
□ breed	기르다
□ devotion	헌신
□ association	협회
□ share	공유하다
□ have ~ in common	~을 공통적으로 지니다
□ be into	~을 좋아하다
□ interconnected	상호 연결된
□ hire	고용하다
□ technical	전문적인; 기술적인
□ inspirer	사기를 불어넣는 사람

□ diversify	다양화하다
□ complement	보완하다
□ complex	복잡한
□ equipment	장비
□ instruction	설명
□ surroundings	환경
□ eliminate	제거하다
□ minimum	최소한도, 최저(치)
□ undoubtedly	의심할 바 없이
□ rehearsal	리허설, (예행) 연습
□ contribution	기여
□ crew	단원
□ build on	~을 바탕으로 하다
□ accomplishment	성과; 성취
□ nervousness	긴장감
□ overwhelming	당황스러운
□ pressure	압박, 압력
□ humor	기분, 마음
□ enthusiasm	열정
□ tackle	(문제를) 해결하다, 다루다

UNIT 14

요약문 완성하기

□ evolutionary	진화적인
□ means	수단
□ eye contact	시선의 마주침
□ force	힘
□ arguably	거의 틀림없이; 주장하건데
□ noncooperative	비협조적인
□ cooperative	협조적인
□ rearview mirror	(자동차의) 백미러
□ crow	까마귀
□ remarkably	놀랄 만큼
□ compare	비교하다
□ hatch	부화하다
□ nest	둥지
□ limited	제한적인
□ flexible	유연한
□ extended	길어진, 연장된
□ intelligence	지능
□ initial	초기의
□ rate	평가하다
□ intelligent	똑똑한

□ recall	기억해내다
□ opinion	의견
□ evidence	증거
□ discount	무시하다, (무가치한 것으로) 치부하다
□ population	인구; 개체군, 개체 수
□ habitat	서식지
□ seek	찾다, 구하다
□ migrate	이동하다, 이주하다
□ continent	대륙
□ wound	상처
□ bullet	총알
□ psychologist	심리학자
□ adolescent	청소년
□ crash	충돌하다
□ randomly	무작위로
□ assign	(~하도록) 임명하다
□ look on	지켜보다, 구경하다
□ peer	또래
□ risky	위험한; 모험적인
□ regardless of	~에 상관없이

UNIT 15

알맞은 어법·어휘 찾기

□ physical	신체적인
□ processed	가공된
□ chemical	화학 물질
□ artificial	인공적인
□ ingredient	재료, 성분
□ fortunately	다행히도
□ comfort	편안함
□ condition	조건
□ sweat	땀을 흘리다; 땀
□ slide	빠져 들다; 미끄러지다
□ previous	이전의
□ routine	일상
□ pace	(일의) 속도
□ transformation	변화
□ scale	(저울의) 눈금
□ mystery	불가사의; 신비
□ unique	독특한
□ constantly	끊임없이
□ reexamine	재검토하다
□ theory	이론

□ conclusion	결론
□ discovery	발견
□ correct	바로잡다, 정정하다
□ transform	변화시키다, 바꾸다
□ cultural	문화의
□ connectedness	유대감, 소속감
□ isolation	고립
□ forbid	금지하다
□ favor	선호하다
□ attention	주의 (집중)

memo

미니 단어장

점선을 따라 자르세요

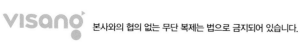

영어 독해

Level 2

중등 수능 독해 영어가  특별한가?

1 독해 전지문을 기출 문제 100% 활용한 변형 지문으로 구성

중학교 내내 영어 독해 공부를 했지만, 실제 수능 문제를 풀지 못하는 학생이 많습니다. 왜 그런 것일까요? 일반 독해서로도 독해력을 향상시킬 수 있지만, 수능 실전 문제에 가장 강해질 수 있는 학습법은 '실제 기출 문제를 통해 기출 소재와 유형을 꾸준히 연습하는 것'이기 때문입니다.

이 책은 국가에서 전국 학생들의 실력을 알아보기 위해 실시하는 중3, 고1 학업 성취도 평가와 고1, 2 학력 평가 기출 문제를 100% 활용하여 변형한 지문과 문제로 구성되어 있어서 학생들이 독해 공부와 수능 공부를 따로 하지 않고 한번에 해결할 수 있습니다.

국가 수준 학업 성취도 평가 & 전국 연합 학력 평가

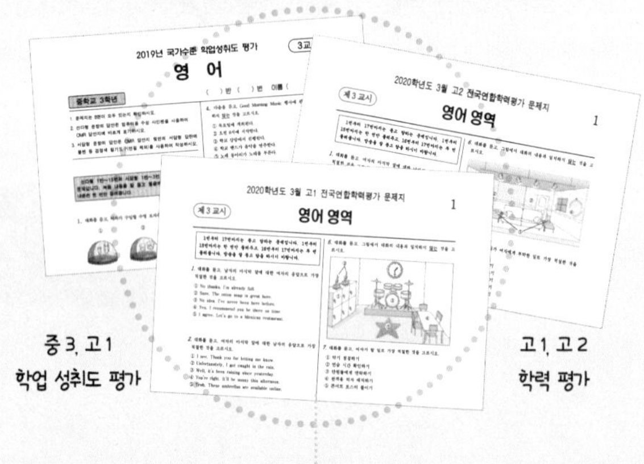

중3, 고1 학업 성취도 평가

고1, 고2 학력 평가

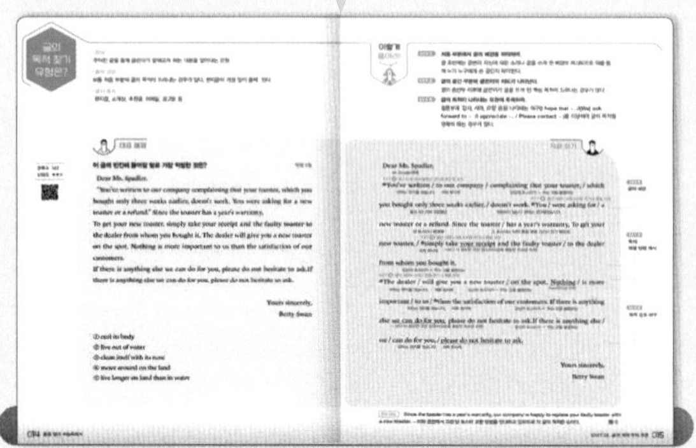

전지문 기출 독해 지문을 변형하여 구성

2 영어 학습 인공지능(AI) 시스템으로 Level별 맞춤형 독해 지문 완성

독해 학습이 가장 비효율적인 경우는 바로 자신의 수준에 맞지 않는 콘텐츠로 공부를 할 때입니다. 수능 학습도 마찬가지입니다. 이 책은 중3, 고1 학업 성취도 평가와 고1, 2 학력 평가 기출 문제를 영어 학습 전문 인공지능(AI) 시스템을 활용하여 중학생 난이도에 맞게 변형하였습니다. 따라서, 중학생이 자신의 수준에 알맞은 지문으로 수능에 출제되는 글의 구조와 소재를 쉽게 익힐 수 있습니다.

고1 학력 평가

다음 글의 제목으로 가장 적절한 것은? 고1 학력 평가

Studies from cities all over the world show the importance of life and activity as an urban attraction. People gather where things are happening and seek the presence of other people. Faced with the choice of walking down an empty or a lively street, most people would choose the street with life and activity. The walk will be more interesting and feel safer. Events where we can watch people perform or play music attract many people to stay and watch. Studies of benches and chairs in city space show that the seats with the best view of city life are used far more frequently than those that do not offer a view of other people.

Studies from cities all over the world show the importance of life and activity as an urban attraction. People gather where things are happening and seek the presence of other people. Faced with the choice of walking down an empty or a lively street, most people would choose the street with life and activity. The walk will be more interesting and feel safer. Events where we can watch people perform or play music attract many people to stay and watch. Studies of benches and chairs in city space show that the seats with the best view of city life are used far more frequently than those that do not offer a view of other people.

특허 받은 영어 학습 인공지능 시스템을 이용하여 독해 어휘와 구문의 수준을 분석, 수준에 맞게 패러프레이징

다음 글의 제목으로 가장 적절한 것은? 고1 학평 3월

Life and activity as an urban attraction are important. People gather where things are happening and want to be around other people. If there are two kinds of streets: a lively street and an empty street, most people would choose to walk the street with life and activity. The walk will be more interesting and feel safer. We can watch people perform or play music anywhere on the street. This attracts many people to stay and watch. Also, most people prefer using seats providing the best view of city life and offering a view of other people.

Level 1, 2, 3 각 수준에 알맞은 난이도 구현

3 수능 독해 학습의 핵심 KEY, 어휘력과 독해력을 강화하기 위한 학습법 적용

학생들이 수능 독해 지문을 읽을 때 가장 필요한 두 가지, 어휘력과 독해력을 강화할 수 있도록 학습을 설계했습니다.

어휘력 강화

처음 보는 새로운 단어도 최소한 4번 이상 반복 학습할 수 있도록 꼼꼼하게 설계되어 한 권을 마무리하면 자동으로 수능 기초 어휘와 필수 어휘를 완벽하게 암기하게 됩니다.

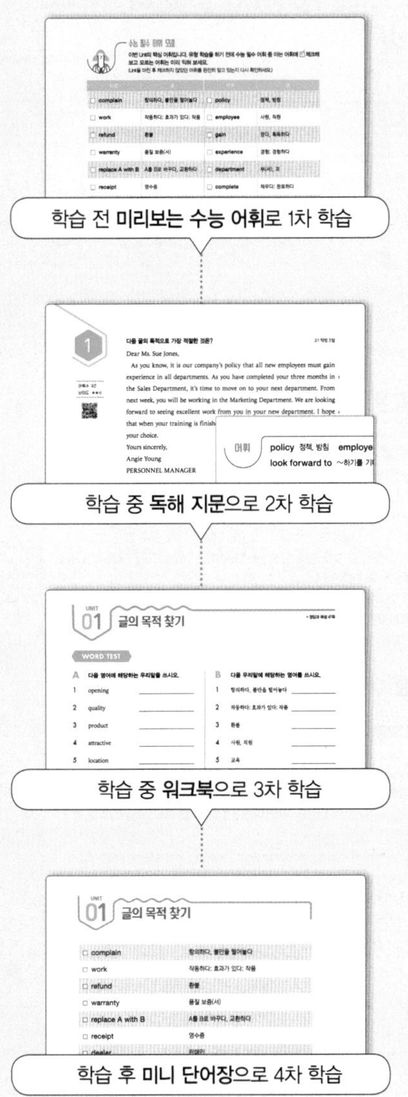

독해력 강화

중학생이 수능 독해를 학습하기 위해 필요한 내용을 기초부터 실전까지 3단계로 나누어 각 단계(Level)에 맞는 독해 학습법을 제시했습니다.

■ 단계(Level)별 독해 학습법 구현

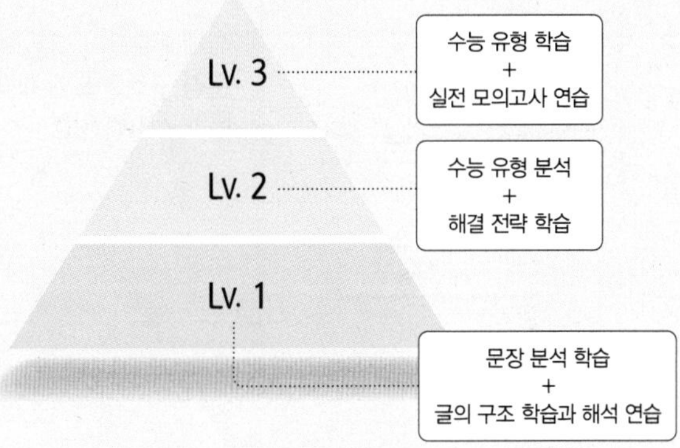

■ 독해력 강화 학습 프로세스 구현

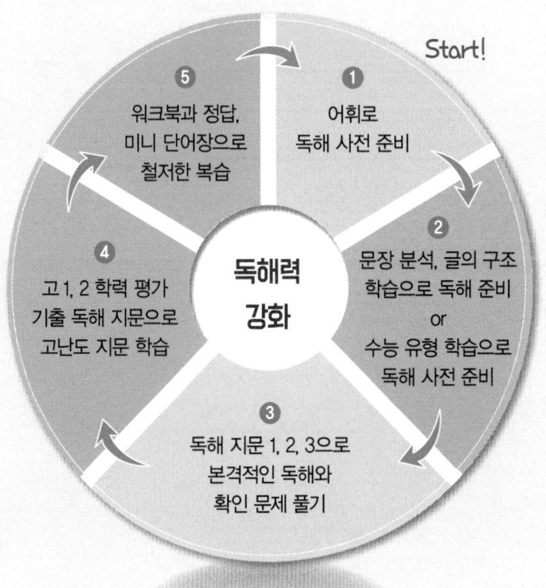

4 각 책의 독해 지문에 수록된 문장 구조 학습과 독해 지문 이해를 돕는 워크북

학생들이 독해 지문 속에서 알게 됐던 문장을 쓰기 학습을 통해 다시 한번 학습하고, 해석이 어려웠던 문장을 다시 한번 해석하도록 구성되어 있어서 쉽고 효율적으로 복습을 할 수 있습니다.

문장 구조 학습

독해에 도움이 되는 핵심 문장 구조를 쓰기 학습을 통해 철저히 익힘

독해 문장 해석

학생들이 해석하기 어려워 하는 문장들을 끊어 읽기해 보고 다시 한번 해석해 볼 수 있도록 함

5 수능식 지문 분석과 상세한 오답 분석이 돋보이는 정답과 해설

독해 지문에 대한 직독직해를 제공하고 글의 구조를 도식으로 쉽게 설명하여 누구나 글의 내용을 완벽하게 이해할 수 있습니다. 또한 상세하고 명확한 해설과 오답 노트, 구문 해설 등의 다양한 설명으로 독해 지문과 문제에 대한 이해력을 100%로 높일 수 있습니다.

직독직해 연습이 가능한 독해 지문 / 글의 구조 분석

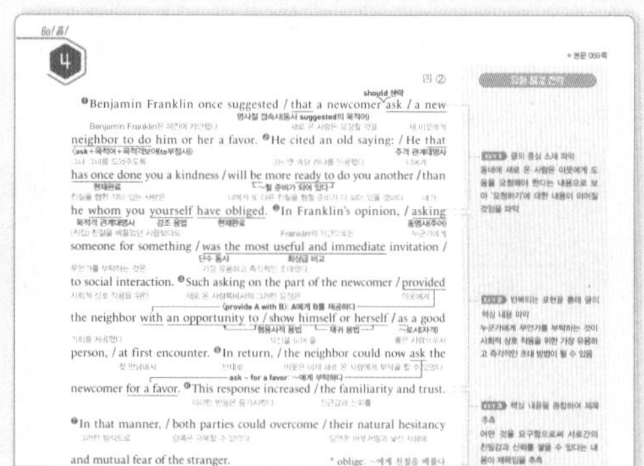

꼼꼼한 오답 노트

오답 노트

① 왜 학생들이 역사를 배워야 하는가 ➡ 역사를 배워야 하는 이유는 언급되지 않았다.

② 역사극의 필수 요소 ➡ 역사를 배우는 데 있어서 극적인 요소가 필요하다는 내용은 유추할 수 있지만 역사극과는 무관하다.

③ 전통적인 교수법의 장점 ➡ 전통적인 교수법보다 스토리텔링을 활용한 교수법이 더욱 효과적이라고 했다.

⑤ 역사에 대한 균형 잡힌 시각을 가지는 것의 중요성 ➡ 역사에 대한 균형 잡힌 시각은 언급되지 않았다.

주요 구문 해설

구문 해설

❷ As you know, **it** is our company's policy **that** all new employees must gain experience in all department.
문장의 주어인 that절(that all new employees must ~ department)이 길어서 문장 뒤로 보내고 주어 자리에는 가주어 It이 쓰였다.

❺ We are **looking forward to seeing** excellent work from you in your new department.
look forward to는 '~하기를 기대하다'라는 뜻으로, 여기서 to는 전치사이므로 뒤에 동명사 seeing이 쓰였다.

이 책의
시리즈 구성 한눈에 보기

Level 1

문장 분석과 글의 구조 학습

1 수능 어휘 사전 학습으로 독해 준비

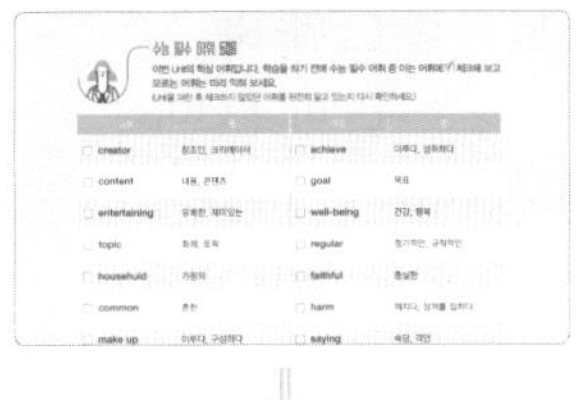

2 문장 분석과 글의 구조 학습으로 독해 기본기 쌓기

3 독해 지문을 읽고 다양한 시험 유형 문제 풀기

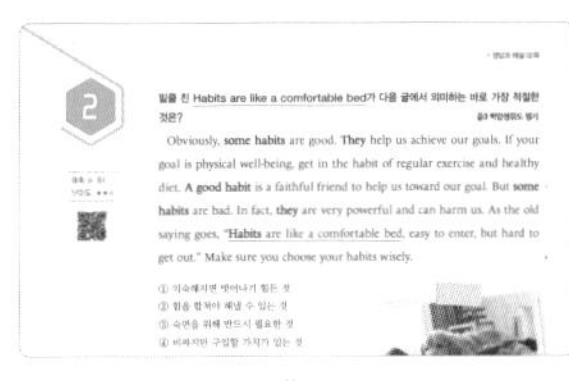

4 수능 유형을 파악하고 독해 지문 구조 파악하기

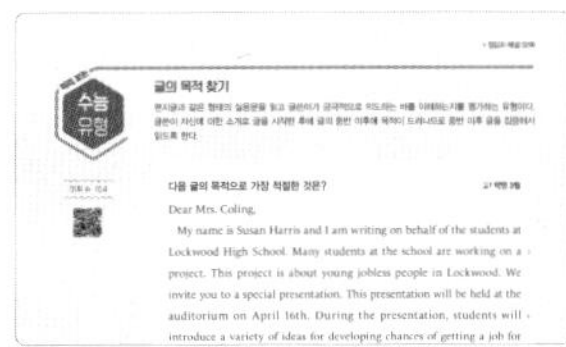

Level 2

수능 유형 분석 및 해결 전략 학습

1 수능 어휘 사전 학습으로 독해 준비

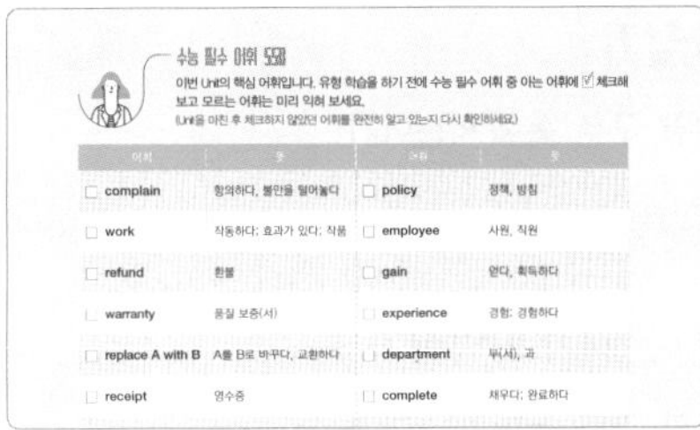

2 수능 유형 분석과 유형별 해결 전략 파악으로 수능 독해 기본기 쌓기

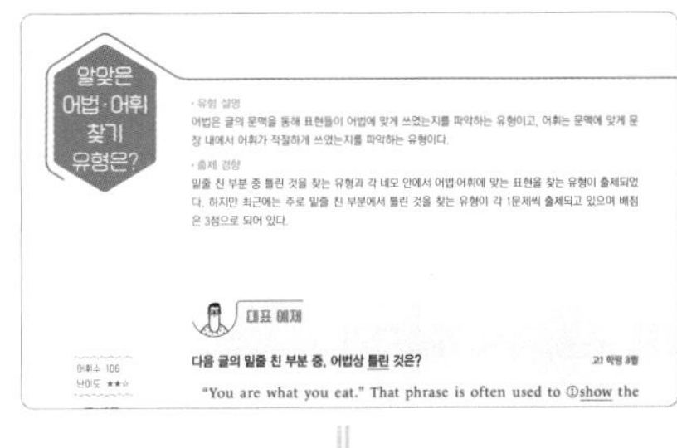

3 수능 유형별 독해 문제 및 유형에 맞는 문제 풀기

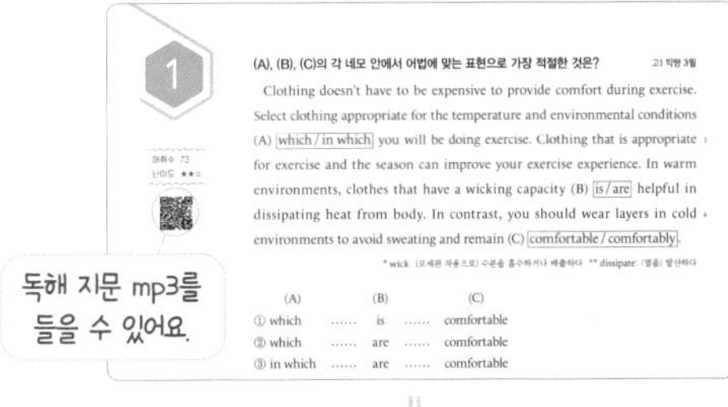

독해 지문 mp3를 들을 수 있어요.

4 고난도 독해 문제 풀며 실력 향상하기

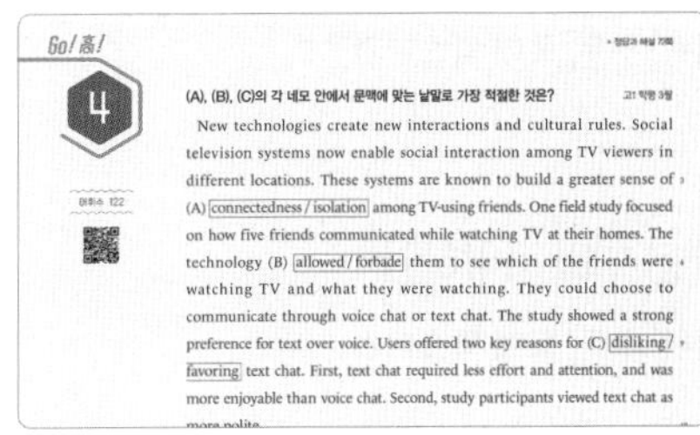

Level 3

수능 유형 학습 및 실전 모의고사 연습

1 수능 어휘 사전 학습으로 독해 준비

2 수능 유형 분석과 유형별 해결 전략 파악으로 수능 독해 빠르게 훑기

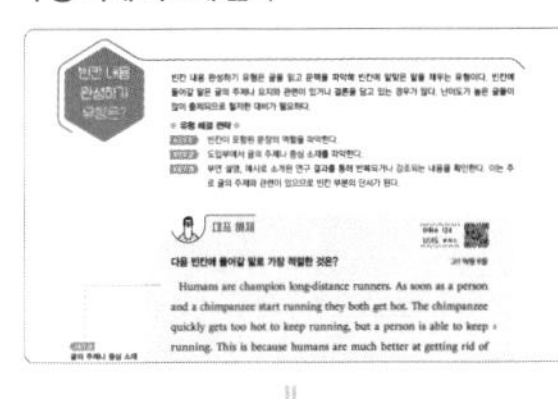

3 수능 유형별 독해 문제 풀며 유형 익히기

4 고난도 독해 문제 풀며 실력 향상하기

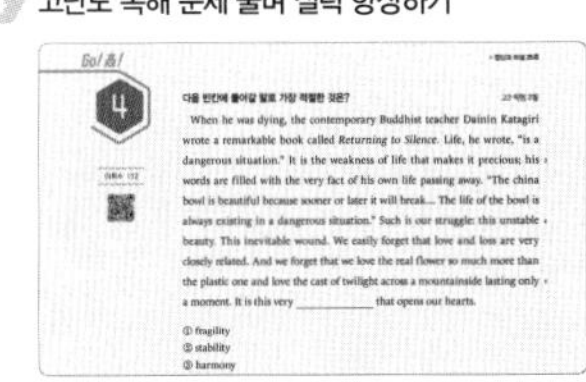

5 실전 모의고사 풀이로 실전 대비하기

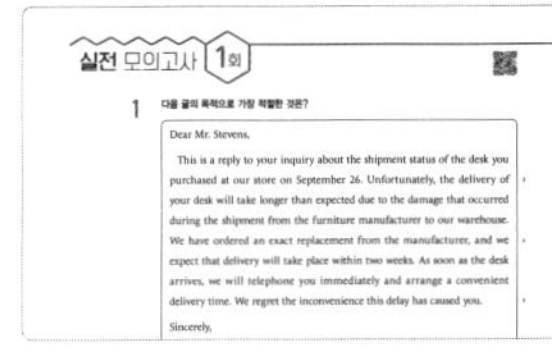

이 책의 목차 확인하고 학습 계획 짜기

◎ 학습 전에 이 책의 학습 목차를 살펴보면서 배울 내용을 확인합시다.
◎ 자신의 학습 패턴에 맞게 학습 계획을 세운 후 꾸준히 학습합시다.
◎ 학습을 마친 후에는 학습 진행도에 체크하고 자신이 세운 계획에 맞게 학습하고 있는지를 점검해 봅시다.
◎ 학습 계획을 조정해야 되는 부분이 있으면 실천 가능하게 계획을 바꾸며 스스로 학습을 관리해 봅시다.

중학교 수능 영어 독해 어떻게 공부해야 하나요?

절대 평가 이후, 수능 영어를 중학교 때부터 준비하는 학습 트렌드가 생겼다. 그럼 중학생들은 어떻게 수능 공부를 해야 하는 것일까? 학생들의 이러한 고민을 해결해 주기 위해서 비상 영어 콘텐츠 연구팀이 전국의 영어 전문 학원 강사님과 중·고등학교 영어 선생님에게 수능 준비에 효율적인 학습법을 물었다.

중학생을 위한 수능 영어 학습법에 대한 설문 조사 결과

"수능 영어에서 가장 중요한 것은 〈어휘와 독해〉이다."

- 어휘 학습: 수능 영어 어휘는 한순간에 벼락치기 할 수 있는 수준이 아니다. 중학교 저학년 때부터 수능에 이르기까지 학습하고 있는 교재나 단어장을 꾸준히 반복 학습하여 어휘의 폭을 넓히는 것이 매우 중요하다.
- 독해 학습: 수능 영어를 잘하기 위해서는 중학교 때 기초를 다지는 것이 중요하다.
  - 저학년 때는 문장 분석과 글의 구조를 이해하는 데 집중하라! 글의 구조 중에서는 주제문을 찾는 연습을 하는 것이 중요하다.
  - 그 다음엔 수능 유형을 파악하고 문제 풀이 스킬을 익혀라! 해당 유형마다 문제를 푸는 전략이 있다. 이 전략대로 푸는 법에 익숙해지도록 연습하라.
  - 마지막으로, 수능 유형과 문제 풀이 스킬을 재확인하고 실전 연습을 하라! 수능 유형에 대해 어느 정도 파악이 되었다면 시간과의 싸움이다. 독해 지문당 풀이 시간을 정하고 빠르고 정확하게 푸는 연습을 꾸준히 하라.

비상 영어 콘텐츠 연구팀은 위와 같은 전국 영어 전문 학원 강사님과 중·고등학교 영어 선생님의 티칭 가이드를 토대로 중학교 1학년부터 수능 학습을 탄탄하게 준비할 수 있는 '중학생을 위한 수능 독해 영어 Level 1, 2, 3'을 개발했다.

문장 분석과 글의 구조 학습	수능 유형 분석 및 해결 전략 학습	수능 유형 훑기 및 실전 모의고사 연습
수능 어휘 학습 → 문장 분석과 글의 구조 학습 → 독해 문제 풀기 → 수능 유형 맛보기 학습으로 구성	수능 어휘 학습 → 수능 유형 분석과 해결 전략 학습 → 수능 독해 문제에 전략 적용하여 풀기 → 고난도 문제 풀기로 구성	수능 어휘 학습 → 수능 독해 유형 빠르게 풀기로 해결 전략 연습하기 → 실전 모의고사로 연습하기로 구성

이제 여러분은 전국의 영어 전문 학원 강사님과 중·고등학교 영어 선생님들이 제시한 효율적인 학습법대로 공부하며 수능 기본기를 쌓기만 하면 된다. 그 학습 단계의 두 번째로 Level 2. 수능 유형 분석 및 해결 전략 학습에 대해 학습해 보자.

Level 2 수능 독해 유형의 이해

I 수학 능력 시험 영어 영역 주요 정보

수능 영어 영역 시험은 총 45문항으로 듣기 17문항과 읽기 28문항으로 구성되어 있다. 시험 시간은 총 70분이며 25분은 듣기 평가, 45분은 독해 평가로 나뉜다. 독해 문제는 주로 짧은 독해 지문 하나에 한 문항이 나오는 형태로 출제되고 5문항 정도는 긴 독해 지문과 복합 문단 지문 형태로 출제된다.

수능에서는 평균 문제 풀이 시간이 한 문제당 1분 30초 정도인데, 긴 독해 지문과 복합 문단 지문 형태의 문제들을 생각하여 약간 더 빠르게 풀어야 할 필요가 있다.

구분	시간	시험 준비 / 평가 영역	문항 수
3교시	13:00~13:10	– 수험생 확인 – 시험 준비 – 듣기 평가 안내 방송	
	13:10~13:10 (70분)	듣기 평가(25분)	17문항
		독해 평가(45분)	28문항

II 수능 영어 절대 평가 등급

수능 영어 절대 평가는 원 점수 100점 만점을 기준으로 0점에서 100점까지 총 9등급으로 구성되어 있다. 각 등급은 아래 표와 같이 원점수를 기준으로 10점 단위로 나뉜다.

등급	1등급	2등급	3등급	4등급	5등급	6등급	7등급	8등급	9등급
원 점수	100~90점	89~80점	79~70점	69~60점	59~50점	49~40점	39~30점	29~20점	19~0점

III 수능 영어 독해 평가 영역

수능 영어는 고등학교 영어 I, 영어 II 과목의 소재와 독해 난이도를 바탕으로 학생들이 대학에서 학습할 수 있는 영어 능력을 어느 정도 갖추고 있는지를 평가한다. 그 소재로는 일화, 이야기, 인문, 교육, 경제, 정치와 법, 정보 통신, 미디어, 기술, 과학, 동식물, 환경, 심리, 예술, 철학, 의학, 역사, 문화, 건강, 의학, 봉사, 취미 등의 다양한 소재로 이루어진 지문과 자료를 활용하여 출제된다.

수능 영어 독해의 평가 영역은 글의 중심 내용 파악하기, 세부 내용 파악하기, 논리적 관계 파악하기, 글의 흐름 파악하기, 적절한 어법과 어휘 찾기 등이며 단문 독해 뿐만 아니라 긴 지문(장문)과 복합 문단에 대한 독해 능력도 평가 대상이다.

Ⅳ 수능 영어 독해 세부 유형

1. 중심 내용 파악하기

중심 내용 파악하기는 글에 대한 종합적인 이해를 묻는 문제이다. 글을 읽으면서 핵심 소재와 주제문, 글쓴이가 글에서 말하고자 하는 바 등을 찾는 유형이다. 세부 유형으로는 주장, 요지, 주제, 제목 찾기가 있다.

■ **지시문**

- **주장:** 다음 글에서 필자가 주장하는 바로 가장 적절한 것은?
- **요지:** 다음 글의 요지로 가장 적절한 것은?
- **주제:** 다음 글의 주제로 가장 적절한 것은?
- **제목:** 다음 글의 제목으로 가장 적절한 것은?

2. 세부 내용 파악하기

세부 내용 파악하기는 글에 언급된 특정 정보를 정확하게 이해하고 있는지를 묻는 문제이다. 세부 유형으로는 세부 정보 내용 일치·불일치, 도표와 실용문의 내용 일치·불일치가 있다.

■ **지시문**

- **세부 정보:** 'warm-blooded animals'에 관한 다음 글의 내용과 일치하지 않는 것은?
- **도표:** 다음 도표의 내용과 일치하지 않는 것은?
- **실용문:** Smart Watch 사용에 관한 다음 안내문의 내용과 일치하는 것은?

3. 논리적 관계 파악하기

논리적 관계 파악하기는 글을 읽고 글의 흐름이 논리적으로 전개되고 있는지를 파악하고 있는지 묻는 문제이다. 세부 유형으로는 글의 흐름에 무관한 문장 찾기, 주어진 문장의 적합한 위치 찾기, 글의 순서 배열하기가 있다.

■ **지시문**

- **무관한 문장:** 다음 글에서 전체 흐름과 관계 없는 문장은?
- **주어진 문장의 적합한 위치:** 글의 흐름으로 보아, 주어진 문장이 들어가기에 가장 적절한 곳은?
- **글의 순서 배열:** 주어진 글 다음에 이어질 글의 순서로 가장 적절한 것은?

4. 글의 흐름 파악하기

글의 흐름 파악하기는 글을 읽고 말하는 이나 글쓴이의 의도나 목적을 파악하고 있는지 묻는 문제이다. 세부 유형으로는 목적 찾기, 심경·분위기 파악하기, 가리키는 대상 찾기, 밑줄 친 부분 의미 파악하기, 빈칸 완성하기, 요약문 완성하기가 있다.

■ **지시문**

- **목적:** 다음 글의 목적으로 가장 적절한 것은?
- **심경·분위기:** 다음 글에 드러난 'I'의 심경 변화로 가장 적절한 것은?
  다음 글의 분위기로 가장 적절한 것은?
- **가리키는 대상:** 밑줄 친 she[her]가 가리키는 대상이 나머지 넷과 다른 것은?
- **밑줄 친 부분 의미 파악:** 밑줄 친 "rise to the bait"가 다음 글에서 의미하는 바로 가장 적절한 것은?
- **빈칸 완성:** 다음 빈칸에 들어갈 말로 가장 적절한 것은?
- **요약문 완성:** 다음 글의 내용을 한 문장으로 요약하고자 한다. 빈칸 (A), (B)에 들어갈 말로 가장 적절한 것은?

5. 그 외: 어법과 어휘, 긴 지문(장문), 복합 문단

위 네 가지 유형 외에도 글 내에서 쓰인 단어의 어법이나 어휘가 적절한지를 묻는 문제가 있다. 그리고 긴 지문(장문)과 복합 문단 지문도 출제되는데 이 유형의 세부 문제로는 위에서 언급된 유형이 골고루 출제된다.

■ **지시문**

- **어법:** 다음 글의 밑줄 친 부분 중, 어법상 틀린 것은?
- **어휘:** 다음 글의 밑줄 친 부분 중, 문맥상 낱말의 쓰임이 적절하지 않은 것은?
  (A), (B), (C)의 각 네모 안에서 문맥에 맞는 낱말로 가장 적절한 것은?

특허 받은 영어 학습 인공지능 시스템으로 개발한 최초의 중등 수능 독해 영어 기출 문제집으로 수능 실력을 높이자!

UNIT 01

글의 목적 찾기

수능 필수 어휘 550

이번 Unit의 핵심 어휘입니다. 유형 학습을 하기 전에 수능 필수 어휘 중 아는 어휘에 ☑ 체크해 보고 모르는 어휘는 미리 익혀 보세요.
(Unit을 마친 후 체크하지 않았던 어휘를 완전히 알고 있는지 다시 확인하세요.)

어휘	뜻	어휘	뜻
□ complain	항의하다, 불만을 털어놓다	□ policy	정책, 방침
□ work	작동하다; 효과가 있다; 작품	□ employee	사원, 직원
□ refund	환불	□ gain	얻다, 획득하다
□ warranty	품질 보증(서)	□ experience	경험; 경험하다
□ replace A with B	A를 B로 바꾸다, 교환하다	□ department	부(서), 과
□ receipt	영수증	□ complete	채우다; 완료하다
□ dealer	판매인	□ look forward to	~하기를 기대하다
□ on the spot	그 자리에서 바로, 즉석에서	□ training	교육, 훈련
□ satisfaction	만족	□ personnel	인사의
□ customer	고객	□ announce	알리다; 발표하다

Even if the world falls,
I will do my job!

어휘	뜻	어휘	뜻
☐ **opening**	개업, 개점	☐ **athlete**	운동선수
☐ **quality**	양질의; 질	☐ **opportunity**	기회
☐ **product**	제품, 상품	☐ **understanding**	이해
☐ **attractive**	매력적인	☐ **brief**	간단한, 짧은
☐ **location**	장소, 위치	☐ **subscription**	구독 (기간)
☐ **branch**	지점	☐ **renew**	갱신(연장)하다
☐ **principal**	교장	☐ **upcoming**	곧 있을, 다가오는
☐ **education**	교육	☐ **issue**	(출판물의) 호
☐ **require**	(~로 하여금) 요구하다; 필요로 하다	☐ **continue**	지속하다, 계속하다
☐ **miss**	(학교·수업에) 결석하다, 빠지다	☐ **monthly**	매달의, 월 1회의

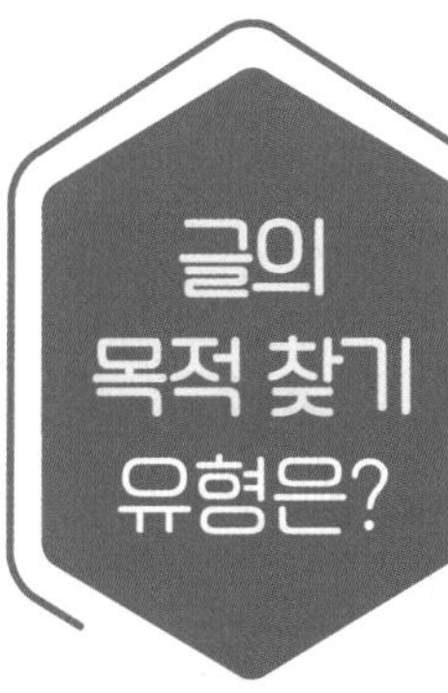

• 유형 설명

글쓴이가 글을 통해 전달하고자 하는 바를 찾는 유형이다.

• 출제 경향

다소 쉽다고 알려져 있으며, 편지 글 형식이 많이 출제되고 있다. 글 초반부에는 글을 쓰게 된 배경이 소개되고 중후반부에 글을 쓴 목적이 나타나는 경우가 많다.

대표 예제

어휘수 107
난이도 ★★☆

다음 글의 목적으로 가장 적절한 것은? 고1 학평 3월

Dear Ms. Spadler,

We received your letter about your toaster. In your letter, you complained about a toaster that you bought three weeks ago. It didn't work and so you asked for a new toaster or a refund. Because the toaster has a year's warranty, our company is happy to replace your toaster with a new toaster. To get your new toaster, bring your receipt and the toaster to the dealer. The dealer will give you a new toaster on the spot. The satisfaction of our customers is the most important thing to us. If you need any help, please let us know.

Yours sincerely,

Betty Swan

* warranty: 품질 보증(서)

① 새로 출시한 제품을 홍보하려고
② 흔히 생기는 고장 사례를 알려주려고
③ 품질 보증서 보관의 중요성을 강조하려고
④ 고장 난 제품을 교환하는 방법을 안내하려고
⑤ 제품 만족도 조사에 참여해줄 것을 요청하려고

이렇게 풀어라!

KEY 1 글을 쓰게 된 동기를 파악하라.
글 초반부에 보내는 사람과 받는 사람의 관계, 글을 쓰게 된 배경 등이 소개되므로, 초반부에서 글을 쓴 동기를 파악한다.

KEY 2 특정 상황과 핵심 표현에 유의하며 목적을 파악하라.
글을 쓰게 된 상황과 글에 담긴 희망, 요청, 부탁, 감사, 사과 등의 목적을 파악한다. 글의 목적을 나타내는 핵심 표현인 want, hope, wish, ask, need 등의 동사나, would (like to), should, must, have to 등의 조동사, necessary, important 등의 형용사, 그리고 명령문에 유의한다.

KEY 3 후반부 내용을 통해 목적을 재확인하라.
후반부에는 글의 목적을 부연 설명하거나 그 목적을 위해 수신자가 해야 할 일 등이 언급되므로 이를 통해 목적을 재확인한다.

적용하기

❶Dear Ms. Spadler,
Spadler 씨께

KEY❶ 토스터에 대해 불만족한 고객의 불평의 편지글임을 확인

❷We received your letter / about your toaster. ❸In your letter, / you complained about a toast / that you bought three weeks ago. ❹It didn't work / and so you asked for / a new toaster or a refund.
저희는 귀하의 편지를 받았습니다 / 귀하의 토스터에 대한 / 귀하의 편지에서 / 귀하는 토스터에 대해 항의하셨습니다 / 귀하가 3주 전에 구매했던 / 그것은 작동하지 않았습니다 / 그래서 귀하는 요구하셨습니다 / 새로운 토스터 또는 환불을
(complain about: '불만족'을 나타낼 때 쓰임 / that: 목적격 관계대명사 / KEY❷-1 고객의 요구 사항 파악)

❺Because the toaster has a year's warranty, / our company is happy to replace / your toaster with a new toaster.
그 토스터는 1년의 품질 보증 기간이 있기 때문에 / 저희 회사는 기꺼이 교환해 드리겠습니다 / 귀하의 토스터를 새로운 토스터로
(Because: 이유 접속사(~ 때문에: 뒤에 절(주어+동사)이 이어짐) cf. because of+(명사)구 / 〈be happy+to부정사〉: 기꺼이 ~하다 〈replace A with B〉: A를 B로 바꾸다, 교환하다)

❻To get your new toaster, / bring your receipt and the toaster / to the dealer.
귀하의 새 토스터를 받기 위해서는 / 귀하의 영수증과 그 토스터를 가져가십시오 / 판매인에게
(KEY❷-2 토스터 교환 방법 안내)

❼The dealer / will give you a new toaster / on the spot.
그 판매인은 / 귀하에게 새 토스터를 드릴 것입니다 / 그 자리에서 바로
(〈수여동사 give+간접목적어+직접목적어〉 / on the spot: 그 자리에서 바로, 즉석에서)

❽The satisfaction of our customers is / the most important thing to us. ❾If you need any help, / please let us know.
고객의 만족은 ~입니다 / 저희에게 가장 중요한 것 / 만약 귀하가 어떤 도움이 필요하시다면 / 부디 저희에게 알려주십시오
(KEY❸ 고객의 불만족에 대한 회사의 입장 마무리 / the most important: 최상급 / If: 조건 접속사(만약 ~라면) / 〈사역동사 let+목적어+목적격보어(동사원형)〉)

❿Yours sincerely,
진심을 담아

Betty Swan
Betty Swan 드림

* warranty: 품질 보증(서)

KEY 1 글을 쓰게 된 동기 파악

KEY 2 특정 상황과 핵심 표현에 유의하며 목적 파악

KEY 3 후반부 마무리

문제 해설 고장 난 토스터에 대한 고객의 불만족을 담은 항의 편지에 대한 답변으로, 보증 기간 1년 내인 상품의 교환 방법을 안내하는 글이다. 따라서 글의 목적으로 가장 적절한 것은 ④ '고장 난 제품을 교환하는 방법을 안내하려고'이다. 답 ④

다음 글의 목적으로 가장 적절한 것은?

고1 학평 3월

어휘수 92
난이도 ★★☆

Dear Ms. Sue Jones,

As you know, it is our company's policy that all new employees must gain experience in all departments. As you have completed your three months in the Sales Department, it's time to move on to your next department. From next week, you will be working in the Marketing Department. We are looking forward to seeing excellent work from you in your new department. I hope that when your training is finished we can have you work at a department of your choice.

Yours sincerely,
Angie Young
PERSONNEL MANAGER

① 근무 부서 이동을 통보하려고
② 희망 근무 부서를 조사하려고
③ 부서 간 업무 협조를 당부하려고
④ 새로운 마케팅 전략을 공모하려고
⑤ 직원 연수 일정 변경을 안내하려고

More & More

(유형 문제) **1** 윗글의 답의 근거가 되는 문장을 찾아 쓰고, 해석하시오.

〈문장〉 ______________________

〈해석〉 ______________________

(수능 변형) **2** 인사 담당 이사가 말한 회사 방침에 관한 윗글의 내용과 일치하는 것은?

① 모든 신입 사원들은 업무 경력이 있어야 한다.
② 모든 신입 사원들은 회사의 모든 부서에서 경험을 쌓아야 한다.
③ 모든 신입 사원들은 수습 기간 내내 영업부서에서 일해야 한다.
④ 모든 신입 사원들은 마케팅부서에서만 일해야 한다.
⑤ 수습 기간 동안에는 신입 사원들이 원하는 부서에서 일하게 한다.

어휘 policy 정책, 방침 employee 사원, 직원 gain 얻다, 획득하다 experience 경험; 경험하다 department 부(서), 과 complete 채우다; 완료하다 look forward to ~하기를 기대하다 training 교육, 훈련 personnel 인사의

어휘수 102
난이도 ★★☆

다음 글의 목적으로 가장 적절한 것은? 고1 학평 3월

Dear Ms. Cross,

We are excited to announce the opening of our new Sunshine Stationery Store in Raleigh, North Carolina! The Sunshine Stationery Store has been famous for fine quality paper products, and we have picked the warm and attractive city of Raleigh as a location for our next branch. We are glad to welcome you to the Grand Opening of the Raleigh store on March 15, 2018. The opening event will be from 9 a.m. to 9 p.m. We would love to show you all the Raleigh store products and hope to see you there on the 15th!

Sincerely,

Donna Deacon

① 신제품의 출시를 홍보하려고
② 회사 창립 기념일에 초대하려고
③ 이전한 매장의 위치를 안내하려고
④ 신설 매장의 개업식에 초대하려고
⑤ 매장의 영업시간 변경을 안내하려고

More & More

(유형 문제)
1 윗글의 답의 근거가 되는 문장을 찾아 쓰고, 해석하시오.

〈 문장 〉 ______________________

〈 해석 〉 ______________________

(수능 변형)
2 Sunshine 문구점에 관한 윗글의 내용과 일치하지 않는 것은?

① North Carolina 주의 Raleigh에 새로운 매장이 열린다.
② 품질 좋은 종이 제품으로 유명하다.
③ Raleigh 매장의 개업식은 2018년 3월 15일에 열린다.
④ Raleigh 매장의 개업 행사는 12시간 동안 진행된다.
⑤ Raleigh 매장에서는 일부 상품만 공개된다.

어휘 **announce** 알리다 **opening** 개업, 개점 **stationery store** 문구점 **quality** 양질의; 질 **product** 제품, 상품 **attractive** 매력적인 **location** 장소 **branch** 지점

어휘수 117
난이도 ★★★

다음 글의 목적으로 가장 적절한 것은? 고1 학평 11월

To the Principal of Alamda High School,

I would like to inform you that the 2019 Youth Soccer Tournament Series will be held next week. We know how important an education is to the players. However, the tournament will require players to miss two days of school. Many college coaches will be attending the game to look for new talented student athletes for their teams. So, the games can be a great opportunity for young soccer players to show what they can do as athletes. We hope that you allow the players of your school to be absent during this event. Thank you for your understanding.

Best regards,

Jack D'Adamo, Director of the Youth Soccer Tournament Series

① 선수들의 학력 향상 프로그램을 홍보하려고
② 대학 진학 상담의 활성화 방안을 제안하려고
③ 선수들의 훈련 장비 추가 구입을 건의하려고
④ 선수들의 대회 참가를 위한 결석 허락을 요청하려고
⑤ 대회 개최를 위한 운동장 대여 가능 여부를 문의하려고

More & More

유형 문제
1 윗글의 답의 근거가 되는 문장을 찾아 쓰고, 해석하시오.

〈문장〉 ______________________

〈해석〉 ______________________

내신형
2 윗글의 내용과 일치하지 않는 것은?

① 2019 청소년 축구 대회가 다음 주에 열린다.
② 대회 주최 측은 선수들의 교육을 중요시 여긴다.
③ 해당 선수들은 경기 참가로 학교 수업에 빠져야 한다.
④ 대학 코치들이 대회에 와서 경기를 감독한다.
⑤ 경기를 통해 선수들은 그들의 실력을 보여 줄 수 있다.

어휘 principal 교장 education 교육 require (~로 하여금) 요구하다; 필요로 하다 miss (학교·수업에) 결석하다, 빠지다 coach 코치 athlete 운동선수 opportunity 기회 absent 결석한 understanding 이해

다음 글의 목적으로 가장 적절한 것은?

고1 학평 6월

어휘수 109

Dear Mr. Hane,

Our message to you is brief, but important: Your subscription to *Winston Magazine* will end soon and we haven't heard from you about renewing it. We're sure you won't want to miss even one upcoming issue. Renew now to make sure that the service will continue. You'll continue receiving the excellent stories and news that make *Winston Magazine* the fastest growing magazine in America. To make it as easy as possible for you to act now, we've sent a reply card for you to complete. Simply send back the card today and you'll continue to receive your monthly issue of *Winston Magazine*.

Best regards,

Thomas Strout

① 무료 잡지를 신청하려고
② 잡지 구독 갱신을 권유하려고
③ 배송 지연에 대해 사과하려고
④ 경품에 당첨된 사실을 통보하려고
⑤ 기사에 대한 독자 의견에 감사하려고

More & More

(유형 문제)
1 윗글의 답의 근거가 되는 문장을 찾아 쓰고, 해석하시오.

〈 문장 〉 ______________________

〈 해석 〉 ______________________

(수능 변형)
2 *Winston Magazine*에 관한 윗글의 내용과 일치하지 않는 것은?

① 훌륭한 이야기와 뉴스를 독자들에게 전달한다.
② 수록된 기사들 덕분에 빠른 속도로 성장하고 있다.
③ 미국에서 발간되는 간행물이다.
④ 구독 기간이 끝나가는 독자들에게 회신용 카드를 보내준다.
⑤ 구독자들의 집으로 매주 배달된다.

어휘 **brief** 간단한, 짧은 **subscription** 구독 (기간) **renew** 갱신[연장]하다 **upcoming** 곧 있을, 다가오는 **issue** (출판물의) 호 **make sure** ~을 확실하게 하다 **continue** 지속하다, 계속하다 **monthly** 매달의, 월 1회의

UNIT 02 글의 심경 · 분위기 파악하기

수능 필수 어휘 550

이번 Unit의 핵심 어휘입니다. 유형 학습을 하기 전에 수능 필수 어휘 중 아는 어휘에 ☑ 체크해 보고 모르는 어휘는 미리 익혀 보세요.
(Unit을 마친 후 체크하지 않았던 어휘를 완전히 알고 있는지 다시 확인하세요.)

어휘	뜻	어휘	뜻
☐ dive	잠수하다	☐ label	표, 상표
☐ sink	가라앉다	☐ be ready for	~할 준비가 되다
☐ run out	다 떨어지다	☐ picture	상상하다, 마음속에 그리다
☐ remove	벗다, 제거하다	☐ shine	(태양이) 비치다; 빛나다
☐ lift	들어 올리다	☐ mild	온화한
☐ appear	나타나다	☐ breeze	산들바람
☐ look into	~의 속을 들여다 보다, 주의 깊게 살펴보다	☐ slight	약간의, 조금의
☐ save	보호하다	☐ spread	(더 넓은 범위로) 번지다
☐ surface	수면, 표면	☐ turn over	몸[자세]을 뒤집다
☐ fancy	멋진	☐ scent	향기

어휘	뜻	어휘	뜻
☐ trunk	나무의 몸통	☐ freeze	(몸·표정이) 굳다
☐ concern	걱정, 염려	☐ control	통제하다
☐ go away	사라지다	☐ have trouble -ing	~하는 데 어려움을 겪다
☐ tie	묶다	☐ airspeed	풍속
☐ leather	가죽	☐ report	보고하다
☐ wedding ceremony	결혼식	☐ emergency	비상사태
☐ celebration	축하 행사	☐ bump	부딪치다
☐ joyful	흥겨운	☐ by accident	우연히
☐ shake	흔들다	☐ regain	되살아나다, 회복하다
☐ clap	(손뼉을) 치다	☐ loosen up	긴장을 풀다

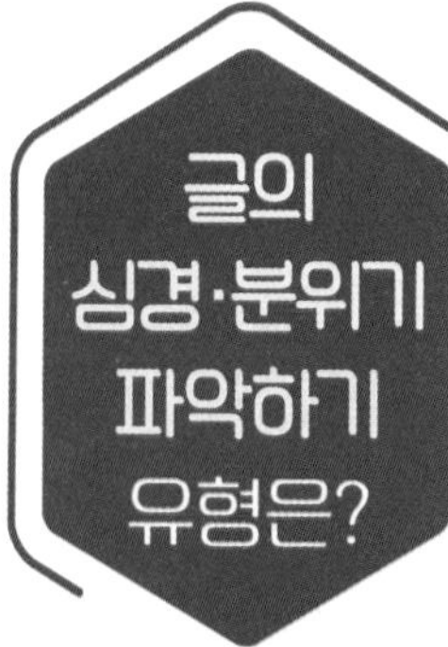

• 유형 설명

등장인물의 심경이나 심경 변화 또는 글의 전반적인 분위기를 파악하는 유형이다.

• 출제 경향

영어 선택지로 제시되며 주로 수필이나 일화, 문학 작품과 같은 형식으로 비교적 쉽게 출제되고 있다.

대표 예제

어휘수 96
난이도 ★★☆

다음 글에 드러난 'I'의 심경 변화로 가장 적절한 것은? 고1 학평 3월

I was diving alone in about 40 feet of water when I got a terrible stomachache. I was sinking and it was hard to move. Also I found that the air in the tank was running out. I could not remove my weight belt. Suddenly I felt a prodding. Something lifted my arm. And an eye appeared. The eye seemed to be smiling. It was the eye of a big dolphin. When I looked into that eye, I knew I was safe. I felt that the animal was lifting me toward the surface to save me.

* prodding: 쿡 찌르기

① excited → bored
② pleased → angry
③ jealous → thankful
④ proud → embarrassed
⑤ frightened → relieved

KEY 1 **글쓴이의 상황 및 배경을 파악하라.**
글의 초반부에서 글쓴이나 등장인물이 처한 상황이나 사건 내용을 파악한다.

KEY 2 **분위기나 심경을 나타내는 표현을 확인하라.**
등장인물의 심경이나 글의 전체적인 분위기를 추측할 수 있는 표현을 찾아낸다.

KEY 3 **(심경 변화를 묻는 경우) 변화한 심경을 나타내는 표현을 확인하라.**
글의 앞부분에 나타난 것과 다른 심경을 나타내는 표현을 찾아낸다.

적용하기

KEY❶ 깊은 물속에서 다이빙을 하다가 심한 복통을 느낌

❶I was diving alone / in about 40 feet of water / when I got a terrible stomachache. ❷I was sinking / and it was hard to move. ❸Also I found / that the air in the tank was running out. ❹I could not remove / my weight belt.

(about: 약, 대략 / when: 시간 접속사(~할 때) / it: 가주어 / to move: 진주어 / that: 명사절 접속사(동사 found의 목적어) / run out: 다 떨어지다)

KEY❷-1 몸이 가라앉아 움직이기 어려움
KEY❷-2 산소가 부족해짐
KEY❷-3 웨이트 벨트를 제거할 수 없음

나는 혼자 잠수하고 있었다 / 약 40피트의 물속에서 / 내가 심한 복통을 느꼈을 때 / 나는 가라앉고 있었다 / 그리고 움직이기 힘들었다 / 또한 나는 알게 되었다 / 탱크 안의 공기가 다 떨어지고 있다는 것을 / 나는 제거할 수 없었다 / 나의 웨이트 벨트를

❺Suddenly I felt a prodding. ❻Something lifted my arm. ❼And an eye appeared. ❽The eye seemed to be smiling. ❾It was the eye of a big dolphin. ❿When I looked into that eye, / I knew I was safe. ⓫I felt / that the animal was lifting me / toward the surface / to save me.

(<seem+to부정사>: ~인 것 같다 / It = The eye / look into: ~의 속을 들여다 보다, 주의 깊게 살펴보다 / that: 명사절 접속사(동사 felt의 목적어) / to save me: 부사적 용법(목적))

KEY❸-1 갑자기 큰 돌고래가 나타남
KEY❸-2 돌고래가 보호해주어 안전함을 느낌

갑자기 나는 쿡 찌르는 느낌을 받았다 / 뭔가가 내 팔을 들어 올렸다 / 그리고 눈 한 쪽이 나타났다 / 그 눈은 웃고 있는 것 같았다 / 그것은 큰 돌고래의 눈이었다 / 내가 그 눈을 들여다봤을 때 / 나는 내가 안전하다는 것을 알았다 / 나는 느꼈다 / 그 동물이 나를 들어 올리는 것을 / 수면 위를 향해 / 나를 보호하기 위해

* prodding: 쿡 찌르기

KEY 1 글쓴이의 상황 및 글의 배경 파악

KEY 2 초반 심경을 드러내는 표현 확인

KEY 3 상황이 전환되는 내용 및 후반 심경을 드러내는 표현 확인

문제 해설 깊은 물속에서 혼자 다이빙을 하던 'I'는 갑자기 복통을 느끼고 가라앉게 되었다. 공기가 바닥나고 움직일 수 없어 두려운(frightened) 상태였던 'I'를 큰 돌고래가 갑자기 나타나 구조했으므로, 'I'의 심경은 안심한(relieved) 상태가 되었을 것이다. 따라서 'I'의 심경 변화로 가장 적절한 것은 ⑤ '두려운 → 안심한'이다. 답 ⑤

어휘수 124
난이도 ★☆☆

다음 글에 드러난 'I'의 심경으로 가장 적절한 것은? 고1 학평 3월

It was my first day of school at St. Roma High School. The uniforms were fancier than in middle school. As a St. Roma student, I had to wear a green sweater with the school label on the shoulder. And I had to choose between a khaki skirt or khaki pants. Also, I had to wear a white blouse and a green St. Roma tie. "There's my St. Roma student," said Mom. "You're ready for your first day?" she asked. "Yes!" I told her. While she drove me to school, I pictured myself as a high school student. *Maybe I'll have new friends. Maybe I'll be the best in the class.* I could not wait to start my first day at a new school.

① angry ② excited ③ jealous
④ regretful ⑤ disappointed

More & More

유형 문제
1 윗글에서 'I'의 심경을 가장 잘 나타낸 문장을 찾아 쓰고, 해석하시오.

〈심경 문장〉 ______________________

〈해석〉 ______________________

수능 변형
2 'I'에 관한 윗글의 내용과 일치하지 않는 것은?

① St. Roma 고등학교에 입학했다.
② 흰색 블라우스나 녹색 St. Roma 넥타이를 선택해야 했다.
③ 고등학생으로서의 자신의 모습을 상상했다.
④ 반에서 새로운 친구들을 사귀고자 한다.
⑤ 새 학교에서의 첫날을 기대하고 있다.

어휘 **uniform** 교복 **fancy** 멋진 **label** 표, 상표 **khaki** 카키색의 **be ready for** ~할 준비가 되다 **picture** 상상하다, 마음속에 그리다

어휘수 90
난이도 ★★☆

다음 글에 드러난 Erda의 심경으로 가장 적절한 것은? 고1 학평 6월

Erda lay on her back in a green field as she watched sunlight shine through the leaves above her. Like the leaves above her, she moved with the mild breeze. She also felt the warm sun feed her. A slight smile was spreading over her face. She slowly turned her body over. Then she pushed her face into the grass and smelled the scent of the fresh flowers. Erda stood up and started to walk between the warm trunks of the trees. She felt all her concerns had gone away.

① relaxed ② puzzled ③ envious
④ startled ⑤ indifferent

More & More

유형 문제
1 윗글에서 Erda의 심경을 가장 잘 나타낸 문장을 찾아 쓰고, 해석하시오.

〈 심경 문장 〉 ______________________________

〈 해석 〉 ______________________________

수능 변형
2 윗글의 제목으로 가장 적절한 것은?

① Wonder at Nature
② Trees of Priceless Value
③ Time to Reset in Nature
④ A Perfect Place for Painting
⑤ Gentle Workout in the Deep Woods

어휘 **shine** (태양이) 비치다; 빛나다 **mild** 온화한 **breeze** 산들바람 **slight** 약간의, 조금의 **spread** (더 넓은 범위로) 번지다 **turn over** 몸[자세]을 뒤집다 **scent** 향기 **trunk** 나무의 몸통 **concern** 걱정, 염려 **go away** 사라지다

어휘수 105
난이도 ★★☆

다음 글의 분위기로 가장 적절한 것은? 고1 학평 6월

The Chief called for Little Fawn to come out, and took her right hand and Sam's right hand and tied them together with a small piece of leather. He told Sam very loudly, "You're now a married man." As soon as the wedding ceremony was over, the celebration began. Fawn and Sam sat on blankets as young boys and girls began dancing to flute music and drum beats. They danced in circles while they're making joyful sounds and shaking their hands with arms raised over their heads. Fawn rose up and joined them. People started clapping and singing. Fawn and Sam were two happy people.

① boring ② scary ③ calm
④ humorous ⑤ festive

More & More

수능 변형

1 윗글의 제목으로 가장 적절한 것은?

① A Married Man
② The Chief's Wisdom
③ Their Way to Celebrate
④ The Chief's Celebration Party
⑤ Fawn and Sam's Wedding Ceremony

어휘

tie 묶다 **leather** 가죽 **wedding ceremony** 결혼식 **celebration** 축하 행사 **blanket** 담요 **circle** 원 **joyful** 흥겨운 **shake** 흔들다 **rise up** 일어나다 **clap** (손뼉을) 치다

다음 글에 드러난 'I'의 심경 변화로 가장 적절한 것은?

고1 학평 9월

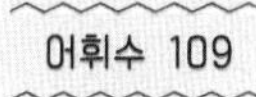

I board the plane, take off and climb out into the night sky. Within minutes, the plane shakes hard, and I freeze, feeling like I can't control anything. The left engine starts losing power and the right engine is almost dead now. Rain hits the front window and I'm getting into heavier weather. I'm having trouble keeping up the airspeed. When I report an emergency to the center, I bump some levers by accident. The left engine suddenly regains power. So, I push the levers to full. Both engines come back on and come to full power. After the worst is over, I find my whole body loosening up.

* lever: (기계차량 조작용) 레버

① ashamed → delighted
② terrified → relieved
③ satisfied → regretful
④ indifferent → excited
⑤ hopeful → disappointed

More & More

(유형 문제)
1 윗글에서 'I'의 초반과 후반의 심경을 가장 잘 나타낸 문장을 각각 찾아 쓰고, 해석하시오.

〈 심경 문장 〉 〈 초반 〉 ______________________

〈 후반 〉 ______________________

〈 해석 〉 〈 초반 〉 ______________________

〈 후반 〉 ______________________

(수능 변형)
2 윗글의 제목으로 가장 적절한 것은?

① Roles of Air Traffic Control Tower
② Flying Through Bad Weather: Is It Safe?
③ An Accident Preventing a Plane Accident
④ Emergency Manual for Escape from Plane
⑤ What Happens When the Engine Loses Power?

어휘
freeze (몸·표정이) 굳다 **control** 통제하다 **have trouble -ing** ~하는 데 어려움을 겪다 **airspeed** 풍속 **report** 보고하다 **emergency** 비상사태 **bump** 부딪치다 **by accident** 우연히 **regain** 되살아나다, 회복하다 **loosen up** 긴장을 풀다

도표 정보 파악하기

수능 필수 어휘 550

이번 Unit의 핵심 어휘입니다. 유형 학습을 하기 전에 수능 필수 어휘 중 아는 어휘에 ☑ 체크해 보고 모르는 어휘는 미리 익혀 보세요.
(Unit을 마친 후 체크하지 않았던 어휘를 완전히 알고 있는지 다시 확인하세요.)

어휘	뜻	어휘	뜻
☐ **worldwide**	전 세계	☐ **usage**	사용
☐ **list**	목록	☐ **device**	기기, 장치
☐ **follow**	~의 뒤를 잇다	☐ **mobile**	휴대 전화
☐ **consumption**	소비	☐ **spend**	(시간을) 보내다; (돈을) 쓰다
☐ **social network**	소셜 네트워크	☐ **overall**	전반적으로
☐ **mostly**	주로	☐ **increase**	증가하다
☐ **popular**	인기 있는	☐ **steadily**	끊임없이
☐ **daily**	하루의, 매일의	☐ **desktop**	탁상용 컴퓨터

어휘	뜻	어휘	뜻
☐ laptop	노트북 (컴퓨터)	☐ category	범주
☐ account for	(부분·비율을) 차지하다	☐ respondent	응답자
☐ result	결과	☐ consumer	소비자
☐ survey	조사	☐ female	여성; 여성의
☐ invention	발명	☐ male	남성; 남성의
☐ interest	흥미, 관심	☐ environmental	환경의
☐ young adult	청소년, 성인기 초반의 사람	☐ gender	성별

• 유형 설명

주어진 글의 내용이 그래프나 표에서 제시하는 정보와 일치하지 않는 문장을 고르는 유형이다.

• 출제 경향

수치를 비교하거나 수치의 변화를 파악하는 문제가 주로 출제되며, 수능에서는 비교적 쉬운 유형으로 1문항이 출제되고 있다.

어휘수 87

난이도 ★★☆

다음 도표의 내용과 일치하지 않는 것은? 고1 학평 3월

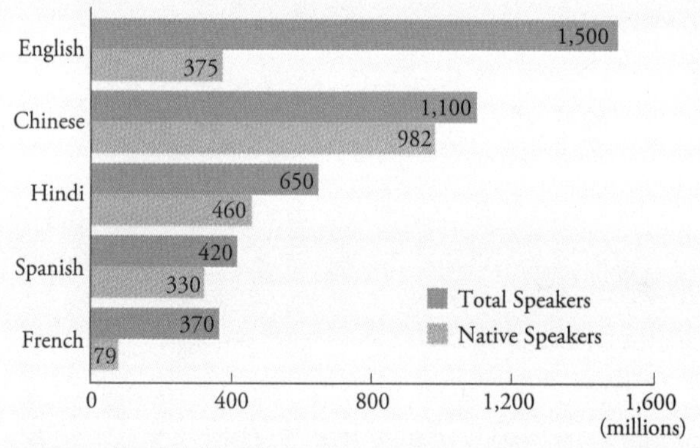

• Note: Total Speakers = Native Speakers+Non-native Speakers

The above graph shows the numbers of total speakers and native speakers of the five most spoken languages worldwide in 2015. ① English is the most spoken language in the world, with 1,500 million total speakers. ② Chinese is second on the list with 1,100 million total speakers. ③ However, Chinese is spoken by the largest number of native speakers worldwide, and Hindi follows Chinese. ④ The number of native speakers of English is smaller than that of Spanish. ⑤ Among the five languages, French has the smallest number of native speakers.

KEY 1 **도표의 제목을 확인하라.**
도표의 제목을 통해 무엇에 관한 도표인지 확인한다.

KEY 2 **비교 대상 및 그래프의 수치를 파악하라.**
비교 대상이 무엇인지, 그래프의 수치가 의미하는 바가 무엇인지를 미리 파악한 후 글을 읽는다.

KEY 3 **증감, 변화, 비교 표현을 확인하며 도표와 대조하라.**
각 선택지에 나타나 있는 수치의 증감 및 변화 혹은 비교급, 최상급 등의 표현을 통해 각 항목에 대한 그래프의 수치 정보와 일치하는지 확인한다.

KEY❶ 2015년 전 세계에서 가장 많이 사용되는 다섯 개 언어의 총 사용자와 원어민 수에 대한 그래프임을 확인

❶**The Most Spoken Languages Worldwide in 2015**
2015년 전 세계에서 가장 많이 사용되는 언어

	Total Speakers	Native Speakers
English	1,500	375
Chinese	1,100	982
Hindi	650	460
Spanish	420	330
French	370	79

(millions; axis 0, 400, 800, 1,200, 1,600)

• Note: Total Speakers = Native Speakers+Non-native Speakers

KEY 1 도표 제목 확인

❷The above graph shows / the numbers of total speakers and native speakers / of the five most spoken languages worldwide / in 2015.
KEY❷ 다섯 개 언어의 총 사용자와 원어민 수를 비교하여 나타낸 순위임을 파악
위 그래프는 보여 준다 / 총 사용자 수와 원어민의 수를 / 전 세계에서 가장 많이 사용되는 다섯 개 언어의 / 2015년에

KEY 2 비교 대상 및 그래프의 수치 파악

❸① English is the most spoken language / in the world, / with 1,500 million total speakers.
(spoken: 과거분사)
영어는 가장 많이 사용되는 언어이다 / 전 세계에서 / 15억 명의 총 사용자로

❹② Chinese is second on the list / with 1,100 million total speakers.
중국어는 목록에서 2위이다 / 11억 명의 총 사용자로

❺③ However, / Chinese is spoken / by the largest number of native speakers worldwide, / and Hindi follows Chinese.
(However: 대조 접속사, is spoken: 수동태, the largest: 최상급)
하지만 / 중국어는 사용된다 / 전 세계적으로 가장 많은 수의 원어민에 의해 / 그리고 힌두어는 중국어 다음이다

❻④ The number of native speakers of English / is smaller / than that of Spanish.
(〈the number(핵심 주어) of+복수 명사〉: 단수 취급, is: 단수 동사, smaller than: 비교급 비교, that: 지시대명사(= the number of native speakers))
영어 원어민의 수는 / 더 적다 / 스페인어 그것(원어민의 수)보다
KEY❸ smaller than을 larger than으로 바꾸어야 일치함

❼⑤ Among the five languages, / French has the smallest number of native speakers.
(Among: (셋 이상) ~ 중에서)
다섯 개 언어 중에서 / 프랑스어는 가장 적은 원어민 수를 가지고 있다

KEY 3 증감, 변화, 비교 표현을 확인하며 도표와 대조
① the most spoken(가장 많이 사용된)
② second on the list(목록에서 2위)
③ the largest(가장 많은, 큰)
④ smaller than(~보다 더 적은)
⑤ the smallest(가장 적은)

문제 해설 영어 원어민의 수가 스페인어 원어민의 수보다 더 많으므로 ④는 도표의 내용과 일치하지 않는다. 답 ④

다음 도표의 내용과 일치하지 않는 것은?

고1 학평 3월

어휘수 112
난이도 ★★☆

News Video Consumption: on News Sites vs. via Social Networks

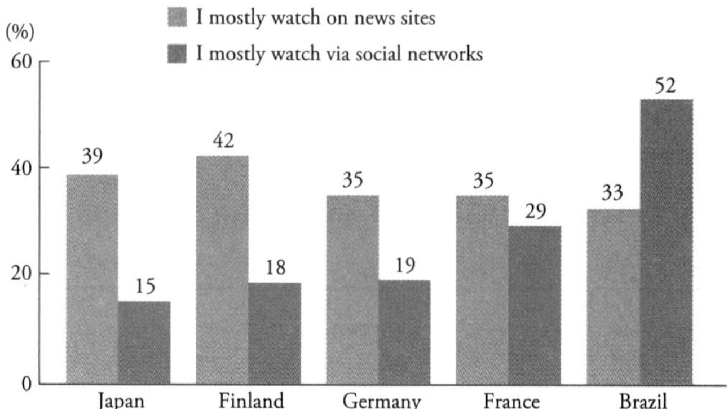

The above graph shows how people in five countries watch news videos: on news sites versus via social networks. ① Watching news videos on news sites is more popular than via social networks in four countries. ② The percentage of people who mostly watch news videos on news sites in Finland is higher than that in other countries. ③ The percentage of people who mostly watch news videos on news sites in France is higher than that in Germany. ④ Japan is the country that has the lowest percentage of people who mostly watch news videos via social networks. ⑤ Brazil shows the highest percentage of people who mostly watch news videos via social networks among the five countries.

* via: ~을 통해

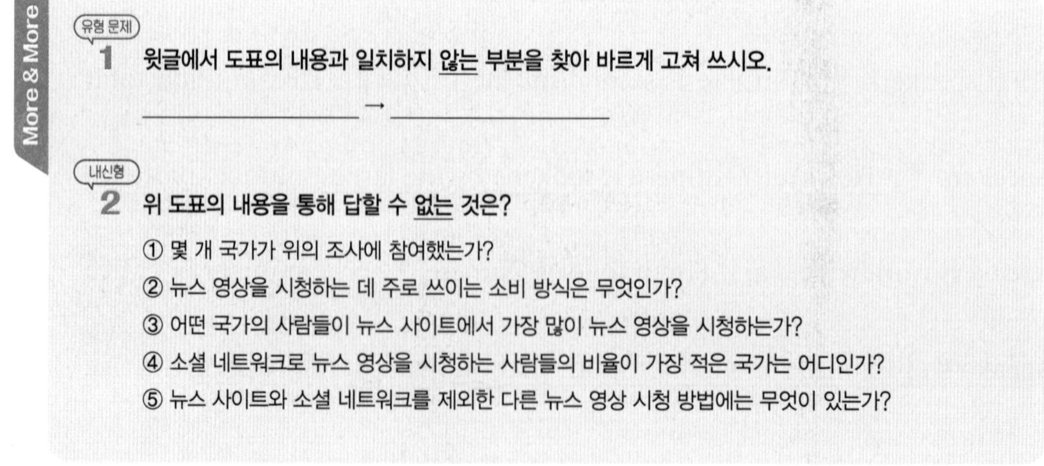

More & More

(유형 문제)
1 윗글에서 도표의 내용과 일치하지 않는 부분을 찾아 바르게 고쳐 쓰시오.

______________ → ______________

(내신형)
2 위 도표의 내용을 통해 답할 수 없는 것은?

① 몇 개 국가가 위의 조사에 참여했는가?
② 뉴스 영상을 시청하는 데 주로 쓰이는 소비 방식은 무엇인가?
③ 어떤 국가의 사람들이 뉴스 사이트에서 가장 많이 뉴스 영상을 시청하는가?
④ 소셜 네트워크로 뉴스 영상을 시청하는 사람들의 비율이 가장 적은 국가는 어디인가?
⑤ 뉴스 사이트와 소셜 네트워크를 제외한 다른 뉴스 영상 시청 방법에는 무엇이 있는가?

어휘 **consumption** 소비 **social network** 소셜 네트워크 **vs.** 대(對) (= versus) **mostly** 주로 **popular** 인기 있는

다음 도표의 내용과 일치하지 않는 것은?

고1 학평 3월

어휘수 94
난이도 ★★☆

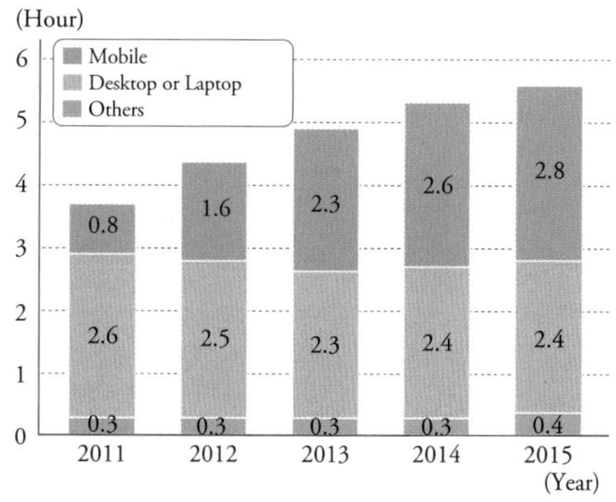

The above graph shows the average time that Americans spent on the Internet with each device daily from 2011 to 2015. ① Overall, the total Internet usage time increased steadily from 2011 to 2015. ② In 2011, Internet usage time by mobiles was shorter than that by desktops or laptops. ③ In 2012, however, Americans spent the same hours on mobiles as they did on desktops or laptops. ④ In 2014, Internet usage time by mobiles was longer than that by desktops or laptops. ⑤ In 2015, Americans spent an average of 5.6 hours a day on the Internet.

More & More

유형 문제

1 윗글에서 도표의 내용과 일치하지 않는 부분을 찾아 바르게 고쳐 쓰시오.

__________________ → __________________

내신형

2 위 도표의 내용을 통해 답할 수 없는 질문은?

① In which countries was the above research done?
② Which device was used most for Internet usage in 2011?
③ In which year was Internet usage time by mobiles the longest?
④ Has Internet usage time by mobiles increased or decreased?
⑤ What time was mobiles used most for Internet usage in 2015?

어휘 **daily** 하루의, 매일의 **usage** 사용 **device** 기기, 장치 **mobile** 휴대 전화 **spend** (시간을) 보내다; (돈을) 쓰다 **overall** 전반적으로 **increase** 증가하다 **steadily** 끊임없이 **desktop** 탁상용 컴퓨터 **laptop** 노트북 (컴퓨터) **an average of** 평균 ~의(인)

다음 도표의 내용과 일치하지 않는 것은?

고1 학업성취도 평가

어휘수 124
난이도 ★★★

Weekly time spent on watching TV and using smartphones for children aged 2–5 in 2018

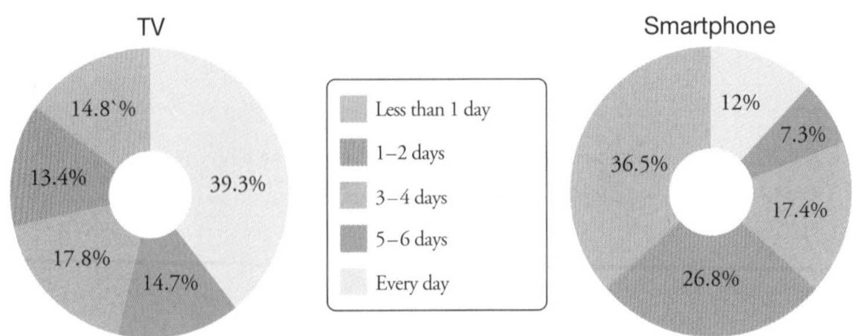

The graphs above show the time per week spent on watching TV and using smartphones for children aged between 2 and 5 in 2018. ① 39.3% of children watch TV every day, which is the highest percentage of all. ② For smartphones, the highest percentage of children, accounting for 36.5%, use smartphones less than 1 day. ③ The percentage of children who spend 3-4 days watching TV is 17.8%, while that of children using smartphones for 3-4 days is 17.4%. ④ The percentage of children who spend 1-2 days using smartphones is twice as large as that of children who spend 1-2 days watching TV. ⑤ The percentage of children who watch TV for 5-6 days is the same as that of children who use smartphones for 5-6 days.

More & More

(유형 문제)
1 윗글에서 도표의 내용과 일치하지 않는 부분을 찾아 바르게 고쳐 쓰시오.

________________ → ________________

(내신형)
2 도표의 내용과 일치하도록 할 때 빈칸에 알맞은 말이 바르게 짝지어진 것은?

> About 40 percent of the children watch TV ________ and about a third of them use smartphones ________ 24 hours per week.

① every day – more than
② every day – less than
③ 1-2 days – less than
④ 1-2 days – more than
⑤ less than a day – less than

어휘 per ~마다[~당] between A and B A와 B 사이에 account for (부분·비율을) 차지하다

다음 도표의 내용과 일치하지 않는 것은?

고1 학평 9월

어휘수 105

Invention Interests of Young adults Aged 16-25 in 2011

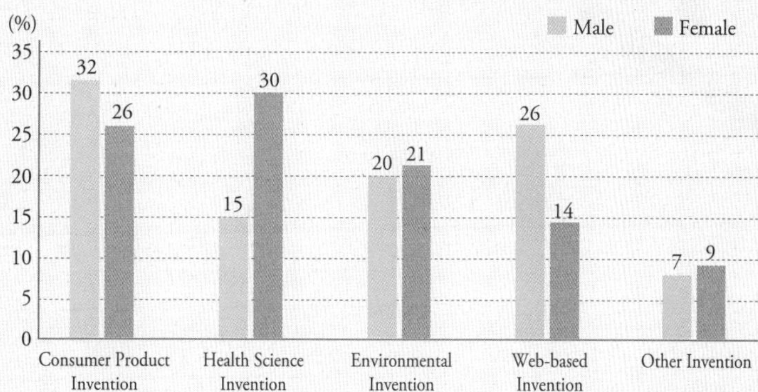

The graph above shows the results of a survey on invention interests in young adults aged 16 to 25 in 2011. ① Among the five invention categories, the highest percentage of male respondents showed interest in inventing consumer products. ② For health science invention, the percentage of female respondents was twice as high as that of male respondents. ③ The percentage point gap between males and females was the smallest in environmental invention. ④ For web-based invention, the percentage of female respondents was less than half that of male respondents. ⑤ In the category of other invention, the percentage of respondents from each gender group was less than 10 percent.

More & More

유형 문제

1 윗글에서 도표의 내용과 일치하지 않는 부분을 찾아 바르게 고쳐 쓰시오.

______________ → ______________

내신형

2 위 도표의 내용을 통해 답할 수 없는 질문은?

① What seems to be the most interesting category to males?
② Which gender showed more interest in health science invention?
③ Which invention has the smallest percentage gap between males and females?
④ Why was there less than 10 percent in each gender group of other Invention?
⑤ How many inventions were the percentage of females more than half that of males?

어휘 **result** 결과 **survey** 조사 **invention** 발명 **interest** 흥미, 관심 **young adult** 청소년, 성인기 초반의 사람 **category** 범주 **respondent** 응답자 **consumer** 소비자 **female** 여성; 여성의 **male** 남성; 남성의 **environmental** 환경의 **gender** 성별

세부 정보 파악하기

수능 필수 어휘 550

이번 Unit의 핵심 어휘입니다. 유형 학습을 하기 전에 수능 필수 어휘 중 아는 어휘에 ☑ 체크해 보고 모르는 어휘는 미리 익혀 보세요.
(Unit을 마친 후 체크하지 않았던 어휘를 완전히 알고 있는지 다시 확인하세요.)

어휘	뜻	어휘	뜻
☐ passenger	승객	☐ congresswoman	여성 하원 의원
☐ flight	비행	☐ against	~에 반대하여
☐ unfortunately	불행하게도	☐ involvement	개입
☐ injury	부상	☐ expansion	확대
☐ career	직업; 경력	☐ development	개발; 발달, 성장
☐ degree	학위	☐ weigh	무게가 나가다
☐ name after	~을 따서 이름 짓다	☐ mature	다 자란; 성숙한
☐ frightened	겁먹은, 무서워하는	☐ shiny	윤기가 나는, 빛나는
☐ childhood	어린 시절, 유년 시절	☐ disappear	사라지다
☐ major in	~을 전공하다	☐ distinguish	구별하다

어휘	뜻	어휘	뜻
☐ **resemble**	닮다, 비슷하다	☐ **shiver**	(몸을) 떨다
☐ **behavior**	행동	☐ **surrounding**	주위의
☐ **regulate**	조절하다	☐ **advantage**	이점
☐ **temperature**	온도, 기온	☐ **actively**	적극적으로
☐ **generate**	발생시키다, 만들어 내다	☐ **approve**	찬성하다
☐ **take in**	~을 섭취하다	☐ **desire**	갈망, 바람
☐ **escape**	벗어나다, 빠져 나오다; 피하다	☐ **admire**	감탄하다
☐ **feather**	깃털	☐ **inspiration**	영감
☐ **layer**	층, 겹	☐ **portrait**	초상화
☐ **extreme**	극도로, 극심한	☐ **sight**	시력

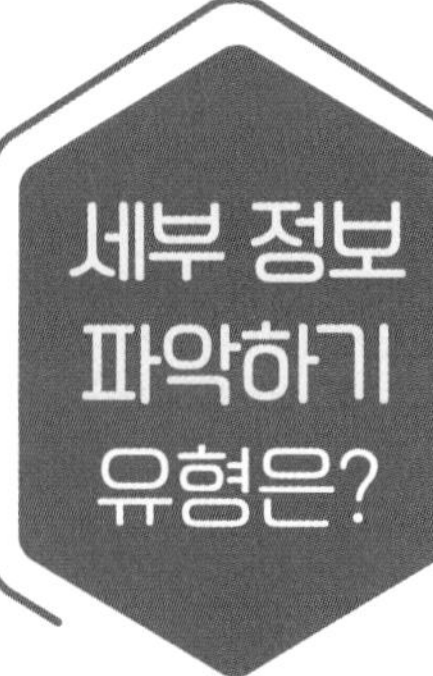

• 유형 설명

특정 인물이나 등장인물에 대한 선택지의 설명이 글의 내용과 일치하는 또는 일치하지 않는 것을 고르는 유형이다.

• 출제 경향

우리말 선택지로 제시되며, 선택지가 지문의 내용 순서대로 출제된다. 주로 수필, 전기, 일화 등의 지문으로 최근 수능에서는 글의 내용과 일치하지 않는 것을 고르는 유형이 출제되고 있다.

대표 예제

어휘수 119
난이도 ★★☆

Ellen Church에 관한 다음 글의 내용과 일치하지 <u>않는</u> 것은? 고1 학평 3월

Ellen Church was born in Iowa in 1904. After she graduated from Cresco High School, she studied nursing and worked as a nurse in San Francisco. She suggested that nurses should take care of passengers during flights because most people were frightened of flying. In 1930, she became the first female flight attendant in the U.S. Unfortunately, a car accident injury forced her to end her career after only eighteen months. Church started nursing again at a hospital after she graduated from the University of Minnesota with a degree in nursing education. During World War II, she served as a nursing officer and received an Air Medal. Ellen Church Field Airport in her hometown, Cresco, was named after her.

* frightened: 겁먹은, 무서워하는

① San Francisco에서 간호사로 일했다.
② 간호사가 비행 중에 승객을 돌봐야 한다고 제안했다.
③ 미국 최초의 여성 비행기 승무원이 되었다.
④ 자동차 사고로 다쳤지만 비행기 승무원 생활을 계속했다.
⑤ 고향인 Cresco에 그녀의 이름을 따서 붙인 공항이 있다.

KEY 1 **선택지를 먼저 읽고 글의 내용을 유추하라.**
선택지를 통해 핵심 정보를 파악하고 글의 내용을 유추해 본다.

KEY 2 **선택지와 글의 내용을 대조하라.**
선택지는 지문에 나온 순서대로 제시되는 경우가 많으므로 1번부터 선택지의 내용을 찾아 대조하며 일치 여부를 확인한다.

적용하기

❶Ellen Church was born in Iowa / in 1904. ❷After she graduated from
be born in: ~에서 태어나다 / 시간 접속사(~ 후에) / graduate from: ~을 졸업하다
Ellen Church는 Iowa에서 태어났다 / 1904년에 / 그녀가 Cresco 고등학교를 졸업한 후
KEY❷ ① San Francisco에서 간호사로 일했다. → 일치

Cresco High School, / she studied nursing / and worked as a nurse / in San
work as: ~로 일하다, 근무하다
그녀는 간호학을 공부했다 / 그리고 간호사로 일했다 / San Francisco에서
KEY❷ ② 간호사가 비행 중에 승객을 돌봐야 한다고 제안했다. → 일치

Francisco. ❸She suggested / that nurses should take care of passengers / during
〈제안(suggest) 동사+that+주어+(should+)동사원형〉 ~을 돌보다(= look after) / ~ 동안에
그녀는 제안했다 / 간호사가 승객을 돌봐야 한다고 / 비행 중에

flights / because most people were frightened of flying. ❹In 1930, / she became
이유 접속사 / be frightened of: ~을 무서워하다
대부분의 사람들이 비행을 무서워하기 때문에 / 1930년에 / 그녀는 최초의 여성
KEY❷ ③ 미국 최초의 여성 비행기 승무원이 되었다. → 일치

the first female flight attendant / in the U.S. ❺Unfortunately, / a car accident
비행기 승무원이 되었다 / 미국에서 / 불행하게도 / 자동차 사고 부상은
KEY❷ ④ 자동차 사고로 다쳤지만 비행기 승무원 생활을 계속했다. → 불일치

injury / forced her to end her career / after only eighteen months. ❻Church
〈force+목적어+목적격보어(to부정사)〉: ~을 (어쩔 수 없이) …하게 만들다
그녀가 그녀의 일을 그만두게 만들었다 / 겨우 18개월 후에 / Church는

started nursing again / at a hospital / after she graduated from the University
〈start+동명사〉: ~하기를 시작하다
간호사 일을 다시 시작했다 / 병원에서 / 그녀가 Minnesota 대학을 졸업한 후

of Minnesota / with a degree in nursing education. ❼During World War II, /
간호 교육학 학위를 받으며 / 제2차 세계대전 중

she served as a nursing officer / and received an Air Medal. ❽Ellen Church Field
~로서(자격) / 항공 훈장
그녀는 간호장교로 복무했다 / 그리고 항공 훈장을 받았다 / Ellen Church Field 공항은
KEY❷ ⑤ 고향인 Cresco에 그녀의 이름을 따서 붙인 공항이 있다. → 일치

Airport / in her hometown, Cresco, / was named after her.
동격 / name after: ~을 따서 이름 짓다
그녀의 고향인 Cresco에 있는 / 그녀의 이름을 따서 (이름이) 지어졌다

* frightened: 겁먹은, 무서워하는

KEY 1 선택지 먼저 읽고 글의 내용 유추

KEY 2 선택지와 글의 내용 대조

문제 해설 〉 Ellen Church는 자동차 사고로 18개월 후 비행기 승무원 생활을 그만두었다고 했다. 따라서 글의 내용과 일치하지 않는 것은 ④이다.

답 ④

Shirley Chisholm에 관한 다음 글의 내용과 일치하지 않는 것은?

고1 학평 3월

어휘수 95
난이도 ★★☆

Shirley Chisholm was born in Brooklyn, New York in 1924. Chisholm spent part of her childhood in Barbados with her grandmother. Shirley attended Brooklyn College and majored in sociology. After she graduated from Brooklyn College in 1946, she became a teacher and kept on studying. She received a master's degree in elementary education from Columbia University. In 1968, Shirley Chisholm became the United States' first African-American congresswoman. She spoke out for civil rights, women's rights, and poor people. Shirley Chisholm was against the American involvement in the Vietnam War and the expansion of weapon developments.

① 어린 시절에 할머니와 함께 지낸 적이 있다.
② Brooklyn 대학에서 사회학을 전공했다.
③ 대학 졸업 후 교사로 일하기 시작했다.
④ 미국 최초의 아프리카계 미국인 여성 하원 의원이었다.
⑤ 미국의 베트남 전쟁 개입을 지지했다.

More & More

유형 문제
1 윗글의 답의 근거가 되는 문장을 찾아 쓰고, 해석하시오.

〈문장〉 ______________________

〈해석〉 ______________________

내신형
2 윗글의 내용과 일치하도록 할 때 빈칸에 알맞은 말이 바르게 짝지어진 것은?

> As a congresswoman, Shirley Chisholm was ________ civil rights and women's rights, but ________ the development of weapons.

① for – for　② against – against　③ against – for
④ for – against　⑤ for – without

어휘 **childhood** 어린 시절, 유년 시절 **attend** ~에 다니다 **major in** ~을 전공하다 **sociology** 사회학 **congresswoman** 여성 하원 의원 **against** ~에 반대하여 **involvement** 개입 **expansion** 확대 **weapon** 무기 **development** 개발; 발달, 성장

어휘수 96
난이도 ★★☆

chuckwalla에 관한 다음 글의 내용과 일치하지 않는 것은?

고1 학평 3월

Chuckwallas are fat lizards, usually 20–25cm long, though they may grow up to 45cm. They weigh about 1.5kg when they are mature. Most chuckwallas are mainly brown or black. Every year, just after they molt, their skin is shiny. Lines of dark brown run along the back and continue down the tail. As the males grow older, these brown lines disappear and the body color becomes lighter; the tail becomes almost white. It is not easy to distinguish between male and female chuckwallas, because young males look like females and the largest females resemble males.

* molt: 탈피하다

① 길이가 45cm까지 자랄 수 있다.
② 대부분 갈색이거나 검은색이다.
③ 등을 따라 꼬리까지 짙은 갈색 선들이 나 있다.
④ 수컷의 몸통 색깔은 나이가 들수록 짙어진다.
⑤ 어린 수컷의 생김새는 암컷과 비슷하다.

More & More

유형 문제

1 윗글의 답의 근거가 되는 문장을 찾아 쓰고, 해석하시오.

〈 문장 〉

〈 해석 〉

내신형

2 윗글의 내용을 통해 대답할 수 없는 질문은?

① How long may chuckwallas grow up to?
② How heavy are adult chuckwallas?
③ How often do chuckwallas molt?
④ At what age do the males' brown lines disappear?
⑤ Why is it hard to distinguish between male and female chuckwallas?

어휘 lizard 도마뱀 weigh 무게가 나가다 mature 다 자란; 성숙한 mainly 주로 shiny 윤기가 나는, 빛나는 disappear 사라지다 tail 꼬리 distinguish 구별하다 resemble 닮다, 비슷하다

'warm-blooded animals'에 관한 다음 글의 내용과 일치하지 <u>않는</u> 것은? 고1 학업성취도 평가

어휘수 113
난이도 ★★★

Warm-blooded animals have gone through changes in their body and behavior that help regulate body temperature. They generate heat by turning food into energy. So they have to take in enough food to keep their body temperature even. Warm-blooded animals keep heat from escaping by covering themselves with hair, feathers, or layers of fat. In extreme cold, they also shiver. They do this to produce extra heat. Heart rate in warm-blooded animals does not depend on the temperature of the surroundings. For this reason, they can be as active on a cold winter night as they are during a summer day. This advantage enables warm-blooded animals to actively look for food year round.

* shiver: (몸을) 떨다

① 먹이로 공급받은 에너지는 체온 유지에 쓰인다.
② 털이나 지방이 열이 빠져나가는 것을 막아준다.
③ 주변 환경에 맞추어 심박 수가 조절된다.
④ 추운 겨울밤에도 활동할 수 있다.
⑤ 일 년 내내 먹이 활동을 한다.

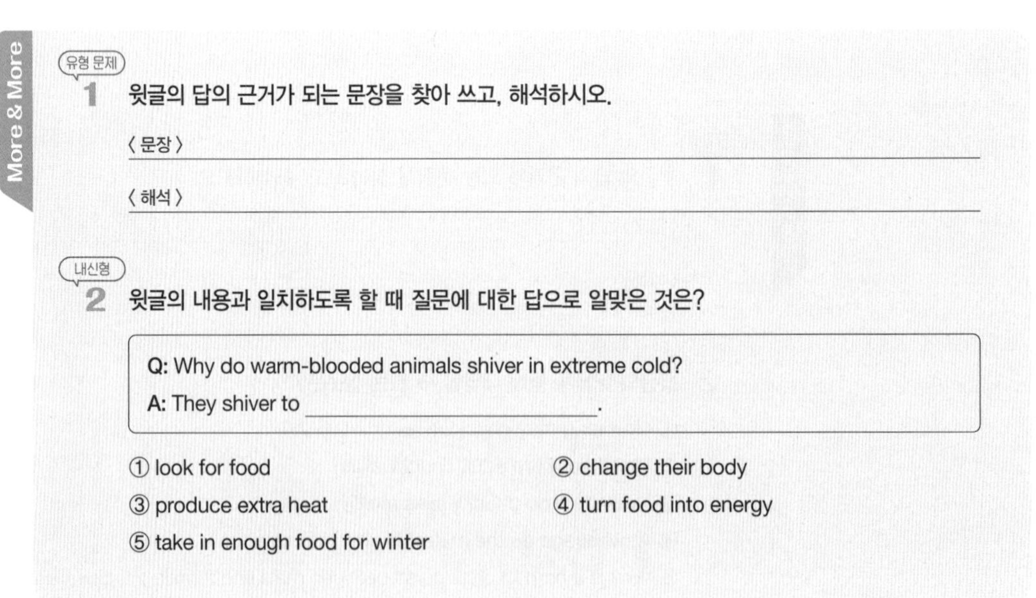

More & More

유형 문제
1 윗글의 답의 근거가 되는 문장을 찾아 쓰고, 해석하시오.

〈문장〉 ______________________

〈해석〉 ______________________

내신형
2 윗글의 내용과 일치하도록 할 때 질문에 대한 답으로 알맞은 것은?

Q: Why do warm-blooded animals shiver in extreme cold?
A: They shiver to ______________________.

① look for food
② change their body
③ produce extra heat
④ turn food into energy
⑤ take in enough food for winter

어휘 **warm-blooded** 온혈의 **behavior** 행동 **regulate** 조절하다 **temperature** 온도, 기온 **generate** 발생시키다, 만들어 내다 **take in** ~을 섭취하다 **escape** 벗어나다, 빠져 나오다; 피하다 **feather** 깃털 **layer** 층, 겹 **extreme** 극도로, 극심한 **heart rate** 심박동 수 **surrounding** 주위의 **advantage** 이점 **actively** 적극적으로

• 정답과 해설 17쪽

어휘수 130

Mary Cassatt에 관한 다음 글의 내용과 일치하지 않는 것은? 고1 학평 9월

Born in Pennsylvania, Mary Cassatt was the fourth of five children in her well-to-do family. Mary Cassatt and her family traveled throughout Europe in her childhood. Her family did not approve when she decided to become an artist, but her desire was strong enough for her to take the steps to make art her career. She studied first in Philadelphia and then went to Paris to study painting. She admired the work of Edgar Degas and was able to meet him in Paris, which was a great inspiration. Though she never had children of her own, she loved children and painted portraits of the children of her friends and family. Cassatt lost her sight at the age of seventy, and, sadly, was not able to paint in her later years.

* portrait: 초상화

① 유년 시절에 유럽 전역을 여행했다.
② 화가가 되는 것을 가족이 찬성하지 않았다.
③ Edgar Degas를 파리에서 만났다.
④ 자기 자녀의 초상화를 그렸다.
⑤ 70세에 시력을 잃었다.

More & More

(유형 문제)
1 윗글의 답의 근거가 되는 문장을 찾아 쓰고, 해석하시오.

〈문장〉 ______________________

〈해석〉 ______________________

(내신형)
2 Mary Cassatt에 관해 윗글에서 언급되지 않은 것은?

① 태어난 곳
② 유년 시절 유럽을 여행한 이유
③ 그녀에게 영감을 준 인물
④ 그녀가 초상화를 그린 아이들
⑤ 시력을 잃은 시기

어휘 **well-to-do** 부유한, 잘사는 **approve** 찬성하다 **desire** 갈망, 바람 **take a step** (발)걸음을 내딛다 **admire** 감탄하다 **inspiration** 영감 **sight** 시력

실용문 정보 파악하기

수능 필수 어휘 550

이번 Unit의 핵심 어휘입니다. 유형 학습을 하기 전에 수능 필수 어휘 중 아는 어휘에 ☑ 체크해 보고 모르는 어휘는 미리 익혀 보세요.
(Unit을 마친 후 체크하지 않았던 어휘를 완전히 알고 있는지 다시 확인하세요.)

어휘	뜻	어휘	뜻
☐ selfie	셀카 사진	☐ winner	수상자
☐ competition	대회	☐ comfortable	편안한
☐ prize	상	☐ provide	제공하다
☐ deadline	마감 기한	☐ registration	등록
☐ detail	세부 사항	☐ at least	적어도, 최소한
☐ include	포함하다	☐ function	기능
☐ creative	창의적인	☐ background	배경 화면
☐ entry	출품작	☐ decrease	줄이다

어휘	뜻	어휘	뜻
☐ caution	주의 사항	☐ participate in	~에 참가하다
☐ choir	합창단	☐ select	선택하다
☐ audition	오디션	☐ grand prize	대상
☐ performance	공연	☐ voting	투표
☐ freshman	신입생	☐ submission	제출
☐ auditorium	강당	☐ participant	참가자
☐ applicant	지원자	☐ submit	제출하다

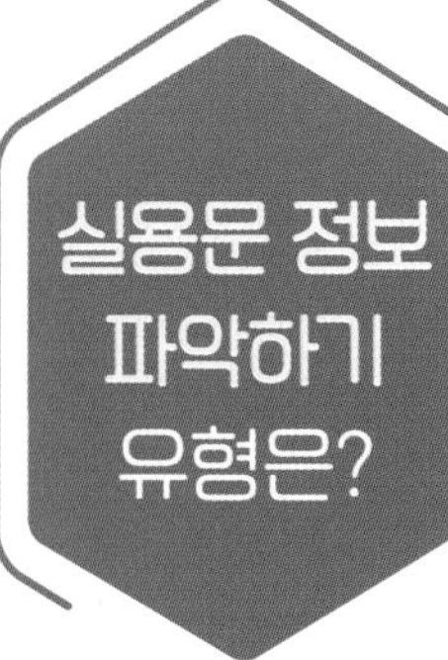

• 유형 설명

실생활에서 쉽게 접할 수 있는 안내문이나 광고문 또는 공고 같은 실용문을 읽고, 그 세부 내용에 대한 정보가 선택지와 일치하는지를 고르는 유형이다.

• 출제 경향

우리말 선택지로 제시되며, 선택지가 지문의 내용 순서대로 출제된다. 수능에서는 실용문의 내용과 일치하는 것과 일치하는 않는 것을 고르는 두 가지 유형이 각각 1문제씩 출제되고 있다.

대표 예제

어휘수 90
난이도 ★★☆

Science Selfie Competition에 관한 다음 안내문의 내용과 일치하지 않는 것은?

고1 학평 3월

Science Selfie Competition

For a chance to win science prizes, just send us a selfie enjoying science outside of school!

Deadline: Friday, March 20, 2020, 6 p.m.

Details:

- Your selfie should include a visit to any science museum or a science activity at home.
- Be as creative as you like, and write one short sentence about the selfie.
- Only one entry per person!
- Email your selfie with your name and class to mclara@oldfold.edu.

Winners will be announced on March 27, 2020.

Please visit www.oldfold.edu to learn more about the competition.

① 학교 밖에서 과학을 즐기는 셀카 사진을 출품한다.
② 셀카 사진에 관한 하나의 짧은 문장을 써야 한다.
③ 1인당 사진 여러 장을 출품할 수 있다.
④ 셀카 사진을 이름 및 소속 학급과 함께 이메일로 보내야 한다.
⑤ 수상자는 2020년 3월 27일에 발표될 것이다.

KEY 1 **제목과 소개말을 통해 실용문의 종류와 주제를 파악하라.**
제목과 소개말을 통해 어떤 종류의 실용문이고, 무슨 내용을 다루는지를 확인한다.

KEY 2 **선택지와 실용문의 내용을 대조하라.**
선택지는 주로 지문에 나온 순서대로 제시되므로 1번부터 선택지의 내용을 찾아 대조하며 일치 여부를 확인한다.

적용하기 

❶Science Selfie Competition
과학 셀카 사진 대회 KEY❶ 과학상을 타기 위한 과학 셀카 대회에 대한 안내문임을 파악

KEY❷ ① 학교 밖에서 과학을 즐기는 셀카 사진을 출품한다. → 일치
❷For a chance / to win science prizes, / just send us a selfie / enjoying science / outside of school!
형용사적 용법 / 〈수여동사 send+간접목적어+직접목적어〉 / 현재분사구
기회를 얻으려면 / 과학상을 타기 위한 / 그저 우리에게 셀카 사진을 보내세요 / 과학을 즐기는 / 학교 밖에서

KEY 1 제목과 소개말을 통해 실용문의 종류와 주제 파악

❸**Deadline:** Friday, March 20, 2020, 6 p.m.
마감 기한: 2020년 3월 20일 금요일 오후 6시

❹**Details:**
세부 사항

❺■ Your selfie should include / a visit to any science museum / or a science activity at home.
~해야 한다
여러분의 셀카 사진은 포함해야 합니다 / 아무 과학 박물관으로의 방문을 / 또는 집에서 하는 과학 활동이

KEY 2 선택지와 글의 내용 대조

KEY❷ ② 셀카 사진에 관한 하나의 짧은 문장을 써야 한다. → 일치
❻■ Be as creative as you like, / and write one short sentence / about the selfie.
명령문₁ 〈as+형용사[부사]의 원급+as〉: ~만큼 …한(원급 비교) 명령문₂
마음껏 창의력을 발휘하세요 / 그리고 짧은 문장 하나를 써 주세요 / 셀카 사진에 관한

KEY❷ ③ 1인당 사진 여러 장을 출품할 수 있다. → 불일치
❼■ Only one entry per person!
1인당 한 장의 출품작만 ~당, ~마다

KEY❷ ④ 셀카 사진을 이름 및 소속 학급과 함께 이메일로 보내야 한다. → 일치
❽■ Email your selfie / with your name and class / to mclara@oldfold.edu.
명령문
여러분의 셀카 사진을 이메일로 보내주세요 / 이름 및 소속 학급과 함께 / mclara@oldfold.edu로

❾Winners will be announced / on March 27, 2020. KEY❷ ⑤ 수상자는 2020년 3월 27일에 발표될 것이다. → 일치
미래수동태(will be+과거분사) / 구체적인 날짜 앞에 전치사 on을 씀
수상자는 발표될 것입니다 / 2020년 3월 27일에

❿Please visit www.oldfold.edu / to learn more about the competition.
부사적 용법(목적)
www.oldfold.edu를 방문하세요 / 대회에 대해 좀 더 알아보기 위해서

문제 해설 Only one entry per person!이라고 했으므로 1인당 한 장만 출품할 수 있다. 따라서 안내문의 내용과 일치하지 않는 것은 ③이다.

답 ③

Photography Walks Program에 관한 다음 안내문의 내용과 일치하지 않는 것은?

고1 학평 9월

어휘수 93
난이도 ★★☆

Photography Walks Program

Have you ever wanted to learn how to take photographs using your smartphone or tablet? Then come and join us on our exciting Photography Walks Program. All ages and skill levels are welcome!

◈ **Date:** From September 21 to September 23

◈ **Time:** 2 p.m. ~ 5 p.m.

◈ **Place:** Evergreen State Park

◈ **Ticket Price:** $30 per person (including a photo album)

◈ **Notice:**

• Wear comfortable clothes and walking shoes.

• Water and snacks are provided for free.

Registration should be made at least 2 days before the program begins. Please visit our website for more information.

① 연령에 관계없이 참여할 수 있다.
② 9월에 3일 동안 진행된다.
③ 포토 앨범은 티켓 가격에 포함되지 않는다.
④ 물과 간식이 무료로 제공된다.
⑤ 등록은 프로그램 시작 2일 전까지 해야 한다.

More & More

(유형 문제) **1** 위 안내문의 답의 근거가 되는 문장을 찾아 쓰고, 해석하시오.

〈문장〉 ______________________

〈해석〉 ______________________

(내신형) **2** 위 안내문의 내용을 통해 답할 수 없는 질문은?

① What is the program about?
② What devices do they use for the program?
③ Where will the program be held?
④ How much does a photo album cost?
⑤ What is the dress code for the program?

어휘 including ~을 포함하여 comfortable 편안한 provide 제공하다 registration 등록 at least 적어도, 최소한

어휘수 111
난이도 ★★☆

L-19 Smart Watch 사용에 관한 다음 안내문의 내용과 일치하는 것은? 고1 학평 3월

L-19 Smart Watch

User Guide

KEY FUNCTIONS

[A] Short press to confirm; long press to enter the sports mode.

[B] Short press to return to the 'home' menu; long press to send SOS location.

[C] Short press to turn on or off the background light; long press to turn on or off your watch.

[D] Press to go up. (In time, date or other settings, press the key to increase the value.)

[E] Press to go down. (In time, date or other settings, press the key to decrease the value.)

CAUTION

Make sure the battery level of your watch has at least two bars, in order to avoid an upgrading error.

* confirm: 설정값을 확정하다

① [A]를 짧게 누르면 스포츠 모드로 들어간다.
② [B]를 길게 누르면 '홈' 메뉴로 돌아간다.
③ [C]를 길게 누르면 배경 화면의 불빛이 켜지거나 꺼진다.
④ [D]를 누르면 설정값이 내려간다.
⑤ 업그레이드 오류를 피하려면 배터리 잔량 표시가 최소 두 칸은 되어야 한다.

More & More

유형 문제

1 위 안내문의 답의 근거가 되는 문장을 찾아 쓰고, 해석하시오.

〈문장〉 ____________________

〈해석〉 ____________________

내신형

2 위 안내문의 내용을 통해 답할 수 없는 질문은?

① What should you do in order to confirm?
② Which button do you press in an emergency situation?
③ What will you do if you want to turn the watch on?
④ Which button should you press to set an alarm?
⑤ What happens when you press [E]?

어휘 user guide 사용 설명서 function 기능 SOS 구조 요청; 조난 신호 background 배경 화면 setting 설정 value 설정값 decrease 줄이다 caution 주의 사항 error 오류

2017 Happy Voice Choir Audition에 관한 다음 안내문의 내용과 일치하지 않는 것은?

고1 학평 3월

어휘수 82
난이도 ★★☆

2017 Happy Voice Choir Audition

Do you love to sing? Happy Voice, one of the most famous school clubs, is holding an audition for you. Come and join us for some very exciting performances!

- Who: Any freshman
- When: Friday, March 24, 3 p.m.
- Where: Auditorium

All applicants should sing two songs:
– 1st song: *Oh Happy Day!*
– 2nd song: You choose your own.

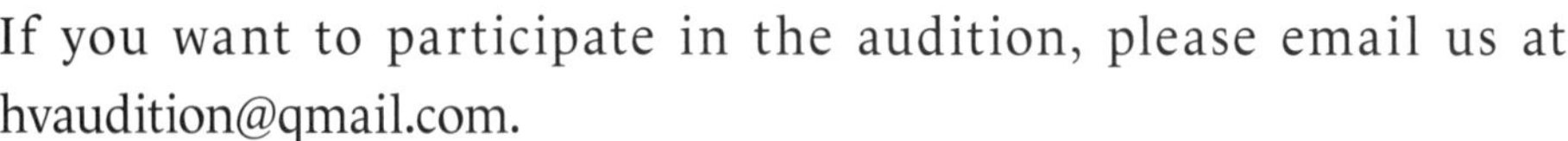

If you want to participate in the audition, please email us at hvaudition@qmail.com.
For more information, visit the school website.

① 학교 동아리가 개최한다.
② 신입생이면 누구나 참가할 수 있다.
③ 3월 24일에 강당에서 열린다.
④ 지원자는 자신이 선택한 두 곡을 불러야 한다.
⑤ 참가하려면 이메일을 보내야 한다.

More & More

유형 문제
1 위 안내문의 답의 근거가 되는 문장을 찾아 쓰고, 해석하시오.

〈문장〉 ______________________

〈해석〉 ______________________

내신형
2 위 안내문의 내용과 일치하도록 할 때 빈칸에 알맞은 것은?

If you want to know more about the choir audition, you have to ____________.

① send an email　② pick two songs　③ ask your friends
④ go to the auditorium　⑤ visit the school website

어휘 choir 합창단　audition 오디션　performance 공연　freshman 신입생　auditorium 강당　applicant 지원자　participate in ~에 참가하다

4

T-shirt Design Contest에 관한 다음 안내문의 내용과 일치하는 것은? 고1 학평 3월

어휘수 102

T-shirt Design Contest

We are looking for T-shirt designs for the Radio Music Festival. The Radio Music Festival team will select the top five designs. The one grand prize winner will be chosen by online voting.

Details

- Deadline for submission: May 15, 2018
- A participant can submit up to three works.
- Designs will be printed on white T-shirts.
- An entry can include up to three colors.
- You can use the Radio Music Festival logo, but you should not change its colors.

The winners will receive two T-shirts with their design printed on them. For more information, please visit our website at www.rmfestival.org.

① 온라인 투표를 통해 상위 다섯 개의 디자인을 선택한다.
② 참가자 한 명당 한 개의 작품만 출품할 수 있다.
③ 출품작에 사용되는 색상의 수에는 제한이 없다.
④ Radio Music Festival 로고의 색상을 바꿔서 사용할 수 있다.
⑤ 수상자는 자신의 디자인이 인쇄된 티셔츠를 받는다.

More & More

(유형 문제)
1 위 안내문의 답의 근거가 되는 문장을 찾아 쓰고, 해석하시오.

〈 문장 〉 ______________________________

〈 해석 〉 ______________________________

(내신형)
2 위 안내문의 내용과 일치하도록 할 때 빈칸에 알맞은 말이 바르게 짝지어진 것은?

A participant should submit his or her designs for ________ and the designs will be printed on ________ T-shirts.

① a book festival – white
② a dance festival – black
③ a music festival – white
④ a dance festival – three-color
⑤ a music festival – black

어휘 **select** 선택하다 **grand prize** 대상 **voting** 투표 **submission** 제출 **participant** 참가자 **submit** 제출하다

글의 주제 · 제목 찾기

수능 필수 어휘 550

이번 Unit의 핵심 어휘입니다. 유형 학습을 하기 전에 수능 필수 어휘 중 아는 어휘에 ☑ 체크해 보고 모르는 어휘는 미리 익혀 보세요.
(Unit을 마친 후 체크하지 않았던 어휘를 완전히 알고 있는지 다시 확인하세요.)

어휘	뜻	어휘	뜻
☐ aspect	측면, 양상	☐ factor	요인, 요소
☐ soothing	진정하는	☐ determine	결정하다
☐ consider	고려하다	☐ enemy	적
☐ material	천, 직물	☐ essential	필수적인
☐ property	속성, 특성	☐ drown	물에 빠뜨리다, 익사하다
☐ form	만들다, 형성하다	☐ exception	예외, 제외
☐ be made up of	~(으)로 구성되다[이루어지다]	☐ knowledge	지식
☐ tiny	미세한, 작은	☐ suffer from	~로부터 고통 받다
☐ bit	(한) 조각	☐ investment	투자
☐ glacier	빙하	☐ storyteller	스토리텔러, 이야기꾼

Let's hold on
for this moment

어휘	뜻	어휘	뜻
☐ hang on	~을 걸다[매달다]	☐ saying	격언, 속담
☐ historical	역사적인	☐ immediate	즉각적인
☐ currently	현재, 지금	☐ interaction	상호 작용
☐ dramatic	극적인	☐ encounter	만남
☐ discussion	토의	☐ response	반응
☐ further	더, 더욱 더	☐ familiarity	친밀감
☐ indicate	보여 주다, 나타내다	☐ overcome	극복하다
☐ impressive	인상적인	☐ natural	당연한
☐ method	방법	☐ hesitancy	머뭇거림
☐ cite	인용하다	☐ mutual	상호의

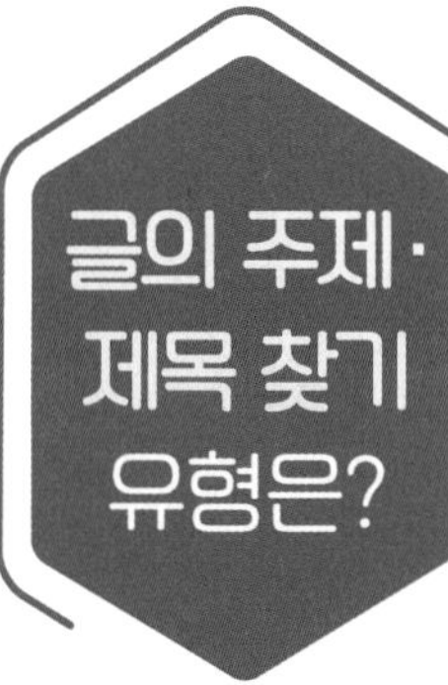

• 유형 설명

주제는 글쓴이가 글을 통해 나타내고자 하는 핵심 내용을, 제목은 글의 핵심 내용을 간결하게 가장 잘 표현한 것을 고르는 유형이다.

• 출제 경향

영어로 선택지가 제시되므로 선택지의 해석이나 의미를 파악해야 하는 어려움이 있다. 수능에서는 까다로운 분야의 소재의 지문이 출제되는 경우가 많으며 3점 문항으로 각각 1문제씩 출제되고 있다.

대표 예제

어휘수 105
난이도 ★★☆

다음 글의 주제로 가장 적절한 것은? 고1 학평 3월

Although everyone has a different taste, touch is an important aspect of many products. To choose an item, consumers depend on what they touch with their fingers or how things feel with their skin. Also, they like some products because of their feel. Some consumers buy skin creams and baby products for their soothing effect on the skin. In fact, consumers who have a high need for touch tend to like products that provide this opportunity. When consumers consider products with material properties, such as clothing or carpeting, they prefer touching items in stores to only seeing and reading about them online or in catalogs.

* property: 속성

① benefits of using online shopping malls
② touch as an important factor for consumers
③ importance of sharing information among consumers
④ necessity of getting feedback from consumers
⑤ popularity of products in the latest styles

이렇게 풀어라!

KEY 1 글의 중심 소재를 파악하라.
글의 도입부를 꼼꼼히 읽으며 글의 중심 소재를 파악한다.

KEY 2 반복되는 표현을 통해 글의 핵심 내용을 파악하라.
반복되는 표현이나 강조되는 부분에 표시하며 글을 읽고, 글의 핵심 내용을 파악한다. 특히 대조, 예시 등의 연결사에 주의하여 내용을 잘 살펴본다.

KEY 3 핵심 내용과 부연 설명을 종합하여 주제 및 제목을 추측하라.
글의 핵심 내용이나 부연 설명을 종합하여 주제 및 제목을 추측해 보고 선택지 중에서 비슷한 것을 찾아 답을 고른다.

적용하기

KEY❶ 촉감이 소비자의 구매에 미치는 영향

❶Although everyone has a different taste, / touch is an important aspect / of
양보 접속사(비록 ~이긴 하지만)
비록 모두가 다른 취향을 가지고 있지만 촉감은 중요한 측면이다

KEY❷ 촉감에 의존하는 소비자들의 구매 방식

many products. ❷To choose an item, / consumers depend on / what they touch /
부사적 용법(목적) ~에 의존한다 관계대명사
많은 제품의 물건을 고르기 위해 소비자들은 의존한다 그들이 만지는 것

with their fingers / or how things feel / with their skin. ❸Also, / they like some
간접의문문: 〈의문사+주어+동사〉 어순
손가락으로 혹은 그것들이 어떻게 느껴지는지 그들의 피부로 또한 그들은 몇몇 제품들을

products / because of their feel. ❹Some consumers buy / skin creams and baby
because of+명사(구): ~ 때문에
좋아한다 그것들의 감촉 때문에 일부 소비자들은 구입한다 스킨 크림과 유아용품을

products / for their soothing effect / on the skin. ❺In fact, / consumers who
주격 관계대명사
진정 효과를 주기 위해 피부에 실제로 촉감에 대한 욕구가 많은

have a high need for touch / tend to like products / that provide this
~하는 경향이 있다 주격 관계대명사
소비자들은 제품을 좋아하는 경향이 있다 이런 기회를 제공하는

opportunity. ❻When consumers consider products / with material properties, /
시간 접속사(~할 때)
소비자들이 제품을 고려할 때 천 소재의

such as clothing or carpeting, / they prefer touching items / in stores / to only
~와 같은 동명사 〈prefer A to B〉: B보다 A를 선호하다
의류나 카펫과 같은 그들은 물건을 만지는 것을 선호한다 매장에서 단지 그것들을

seeing and reading about them / online or in catalogs.
동명사 동명사
보고 읽는 것보다 온라인이나 카탈로그에서

KEY❸ 소비자들의 촉감에 대한 욕구가 직접적으로 충족될 시 구매에 미치는 영향을 예시를 통해 구체화 ➡ '소비자에게 중요한 요소로서의 촉감'이 주제임을 추측

* property: 속성

KEY 1 글의 중심 소재 파악

KEY 2 반복되는 표현을 통해 글의 핵심 내용 파악

KEY 3 부연 설명을 종합하여 주제 추측

문제 해설 촉감은 많은 제품의 중요한 측면이며, 소비자들은 제품 구매 시 촉감에 의존하고, 실제 촉감의 기회를 제공하는 매장에서 물건을 만지면서 구매하는 것을 선호한다고 했다. 따라서 글의 주제로 가장 적절한 것은 ② '소비자에게 중요한 요소로서의 촉감'이다.

답 ②

어휘수 89
난이도 ★★☆

다음 글의 주제로 가장 적절한 것은?

고1 학평 3월

While some sand is formed in oceans from things like shells and rocks, most sand is made up of tiny bits of rock that came all the way from the mountains! But that trip can take thousands of years. Glaciers, wind, and flowing water help move the rocky bits. Along the way, the tiny travelers get smaller and smaller. If they're lucky, a river may give them a lift all the way to the coast. There, they can spend the rest of their years on the beach as sand.

① things to cause the travel of water
② factors to determine the size of sand
③ how most sand on the beach is formed
④ many uses of sand in various industries
⑤ why sand is disappearing from the beach

More & More

내신형

1 윗글의 내용과 일치하도록 주어진 질문에 대한 답을 완성하시오.

Q: How are rocky bits from the mountains changed to tiny sand?
A: Glaciers, wind, and flowing water make them ______________________.

수능 변형

2 beach sand에 관한 윗글의 내용과 일치하지 않는 것은?

① 일부는 조개껍데기나 암석에서 생긴다.
② 대부분은 산에서 이동한 암석의 작은 조각이다.
③ 산에서 바다로 이동하기까지 수천 년이 걸리기도 한다.
④ 암석 조각이 이동할 때 빙하나 바람이 방해하기도 한다.
⑤ 강이 암석 조각을 산에서부터 바다까지 내내 이동시키기도 한다.

어휘 **form** 만들다, 형성하다 **shell** 조개껍데기 **be made up of** ~(으)로 구성되다[이루어지다] **tiny** 미세한, 작은 **bit** (한) 조각 **come all the way** 먼 길을 오다 **glacier** 빙하 **give ~ a lift** ~을 데려다 주다 **factor** 요인, 요소 **determine** 결정하다

어휘수 118
난이도 ★★☆

다음 글의 제목으로 가장 적절한 것은? 고1 학평 3월

In life, too much of anything is not good for you. In fact, too much of certain things in life can kill you. For example, water has no enemy because water is essential to all life. But if you take in too much water, like one who is drowning, it could kill you. Education is the exception to this rule. You can never have too much education or knowledge. Most people will never have enough education in their lifetime. I haven't yet seen anyone hurt in life by too much education. Rather, we see lots of people suffer from the lack of education every day, worldwide. Education is a long-term investment of time, money, and effort into humans.

① All Play and No Work Makes Jack a Smart Boy
② Too Much Education Won't Hurt You
③ Too Heads Are Worse than One
④ Don't Think Twice Before You Act
⑤ Learn from the Future, Not from the Past

More & More

내신형
1 윗글의 4행의 this rule이 의미하는 것을 우리말로 구체적으로 쓰시오.

___

내신형
2 윗글의 내용과 일치하지 않는 것은?

① 어떤 것이 너무 과하면 좋지 않다.
② 물은 필수적이지만 과한 섭취는 죽음에 이르게 한다.
③ 너무 많은 교육으로 피해를 입은 사람들이 있다.
④ 세계적으로 많은 사람들이 교육 부족으로 고통 받는다.
⑤ 교육은 인간에게 시간, 돈, 노력을 장기적으로 투자하는 것이다.

어휘 enemy 적 essential 필수적인 drown 물에 빠뜨리다, 익사하다 exception 예외, 제외 knowledge 지식 suffer from ~로부터 고통 받다 lack of ~의 부족 long-term 장기간의 investment 투자

다음 글의 주제로 가장 적절한 것은?

고1 학평 3월

어휘수 104
난이도 ★★★

Storyteller Syd Lieberman suggests that it is the story in history that provides the nail to hang facts on. Students remember historical facts when they are tied to a story. According to a report, a high school is currently experimenting with a study of presentation of historical material. Storytellers present material in dramatic context to the students, and group discussion follows. Students are encouraged to read further. In contrast, another group of students is involved in traditional research/report techniques. The study indicates that the material presented by the storytellers is much more interesting and impressive than the material gained through the traditional method.

① why students should learn history
② essential elements of historical dramas
③ advantages of traditional teaching methods
④ benefits of storytelling in teaching history
⑤ importance of having balanced views on history

More & More

내신형
1 윗글의 내용과 일치하도록 빈칸에 알맞은 말을 본문에서 찾아 쓰시오.

History is not taught in ____________ ____________ in traditional research/report techniques.

수능 변형
2 윗글의 제목으로 가장 적절한 것은?

① The Difficulties of History Teaching
② Why Do Students Learn Historical Facts?
③ The Necessity of Learning from Various Viewpoints
④ Keys to the Development of Effective Teaching Tools
⑤ Storytelling: Impressive Way for Presenting Historical Material

어휘 storyteller 스토리텔러, 이야기꾼 hang on ~을 걸다[매달다] historical 역사적인 tie to ~에 결부시키다 currently 현재, 지금 dramatic 극적인 discussion 토의 further 더, 더욱 더 indicate 보여 주다, 나타내다 impressive 인상적인 method 방법

• 정답과 해설 27쪽

어휘수 124

다음 글의 제목으로 가장 적절한 것은? 고1 학평 9월

Benjamin Franklin once suggested that a newcomer ask a new neighbor to do him or her a favor. He cited an old saying: He that has once done you a kindness will be more ready to do you another than he whom you yourself have obliged. In Franklin's opinion, asking someone for something was the most useful and immediate invitation to social interaction. Such asking on the part of the newcomer provided the neighbor with an opportunity to show himself or herself as a good person, at first encounter. In return, the neighbor could now ask the newcomer for a favor. This response increased the familiarity and trust. In that manner, both parties could overcome their natural hesitancy and mutual fear of the stranger.

* oblige: ~에게 친절을 베풀다

① How to Present Your Strengths to Others
② A Relationship Opener: Asking for a Favor
③ Why Do We Hesitate to Help Strangers?
④ What You Ask for Shows Who You Are
⑤ Polite Ways of Inviting Our Neighbors

내신형
1 윗글의 내용과 일치하도록 주어진 질문에 대한 답을 완성하시오.

Q: What is the most useful invitation to social interaction?
A: ____________ someone for something.

수능 변형
2 윗글의 주제로 가장 적절한 것은?

① types of people taking advantage of others
② the process of building a relationship with a newcomer
③ emotional connections in face-to-face communication
④ the positive effect of first asking a new neighbor for help
⑤ difficulties in regarding a request as a chance of interaction

어휘 **cite** 인용하다 **saying** 격언, 속담 **immediate** 즉각적인 **interaction** 상호 작용 **encounter** 만남 **response** 반응 **familiarity** 친밀감 **overcome** 극복하다 **natural** 당연한 **hesitancy** 머뭇거림 **mutual** 상호의

글의 주장·요지 찾기

수능 필수 어휘 550

이번 Unit의 핵심 어휘입니다. 유형 학습을 하기 전에 수능 필수 어휘 중 아는 어휘에 ☑ 체크해 보고 모르는 어휘는 미리 익혀 보세요.
(Unit을 마친 후 체크하지 않았던 어휘를 완전히 알고 있는지 다시 확인하세요.)

어휘	뜻	어휘	뜻
☐ **float around**	(생각·소문 등이) 떠돌다	☐ **positive**	긍정적으로
☐ **ensure**	반드시 ~하게 하다; 보장하다	☐ **acquire**	익히다, 습득하다
☐ **record**	기록하다	☐ **impulsive**	충동적인
☐ **aim**	목표로 하다	☐ **regularly**	규칙적으로
☐ **hit**	(특정 수량·수준에) 이르다	☐ **condition**	조건
☐ **reminder**	상기시키는 것, 생각나게 하는 것	☐ **tool**	도구
☐ **motivator**	동기를 부여하는 것	☐ **cultivate**	함양하다, 기르다
☐ **burden**	부담, 짐	☐ **calligrapher**	서예가
☐ **finding**	(조사·연구 등의) 발견	☐ **capacity**	능력
☐ **formation**	형성	☐ **lonely**	외로운

어휘	뜻	어휘	뜻
☐ shared	공통된, 공유된	☐ settle for	~에 안주하다
☐ purpose	목적	☐ mindset	사고방식, 마음가짐
☐ be engaged in	~에 관여(참여)하다	☐ approach	접근하다; 접근법
☐ volunteer	자원봉사하다; 자원봉사자	☐ impact	영향을 끼치다
☐ be satisfied with	~에 만족하다	☐ mood	기분
☐ enrich	풍부하게 하다	☐ productive	생산적인
☐ loneliness	외로움	☐ productivity	생산성
☐ benefit	혜택을 받다	☐ promotion	승진
☐ voluntary	자발적인; 자원봉사의	☐ raise	임금 인상
☐ attain	얻다, 이루다	☐ consequently	결과적으로

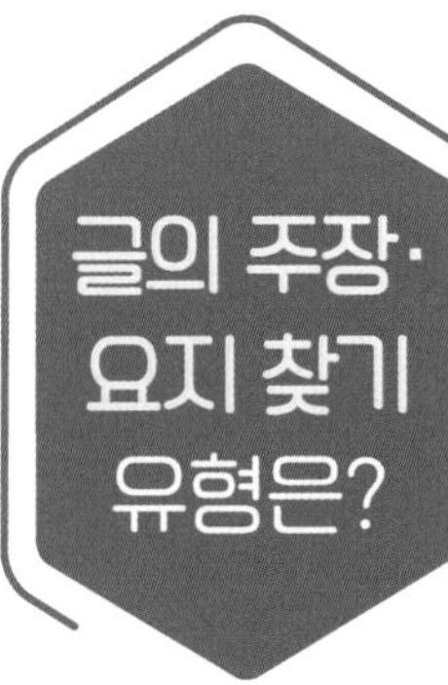

• 유형 설명

주장은 핵심 소재에 대한 글쓴이의 관점이나 의견을, 요지는 글쓴이가 글을 통해 궁극적으로 말하고자 하는 중심 생각을 찾는 유형이다.

• 출제 경향

우리말로 선택지가 제시되며 수능에서는 주로 시사적인 내용의 논설문 형식으로 1문제씩 출제되고 있다.

대표 예제

어휘수 100
난이도 ★★☆

다음 글에서 필자가 주장하는 바로 가장 적절한 것은? 고1 학평 3월

Keeping good ideas floating around in your head is a great way to ensure that they won't happen. Here is a tip from writers: The only good ideas that come to life are the ones that get written down. Take out a piece of paper and record everything you'd love to do someday — aim to hit one hundred dreams. You'll have a reminder and motivator to get going on those things that are calling you, and you also won't have the burden of remembering all of them. When you put your dreams into writing, you begin putting them into action.

① 친구의 꿈을 응원하라.
② 하고 싶은 일을 적으라.
③ 신중히 생각한 후 행동하라.
④ 효과적인 기억법을 개발하라.
⑤ 실현 가능한 목표에 집중하라.

이렇게 풀어라!

KEY 1 도입부에서 핵심 주제 및 소재를 파악하라.

글의 도입부에 드러나는 글의 핵심 주제 및 소재를 파악한다.

KEY 2 세부 내용이나 반복·강조되는 표현을 통해 글쓴이의 관점을 파악하라.

글의 세부 내용, 반복되거나 강조되는 부분에 유의하며 글을 읽고, 이를 통해서 글쓴이의 관점이나 중심 생각을 파악한다.

KEY 3 후반부의 내용을 종합하여 주장 및 요지를 재확인하라.

후반부에 글의 주장이나 요지가 바뀔 수 있으므로 마지막 부분의 내용을 종합하여 글쓴이의 주장이나 글의 요지를 재확인한다.

KEY ❶ 좋은 아이디어들을 생각만 하는 것에 그친다면 실행할 수 없음

❶Keeping good ideas floating around / in your head / is a great way to ensure / that they won't happen.
동명사구(주어) 〈keep+목적어+현재분사〉: 목적어가 계속 ~하게 하다 / 단수 동사 / 형용사적 용법 / 명사절 접속사(동사 ensure의 목적어)
좋은 아이디어를 계속 떠돌게 하는 것은 / 머릿속에 / 확실히 하는 훌륭한 방법이다 / 그것이 일어나지 않게 하는 것을

❷Here is a tip / from writers: The only good ideas / that come to life / are the ones / that get written down.
주격 관계대명사 / = good ideas / 주격 관계대명사 / 수동태
여기 조언이 있다 / 작가들로부터의 / 유일한 좋은 아이디어는 / 생명력을 얻는 / 것들이다 / 적히게 되는

KEY ❷ 아이디어가 생명력을 얻기 위해서는 그것들을 종이에 적어야 한다고 함

❸Take out a piece of paper / and record everything / you'd love to do someday / — aim to hit one hundred dreams.
명령문₁ / 명령문₂ / 목적격 관계대명사 that 생략 / 명령문₃
종이 한 장을 꺼내라 / 그리고 모든 것을 기록해라 / 여러분이 언젠가 하고자 하는 / 꿈이 100개에 이르는 것을 목표로 하라

❹You'll have a reminder and motivator / to get going on those things / that are calling you, / and you also won't have the burden / of remembering all of them.
시작하다, 착수하다 / 주격 관계대명사 / 동명사(전치사 of의 목적어)
여러분은 상기시키고 동기 부여하는 것을 갖게 될 것이다 / 그것들을 시작하도록 / 여러분을 부르고 있는 / 그리고 여러분은 또한 부담도 갖지 않을 것이다 / 그 모든 것을 기억하는

❺When you put your dreams into words, / you begin putting them into action.
시간 접속사(~할 때) / put ~ into words: ~을 글로 적다 / put ~ into action: ~을 실행하다 / 〈begin+동명사〉: ~을 하기 시작하다 / = your dreams
여러분의 꿈을 글로 적을 때 / 여러분은 그것들을 실행하기 시작한다

KEY ❸ 꿈을 종이에 적는 것이 동기 부여가 되며, 기억해야 할 부담을 덜어주고, 꿈을 실행할 수 있는 방법이라 주장

KEY 1 도입부에서 핵심 소재 파악

KEY 2 세부 내용을 통해 글쓴이의 관점 파악

KEY 3 후반부 내용을 종합하여 주장 재확인

문제 해설 필자는 좋은 아이디어를 실행하려면 이를 머릿속에만 간직하는 대신 종이에 글로 적어야 한다고 말하고 있다. 따라서 필자가 주장하는 바로 가장 적절한 것은 ② '하고 싶은 일을 적으라.'이다.

답 ②

어휘수 90
난이도 ★★☆

다음 글의 요지로 가장 적절한 것은? 고1 학평 3월

Recent studies show some interesting findings about habit formation. In these studies, students who successfully acquired one positive habit reported less stress; less impulsive spending; better eating habits; decreased caffeine consumption; fewer hours spent watching TV; and even fewer dirty dishes. Keep working on one habit long enough, and not only the habit but other things as well will become easier. It's why those people with the right habits seem to do better than others. They're doing the most important thing regularly and, as a result, everything else is easier.

① 참을성이 많을수록 성공할 가능성이 커진다.
② 한 번 들인 나쁜 습관은 쉽게 고쳐지지 않는다.
③ 나이가 들어갈수록 좋은 습관을 형성하기 힘들다.
④ 무리한 목표를 세우면 달성하지 못할 가능성이 크다.
⑤ 하나의 좋은 습관 형성은 생활 전반에 긍정적 효과가 있다.

More & More

(내신형)
1 윗글의 내용과 일치하지 않는 부분을 찾아 바르게 고쳐 쓰시오.

It is harder for people with right habits to watch fewer hours of TV.

__________ → __________

(내신형)
2 윗글의 내용과 일치하지 않는 것은?

① 한 가지 습관의 형성은 다른 습관과 관련이 있다.
② 습관은 식습관에 변화를 준다.
③ 긍정적인 습관이 부정적인 습관을 줄인다.
④ 올바른 습관을 가지면 다른 이들보다 더 뛰어나 보인다.
⑤ 가장 쉬워 보이는 일부터 규칙적으로 해야 한다.

어휘 finding 발견(종종 복수형으로 씀) formation 형성 successfully 성공적으로 acquire 익히다, 습득하다 positive 긍정적인 impulsive 충동적인 regularly 규칙적으로

어휘수 123
난이도 ★★☆

다음 글에서 필자가 주장하는 바로 가장 적절한 것은? 고1 학평 6월

You can buy conditions for happiness, but you can't buy happiness. It's like playing tennis. You can't buy the joy of playing tennis at a store. You can buy the ball and the racket, but you can't buy the joy of playing. To experience the joy of tennis, you have to learn, to train yourself to play. It's the same with writing calligraphy. You can buy tools for it, but you can't really do calligraphy without cultivating the art of calligraphy. So calligraphy requires practice, and you have to train yourself. You are happy as a calligrapher only when you have the capacity to do calligraphy. Happiness is also like that. You have to cultivate happiness; you cannot buy it at a store.

* calligraphy: 서예

① 자기 계발에 도움이 되는 취미를 가져야 한다.
② 경기 시작 전 규칙을 정확히 숙지해야 한다.
③ 행복은 노력을 통해 길러가야 한다.
④ 성공하려면 목표부터 명확히 설정해야 한다.
⑤ 글씨를 예쁘게 쓰려면 연습을 반복해야 한다.

More & More

내신형
1 윗글의 내용과 일치하도록 빈칸에 알맞은 말을 쓰시오.

You'll not get the ____________ of playing tennis by buying the ball and the racket.

내신형
2 윗글의 내용과 일치하지 않는 것은?

① 경기를 하는 즐거움은 살 수 없다.
② 테니스를 즐기려면 치는 법을 배워야 한다.
③ 진정한 서예를 위해서는 연습이 필요하다.
④ 서예 능력이 없어도 서예가로서 행복할 수 있다.
⑤ 행복을 돈으로 사는 것은 불가능하다.

어휘 condition 조건 joy 즐거움 tool 도구 cultivate 함양하다, 기르다 calligrapher 서예가 capacity 능력

어휘수 106
난이도 ★★★

다음 글의 요지로 가장 적절한 것은? 고1 학평 3월

There is one sure way for lonely patients to make a friend — to join a group that has a shared purpose. This may be difficult for people who are lonely, but becoming a member of a group with a common purpose can help. People who are engaged in service to others, such as volunteering, tend to be happier. Volunteers are satisfied with enriching their social network in the service of others. Volunteering helps to reduce loneliness in two ways. First, someone who is lonely might benefit from helping others. Also, through a voluntary program they will receive support and help to build their own social network.

① 외로움을 극복하는 데는 봉사 활동이 유익하다.
② 한 가지 봉사 활동을 지속적으로 하는 것이 좋다.
③ 봉사 활동은 진로를 탐색할 수 있는 기회를 제공한다.
④ 행복한 삶을 위해서는 혼자만의 시간이 필요하다.
⑤ 먼저 자신을 이해해야 남을 위해 봉사할 수 있다.

More & More

내신형
1 윗글의 내용과 일치하도록 주어진 질문에 대한 답을 완성하시오.

Q: How does volunteering help lonely people?
A: It enriches their ____________ ____________ and they ____________ from helping others.

내신형
2 윗글의 내용과 일치하지 않는 것은?

① 외로운 환자들이 공통된 목적을 가진 집단에서 친구를 사귀는 것은 좋은 방법이다.
② 집단에 가입하는 일은 외로운 사람에게 어려울 수 있다.
③ 사람들은 봉사하면서 더 행복해하는 경향이 있다.
④ 자원봉사는 외로움의 감소에 두 가지 방식에서 도움이 된다.
⑤ 자발적인 프로그램을 통해 금전적인 지원을 얻을 수 있다.

어휘 **lonely** 외로운 **shared** 공통된, 공유된 **purpose** 목적 **be engaged in** ~에 관여(참여)하다 **volunteer** 자원봉사하다; 자원봉사자 **be satisfied with** ~에 만족하다 **enrich** 풍부하게 하다 **loneliness** 외로움 **benefit** 혜택을 받다 **voluntary** 자발적인; 자원봉사의

어휘수 128

다음 글의 요지로 가장 적절한 것은? 고1 학평 9월

Attaining the life that a person wants is simple. However, most people settle for less than their best because they fail to start the day off right. If a person starts the day with a positive mindset, that person is more likely to have a positive day. Moreover, how a person approaches the day impacts everything else in that person's life. Beginning a day in a good mood leads to working happily and often makes a person more productive in the office. This increased productivity unsurprisingly results in better work rewards, such as promotions or raises. Consequently, if people want to live the life of their dreams, they need to realize that how they start their day not only impacts that day, but every aspect of their lives.

① 업무 생산성 향상을 위해 적절한 보상이 필요하다.
② 긍정적인 하루의 시작이 삶에 좋은 영향을 끼친다.
③ 매일 해야 할 일의 우선순위를 정하는 것이 좋다.
④ 규칙적인 생활 습관이 목표 달성에 도움이 된다.
⑤ 원만한 대인 관계를 위해 감정 조절이 중요하다.

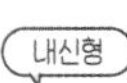

내신형
1 윗글의 내용과 일치하도록 빈칸에 알맞은 말을 쓰시오.

You can have a ____________ day if you start your day with a positive ____________.

내신형
2 윗글의 내용과 일치하지 않는 것은?

① 사람이 원하는 삶을 얻는 것은 간단하다.
② 대부분의 사람들은 원하지 않는 삶에도 안주한다.
③ 좋은 기분으로 하루를 시작하면 행복하게 일할 수 있다.
④ 업무 생산성의 향상은 업무적인 보상으로 이어진다.
⑤ 긍정적인 마음가짐은 다른 이들의 삶에 영향을 끼친다.

어휘 **attain** 얻다, 이루다 **settle for** ~에 안주하다 **mindset** 사고방식, 마음가짐 **approach** 접근하다; 접근법 **impact** 영향을 끼치다 **mood** 기분 **productive** 생산적인 **productivity** 생산성 **promotion** 승진 **raise** 임금 인상 **consequently** 결과적으로

밑줄 친 부분 의미 파악하기

수능 필수 어휘 550

이번 Unit의 핵심 어휘입니다. 유형 학습을 하기 전에 수능 필수 어휘 중 아는 어휘에 ☑ 체크해 보고 모르는 어휘는 미리 익혀 보세요.
(Unit을 마친 후 체크하지 않았던 어휘를 완전히 알고 있는지 다시 확인하세요.)

어휘	뜻	어휘	뜻
☐ temper	화	☐ deceive	속이다
☐ argument	논쟁; 논거	☐ trait	특성
☐ annoy	화나게 하다	☐ maximize	극대화하다
☐ respond	대응하다	☐ virtue	미덕
☐ remark	발언	☐ generous	관대한
☐ effective	효과적인	☐ extremely	매우, 대단히; 극히
☐ attentive	주의 깊은	☐ repetition	반복
☐ concept	개념	☐ motivate	~할 동기를 부여하다
☐ argue	주장하다	☐ sharpen	(날카롭게) 깎다; 연마하다
☐ virtuous	미덕이 있는, 덕이 높은	☐ valuable	가치 있는

어휘	뜻	어휘	뜻
☐ passion	열정	☐ exclude	배제하다, 제외하다
☐ recognize	인정하다, 인식하다	☐ deliberately	의도적으로
☐ employ	사용하다	☐ personality	개성
☐ bond	유대	☐ associate	연관 짓다
☐ enhance	높이다, 향상시키다	☐ treadmill	쳇바퀴
☐ assume	가정하다	☐ satisfy	충족시키다, 만족시키다
☐ discourse	담화	☐ longing	바람, 갈망
☐ establish	확립(설립)하다	☐ silence	잠재우다, 잠잠하게 하다
☐ identity	정체성	☐ chase	좇다, 추구하다
☐ obtain	얻다, 획득하다	☐ definition	정의

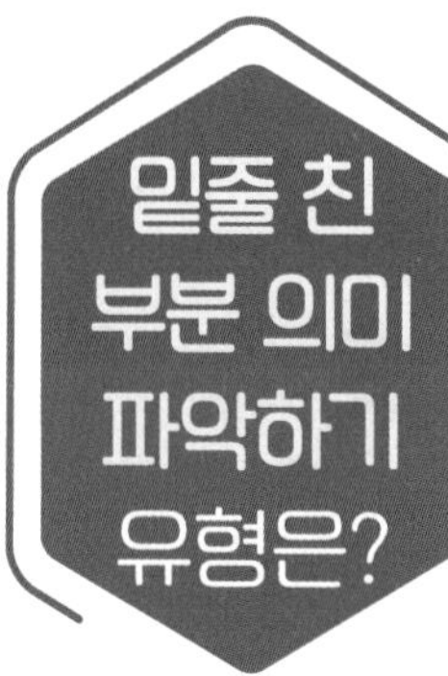

• 유형 설명

최근 수능에 반영된 신유형으로 밑줄 친 부분이 담고 있는 의미를 파악하는 유형이다.

• 출제 경향

3점 문항의 고난도 문제로 선택지는 우리말 또는 영어로 출제되고 있으며, 주로 글의 주제를 나타내고 있는 표현에 밑선이 적용된 경우가 많다.

대표 예제

어휘수 120
난이도 ★★☆

밑줄 친 "rise to the bait"가 다음 글에서 의미하는 바로 가장 적절한 것은? 고1 학평 3월

Tempers are easily lost in many arguments. It's easy to say one should keep cool, but how do you do it? The point is that sometimes in arguments the other person is trying to get you to be angry. They may be saying annoying things on purpose. They know that if they get you to lose your cool you'll say something foolish. That is, you'll simply get angry and then it will be impossible for you to win the argument. So don't fall into this trap. When responding to remarks that cause anger, a cool answer on the issue is likely to be most effective. Indeed, any attentive listener will admire the fact that you didn't "rise to the bait."

* bait: 미끼

① stay calm
② blame yourself
③ lose your temper
④ listen to the audience
⑤ apologize for your behavior

KEY 1 **밑줄 친 부분의 의미를 파악하라.**
밑줄 친 부분의 의미를 추측해 본다.

KEY 2 **전체 문맥을 통해 글의 핵심 내용을 파악하라.**
밑줄 친 부분이 담고 있는 의미는 전체 문맥을 통해 드러나므로, 전체적인 흐름을 읽으며 글의 핵심 내용을 파악한다.

KEY 3 **밑줄 친 부분의 의미를 추론하고 요지를 재확인하라.**
글의 핵심 내용을 종합해서 밑줄 친 부분의 의미를 추론하고 요지를 재확인한다.

적용하기

KEY❷ 논쟁의 상대방은 어리석은 말을 하게끔 유도하려 하므로 화내지 말고 침착한 답변으로 대응해야 효과적임

❶Tempers are easily lost / in many arguments. ❷It's easy to say / one should keep cool, / but how do you do it? ❸The point is / that sometimes in arguments / the other person is trying to get you to be angry. ❹They may be saying / annoying things / on purpose. ❺They know / that if they get you to lose your cool / you'll say something foolish. ❻That is, / you'll simply get angry / and then it will be impossible / for you to win the argument. ❼So don't fall into this trap. ❽When responding to remarks that cause anger, / a cool answer on the issue / is likely to be most effective. ❾Indeed, / any attentive listener / will admire the fact / that you didn't "rise to the bait."

(are lost: 수동태 / It: 가주어, to say: 진주어 / keep cool: 침착함을 유지하다 / that: 명사절 접속사(동사 is의 보어) / ⟨get+목적어+목적격보어(to부정사)⟩: ~을 …하게 하다 / annoying: 현재분사 / on purpose: 의도적으로 / that: 명사절 접속사(동사 know의 목적어) / if: 조건 접속사(만약 ~라면) / ⟨get+목적어+목적격보어(to부정사)⟩ / ⟨-thing+형용사⟩ 어순 / it: 가주어, for you: 의미상 주어, to win: 진주어 / don't fall: 부정명령문 / fall into trap: 함정에 빠지다 / 분사구문(= When you respond) / that: 주격 관계대명사 / ⟨be likely to+동사원형⟩: ~일 것 같다 / most effective: 최상급 / 동격의 that(= the fact))

화는 쉽게 난다 / 많은 논쟁에서 / 말하는 것은 쉽다 / 침착함을 유지하라고 / 하지만 어떻게 그것을 하는가 / 요점은 ~이다 / 때로는 논쟁에서 / 상대방이 여러분을 화나게 하려고 한다는 것이다 / 그들은 말하고 있을지도 모른다 / 화나게 하는 말들을 / 의도적으로 / 그들은 알고 있다 / 만약 자신들이 여러분의 냉정을 잃게 한다면 / 여러분은 어리석은 말을 할 것이다 / 즉 / 당신은 그저 화를 낼 것이고 / 그러면 불가능할 것이다 / 여러분이 그 논쟁에서 이기는 것은 / 그러므로 이 함정에 빠지지 마라 / 분노를 유발하는 발언에 대응할 때 / 그 화제에 있어서 침착한 답변은 / 가장 효과적일 것 같다 / 정말로 / 주의 깊은 청자라면 누구라도 / 그 사실에 감탄할 것이다 / 여러분이 '미끼를 물지' 않았다는

KEY❶ '미끼를 물지' 않았다는 사실에 감탄한다는 말로 보아 '미끼를 문다'는 말이 안 좋은 의미임을 파악

KEY❸ '미끼를 문다'는 의미가 상대방의 의도에 말려 화를 내게 되는 상황을 비유한 것임을 추론

* bait: 미끼

KEY 2 전체 문맥을 통해 글의 핵심 내용 파악

KEY 1, 3 밑줄 친 부분의 의미 파악과 추론

문제 해설 〉 논쟁에서 상대방이 의도적으로 화를 내게끔 유도할 때는 냉정을 잃지 않고 그 함정에 빠지지 말아야 한다고 했다. 따라서 밑줄 친 부분이 의미하는 바로 가장 적절한 것은 ③ '화를 내다'이다. 답 ③

어휘수 112
난이도 ★★☆

밑줄 친 at the "sweet spot"이 다음 글에서 의미하는 바로 가장 적절한 것은? 고1 학평 6월

For almost all things in life, there can be too much of a good thing. Even the best things in life aren't so great in excess. This concept has been discussed since the time of Aristotle. He argued that being virtuous means finding a balance. For example, people should trust others, but if someone trusts other people too much they are considered easily deceived. For this trait, it is best to avoid both deficiency and excess. The best way is to live <u>at the "sweet spot"</u> that maximizes well-being. Aristotle's suggestion is that virtue is the midpoint, where someone is neither too generous nor too cheap, neither too afraid nor extremely brave.

* deficiency: 부족[결핍] ** excess: 과잉

① at the time of a biased decision
② in the area of material richness
③ away from social pressure
④ in the middle of two extremes
⑤ at the moment of instant pleasure

More & More

내신형
1 윗글의 내용과 일치하도록 빈칸에 알맞은 말을 쓰시오.

To be virtuous, you need to find a ________.

내신형
2 윗글의 주제로 가장 적절한 것은?

① 미덕의 다양한 정의
② 신뢰가 가진 여러 가지 장점
③ 아리스토텔레스의 뛰어난 지혜
④ 행복을 극대화하는 중도의 미덕
⑤ 부족함의 장점과 과도함의 단점

어휘 **concept** 개념 **argue** 주장하다 **virtuous** 미덕이 있는, 덕이 높은 **balance** 균형 **deceive** 속이다 **trait** 특성 **maximize** 극대화하다 **well-being** 행복, 복지 **virtue** 미덕 **generous** 관대한 **extremely** 매우, 대단히; 극히

어휘수 122
난이도 ★★☆

밑줄 친 <u>such fruitless labor</u>가 다음 글에서 의미하는 바로 가장 적절한 것은? 고1 학평 3월

Since a great deal of everyday academic work is boring repetition, you need to be well motivated to keep doing it. A mathematician sharpens her pencils, works on a proof, and tries a few approaches. But she gets nowhere and finishes for the day. A writer works at his desk and writes a few sentences. But he is unsatisfied and throws them away. To produce something valuable may require years of <u>such fruitless labor</u>. A biologist said that about four-fifths of his time in science was wasted, adding sadly that "nearly all scientific research leads nowhere." What kept all of these people going when things were going badly was their passion for their subject. Without such passion, they would have achieved nothing.

* proof: (수학) 증명 ** get(lead) nowhere: 아무런 성과를 내지 못하다

① 해야 할 일을 미루며 의미 없는 시간을 보내는 것
② 본격적인 작업을 하기 전에 일상적인 행동을 하는 것
③ 공통적인 주제로 여러 방면의 전문가들이 토론하는 것
④ 정확한 증거 없이 계속 일을 진행시키는 것
⑤ 하나의 좋은 결과를 위해 아무런 성과 없이 반복적으로 하는 것

More & More

내신형
1 윗글의 내용과 일치하도록 주어진 질문에 대한 답을 완성하시오.

Q: What did help the academic workers to produce something valuable?
A: Their __________ for their subject.

내신형
2 윗글의 주제로 가장 적절한 것은?

① 학업의 어려움
② 수학자와 작가의 차이점
③ 학업의 지속에 필요한 열정의 중요성
④ 성공적인 학자들의 공통적인 공부 비법
⑤ 반복적인 학습 훈련이 가지고 있는 해로운 점

어휘 **repetition** 반복 **motivate** ~할 동기를 부여하다 **mathematician** 수학자 **sharpen** (날카롭게) 깎다; 연마하다 **valuable** 가치 있는 **fruitless** 결실 없는 **biologist** 생물학자 **passion** 열정

어휘수 127
난이도 ★★★

밑줄 친 <u>This idea</u>가 다음 글에서 의미하는 바로 가장 적절한 것은? 고1 학업성취도 평가

In metaphor studies, the social impact of metaphor has been recognized. Cooper focused on the social function to explain why a speaker or writer might choose to employ metaphor. He developed Cohen's idea that an important role of metaphor is to create social bonds. Such emotional effects can be both taken for granted and enhanced by using metaphor. Metaphor use brings attitudes to the topic that are assumed to be shared, or are then able to be shared, between discourse participants. <u>This idea</u> leads to sub-groups in society using metaphor to establish their own language and identity. Individuals can make use of shared lists of metaphor to obtain membership themselves and to exclude others. In contrast, they may deliberately move away from shared patterns to express personality.

* metaphor: 은유

① 자아 정체성은 사회화 과정에서 형성된다는 것
② 은유 남용이 인간관계에 악영향을 미친다는 것
③ 은유 사용이 언어 능력 발달에 도움이 된다는 것
④ 은유 사용이 친밀감 증진에 중요한 역할을 한다는 것
⑤ 원만한 관계는 지속적인 상호 작용을 통해 유지된다는 것

More & More

내신형
1 윗글의 내용과 일치하도록 주어진 질문에 대한 답을 완성하시오.

Q: What is an important role of metaphor?
A: It is to create ________ ________.

수능 변형
2 윗글의 제목으로 가장 적절한 것은?

① Learn to Use Metaphor
② Why We Use Language
③ Metaphor Getting Us Closer
④ The Importance of Language
⑤ How to Get a Good Membership

어휘 **recognize** 인정하다, 인식하다 **employ** 사용하다 **bond** 유대 **enhance** 높이다, 향상시키다 **assume** 가정하다 **discourse** 담화 **establish** 확립(설립)하다 **identity** 정체성 **obtain** 얻다, 획득하다 **exclude** 배제하다, 제외하다 **deliberately** 의도적으로 **personality** 개성

• 정답과 해설 37쪽

어휘수 123

밑줄 친 "There is no there there."가 다음 글에서 의미하는 바로 가장 적절한 것은?

고1 학평 9월

I believe that the second decade of this new century is already very different. Still millions of people associate money and power with success. They are determined to never get off that treadmill at the expense of their well-being, relationships, and happiness. Still millions believe that the next promotion or the next million dollar payday will satisfy their longing to feel better about themselves, or silence their dissatisfaction. But both in the West and in emerging economies, there are more people every day who recognize that these are all dead ends — that they are chasing a broken dream. We cannot find the answer in our current definition of success alone because — as Gertrude Stein once said of Oakland — "There is no there there".

* emerging economies: 신흥 경제 국가

① People are losing confidence in themselves.
② Without dreams, there is no chance for growth.
③ We should not live according to others' expectations.
④ It is hard to realize our potential in difficult situations.
⑤ Money and power do not necessarily lead you to success.

More & More

1 윗글의 내용과 일치하도록 빈칸에 알맞은 말을 쓰시오.

The current definition of __________ can't help us find the answer.

수능 변형

2 윗글의 제목으로 가장 적절한 것은?

① The Second Decade of the New Century
② The Importance of Promotion and Payday
③ How to Chase a Broken Dream for Success
④ The Role of Economics in Finding Happiness
⑤ Is Money and Power the Real Key to Success?

어휘 **associate** 연관 짓다 **treadmill** 쳇바퀴 **payday** 급여 지급일 **satisfy** 충족시키다, 만족시키다 **longing** 바람, 갈망 **silence** 잠재우다, 잠잠하게 하다 **dissatisfaction** 불만족, 불평 **chase** 쫓다, 추구하다 **definition** 정의

가리키는 대상 찾기

수능 필수 어휘 550

이번 Unit의 핵심 어휘입니다. 유형 학습을 하기 전에 수능 필수 어휘 중 아는 어휘에 ☑ 체크해 보고 모르는 어휘는 미리 익혀 보세요.

(Unit을 마친 후 체크하지 않았던 어휘를 완전히 알고 있는지 다시 확인하세요.)

어휘	뜻	어휘	뜻
☐ defeat	패배하다	☐ nod	(고개를) 끄덕이다
☐ rival	경쟁하는	☐ drop	내려놓다
☐ create	창조하다	☐ stare	바라보다, 응시하다
☐ blessing	축복	☐ lab	실험실 (= laboratory)
☐ complaint	불평	☐ practice	연습하다
☐ bendable	구부릴 수 있는	☐ succeed	성공하다
☐ get rid of	~을 제거하다	☐ injure	다치다
☐ cheerful	활기찬, 명랑한	☐ realize	깨닫다

Even if the world falls,
I will do my job!

어휘	뜻	어휘	뜻
☐ **bracelet**	팔찌	☐ **vehicle**	차, 교통수단
☐ **troubled**	괴로워하는	☐ **teenager**	십 대
☐ **guilt**	죄책감; 유죄	☐ **frustration**	절망, 좌절
☐ **quietly**	조용히; 침착하게	☐ **explain**	설명하다
☐ **punish**	벌하다, 처벌하다	☐ **situation**	상황
☐ **tear up**	(종이를) 갈기갈기 찢다[파기하다]	☐ **round trip**	왕복
☐ **forgive**	용서하다	☐ **sunset**	석양, 일몰

• 유형 설명

밑줄 친 대명사가 가리키는 대상이 나머지 넷과 다른 하나를 고르는 유형이다.

• 출제 경향

일반적으로 등장인물이 나오는 소설이나 일화 같은 지문에서 출제되고 있으며, 장문 독해 유형에서도 명사구 형태로 1문제씩 출제되고 있다.

대표 예제

어휘수 121
난이도 ★★☆

밑줄 친 He[he]가 가리키는 대상이 나머지 넷과 다른 것은? 고1 학평 3월

A god called Moinee was defeated by a rival god called Dromerdeener in a terrible battle up in the stars. Moinee fell out of the stars down to Tasmania to die. Before ① he died, he decided to create humans as a last blessing to his final resting place. But ② he was in such a hurry that he forgot to give them knees. Instead, ③ he gave them big tails like kangaroos, which meant they couldn't sit down. Then ④ he died. However, the people complained of having kangaroo tails and no knees. Dromerdeener heard their complaints and came down to Tasmania. ⑤ He felt pity for them, gave them bendable knees, and got rid of their kangaroo tails so they could finally sit down.

KEY 1 **상황과 등장인물을 파악하라.**
첫 문장과 이어지는 문장을 통해 주요 등장인물(대상)과 상황을 파악한다.

KEY 2 **문맥을 고려하여 대명사가 가리키는 대상을 확인하라.**
전체 흐름에 유의하여 첫 번째 대명사와 나머지 네 개의 대명사를 비교하며 가리키는 대상을 확인한다.

KEY 3 **대명사를 원래 대상으로 바꾸어 정답을 재확인하라.**

적용하기

KEY❶ Moinee라는 신이 Dromerdeener라는 신과의 전투에 패배해서 Tasmania에 떨어져 죽음

❶A god called Moinee was defeated / by a rival god called Dromerdeener / in a terrible battle / up in the stars. ❷Moinee fell out of the stars / down to Tasmania to die. ❸Before ①he died, / he decided to create humans / as a last blessing / to his final resting place. ❹But ②he was in such a hurry / that he forgot to give them knees. ❺Instead, / ③he gave them big tails / like kangaroos, / which meant / they couldn't sit down. ❻Then ④he died. ❼However, / the people complained / of having kangaroo tails and no knees. ❽Dromerdeener heard their complaints / and came down to Tasmania.

KEY❸ ①, ②, ③, ④는 Moinee로, ⑤는 Dromerdeener로 바꾸어 정답 재확인

❾⑤He felt pity for them, / gave them bendable knees, / and got rid of their kangaroo tails / so they could finally sit down.

- called Moinee / called Dromerdeener: 과거분사구
- was defeated: 수동태
- fall out of: ~에서 떨어지다
- to die: 부사적 용법(결과)
- Before: 시간 접속사(~ 전에)
- to create: 명사적 용법(목적어)
- be in a hurry: 서두르다
- 〈forget+to부정사〉: (미래에) ~할 것을 잊다 *cf.* 〈forget+동명사〉: (과거에) ~한 것을 잊다
- like: ~처럼
- which: 계속적 용법의 관계대명사(= and it)
- 명사절 접속사 that 생략
- gave them bendable knees: 〈수여동사 give+간접목적어+직접목적어〉
- get rid of: ~을 제거하다
- finally: 마침내(= at last)

Moinee라고 불리는 신이 패배했다 / Dromerdeener라 불리는 경쟁하는 신에게 / 끔찍한 전투에서 / (위의) 별에서의 / Moinee는 별에서 떨어졌다 / (아래의) Tasmania로 / (떨어져) 죽었다 / 그가 죽기 전에 / 그는 인간을 창조하기로 결심했다 / 마지막 축복으로서 / 그의 최후의 안식처에 / 그러나 그는 너무 서둘러서 / 그들에게 무릎을 주는 것을 잊었다 / 대신에 / 그는 그들에게 큰 꼬리를 주었다 / 캥거루처럼 / 그것은 의미했다 / 그들이 앉을 수 없다는 것을 / 그러고 나서 그는 죽었다 / 하지만 / 사람들은 불평했다 / 캥거루 꼬리가 있고 무릎이 없는 것을 / Dromerdeener는 그들의 불평을 들었다 / 그리고 Tasmania로 내려왔다 / 그는 그들을 불쌍히 여겼다 / 그들에게 구부릴 수 있는 무릎을 주었다 / 그리고 그들의 캥거루 꼬리를 없애주었다 / 그래서 그들은 마침내 앉을 수 있었다

KEY❷ Moinee라는 신이 캥거루 같은 꼬리가 달린 무릎이 없는 인간을 창조한 후 죽었고, 이후 인간들은 앉을 수 없어 Dromerdeener에게 불평하는 상황임 → ⑤ He는 인간의 불평을 듣고 해결해 주는 Dromerdeener임을 알 수 있음

KEY 1 상황과 등장인물 파악

KEY 2 문맥을 고려하여 대명사가 가리키는 대상 확인

KEY 3 대명사를 원래 대상으로 바꾸어 정답 재확인

문제 해설 ①, ②, ③, ④는 Moinee를 가리키지만, ⑤는 Dromerdeener를 가리킨다. 답 ⑤

어휘수 111
난이도 ★★☆

밑줄 친 she[her]가 가리키는 대상이 나머지 넷과 다른 것은? 고1 학평 6월

"Wanna work together?" a cheerful voice spoke on Amy's first day at a new school. It was Wilhemina. Amy was too surprised to do anything but nod. The big black girl put ①her notebook down beside Amy's. After she dropped the notebook, ②she lifted herself up onto the stool beside Amy. "I'm Wilhemina Smiths, Smiths with an s at both ends," ③she said with a friendly smile. "My friends call me Mina. You're Amy Tillerman." Amy nodded and stared. As the only new kid in the school, ④she was pleased to have a lab partner. But Amy wondered if Mina chose her because ⑤she had felt sorry for the new kid.

* stool: (등받이가 없는) 의자

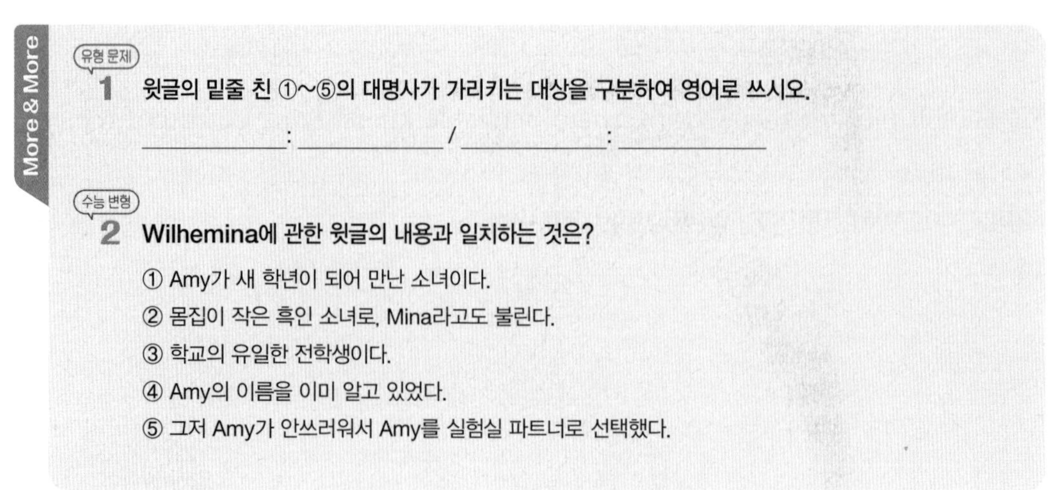
More & More

유형 문제
1 윗글의 밑줄 친 ①~⑤의 대명사가 가리키는 대상을 구분하여 영어로 쓰시오.

__________ : __________ / __________ : __________

수능 변형
2 Wilhemina에 관한 윗글의 내용과 일치하는 것은?

① Amy가 새 학년이 되어 만난 소녀이다.
② 몸집이 작은 흑인 소녀로, Mina라고도 불린다.
③ 학교의 유일한 전학생이다.
④ Amy의 이름을 이미 알고 있었다.
⑤ 그저 Amy가 안쓰러워서 Amy를 실험실 파트너로 선택했다.

어휘 cheerful 활기찬, 명랑한 nod (고개를) 끄덕이다 drop 내려놓다 stare 바라보다, 응시하다 lab 실험실 (= laboratory)

어휘수 120
난이도 ★★☆

밑줄 친 부분이 가리키는 대상이 나머지 넷과 다른 것은? 고1 학평 3월

Serene tried to do a pirouette in front of her mother but fell to the floor. Serene's mother helped ①<u>her</u> off the floor. She told her to keep trying. However, Serene was almost in tears. ②<u>She</u> had been practicing very hard but it did not seem to work. Serene's mother said that ③<u>she</u> herself had tried many times before succeeding at Serene's age. She had fallen so often that she injured her ankle. So, she had to rest for three months before she could dance again. Serene was surprised. Her mother was a famous ballerina. Serene thought that ④<u>her</u> mother had never fallen or made a mistake. Listening to her mother made ⑤<u>her</u> realize that she had to work harder.

* pirouette: 피루엣(한쪽 발로 서서 빠르게 도는 발레 동작)

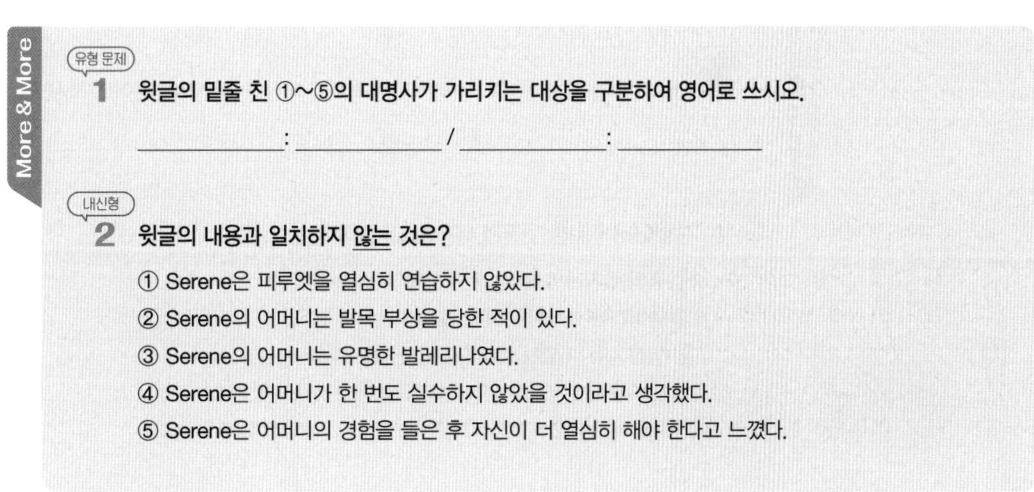
More & More

유형 문제
1 윗글의 밑줄 친 ①~⑤의 대명사가 가리키는 대상을 구분하여 영어로 쓰시오.

______ : ______ / ______ : ______

내신형
2 윗글의 내용과 일치하지 않는 것은?

① Serene은 피루엣을 열심히 연습하지 않았다.
② Serene의 어머니는 발목 부상을 당한 적이 있다.
③ Serene의 어머니는 유명한 발레리나였다.
④ Serene은 어머니가 한 번도 실수하지 않았을 것이라고 생각했다.
⑤ Serene은 어머니의 경험을 들은 후 자신이 더 열심히 해야 한다고 느꼈다.

어휘 practice 연습하다 succeed 성공하다 injure 다치다 ankle 발목 realize 깨닫다

밑줄 친 부분이 가리키는 대상이 나머지 넷과 다른 것은? 고1 학평 3월

어휘수 119
난이도 ★★☆

When Gandhi was fifteen, he stole a piece of gold from his brother's bracelet. Gandhi was so troubled by his guilt that one day ① he decided to tell his father what he had done. He wrote a letter asking his father to punish ② him. Then, Gandhi handed the letter to his father who was lying ill in bed. His father quietly sat up and read the letter and soaked it with ③ his tears. A little later, his father tore up the letter. Through his father's action of tearing up the letter, Gandhi knew ④ he was forgiven. From that day on, ⑤ he always kept his father's tears and love in his heart and went on to be a great leader.

* soak: (흠뻑) 적시다 ** tear: 눈물; 찢다

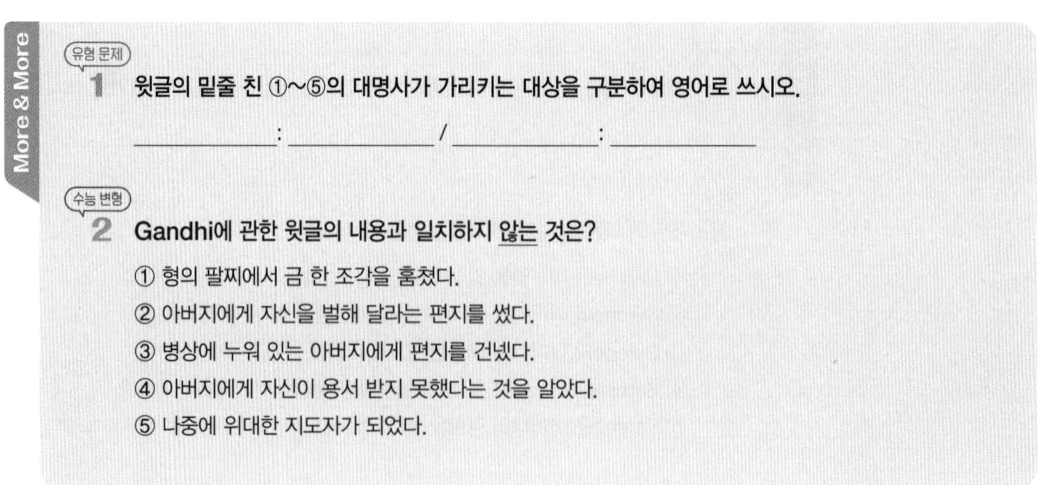
More & More

유형 문제
1 윗글의 밑줄 친 ①~⑤의 대명사가 가리키는 대상을 구분하여 영어로 쓰시오.

__________ : __________ / __________ : __________

수능 변형
2 Gandhi에 관한 윗글의 내용과 일치하지 않는 것은?

① 형의 팔찌에서 금 한 조각을 훔쳤다.
② 아버지에게 자신을 벌해 달라는 편지를 썼다.
③ 병상에 누워 있는 아버지에게 편지를 건넸다.
④ 아버지에게 자신이 용서 받지 못했다는 것을 알았다.
⑤ 나중에 위대한 지도자가 되었다.

어휘 **bracelet** 팔찌 **troubled** 괴로워하는 **guilt** 죄책감; 유죄 **punish** 벌하다, 처벌하다 **quietly** 조용히; 침착하게 **tear up** (종이를) 갈기갈기 찢다(파기하다) **forgive** 용서하다(-forgave-forgiven)

어휘수 131

밑줄 친 부분이 가리키는 대상이 나머지 넷과 다른 것은? 고1 학평 9월

Leaving a store, I returned to my car only to find that I'd locked my car key and cell phone inside the vehicle. A teenager riding his bike saw me kick a tire in frustration. "What's wrong?" ① he asked. I explained my situation. "But even if I could call my husband," I said, "he can't bring me his car key, since this is our only car." ② He handed me his cell phone. The boy said, "Call your husband and tell him I'm coming to get ③ his key." "Are you sure? That's four miles round trip." "Don't worry about it." An hour later, he returned with the key. I offered ④ him some money, but he refused. "Let's just say I needed the exercise," he said. Then, ⑤ he rode off into the sunset.

More & More

(유형 문제)
1 윗글의 밑줄 친 ①~⑤의 대명사가 가리키는 대상을 구분하여 우리말로 쓰시오.

__________ : __________ / __________ : __________

(수능 변형)
2 윗글의 제목으로 가장 적절한 것은?

① Tips for Talking to a Stranger
② How Not to Lose Your Things
③ How to Get a Car Key Out of a Locked Car
④ The Rapid Growth in Car Crime of Teenagers
⑤ What a Teenager Showed Me: True Kindness

어휘 **vehicle** 차, 교통수단 **teenager** 십 대 **frustration** 절망, 좌절 **explain** 설명하다 **situation** 상황 **round trip** 왕복 **let's just say** ~라고 치다[생각하다] **sunset** 석양, 일몰

UNIT 10

빈칸 내용 완성하기

수능 필수 어휘 550

이번 Unit의 핵심 어휘입니다. 유형 학습을 하기 전에 수능 필수 어휘 중 아는 어휘에 ☑ 체크해 보고 모르는 어휘는 미리 익혀 보세요.
(Unit을 마친 후 체크하지 않았던 어휘를 완전히 알고 있는지 다시 확인하세요.)

어휘	뜻	어휘	뜻
☐ completely	완전히	☐ particularly	특히
☐ process	과정	☐ impression	인상
☐ heal	치유하다	☐ make sense of	~을 파악하다(이해하다)
☐ normally	정상적으로, 보통	☐ survivor	생존자
☐ patience	인내	☐ mark	나타내다, 표시하다
☐ suspicious	의심하는	☐ attraction	매력 요소, 사람의 관심을 끄는 것
☐ rapid	신속한	☐ decoration	장식물
☐ desirable	바람직한	☐ appeal	관심을 끌다
☐ available	이용 가능한	☐ specific	특정한
☐ consideration	숙고	☐ dairy	유제품

어휘	뜻	어휘	뜻
☐ frequently	자주, 흔히	☐ reflect	반영하다, 나타내다
☐ experiment	실험	☐ significance	의미
☐ trick	속임수	☐ translate	전환하다
☐ inspire	영감을 주다	☐ cooperation	협력, 협동
☐ proceed	계속해서 ~하다	☐ literature	문헌; 문학
☐ rationalize	합리화하다	☐ emphasize	강조하다
☐ observe	관찰하다	☐ internalize	내재화하다
☐ domain	분야, 영역	☐ sincere	진심 어린
☐ financial	금전상의	☐ absence	부재
☐ norm	규범	☐ relevant	관련된

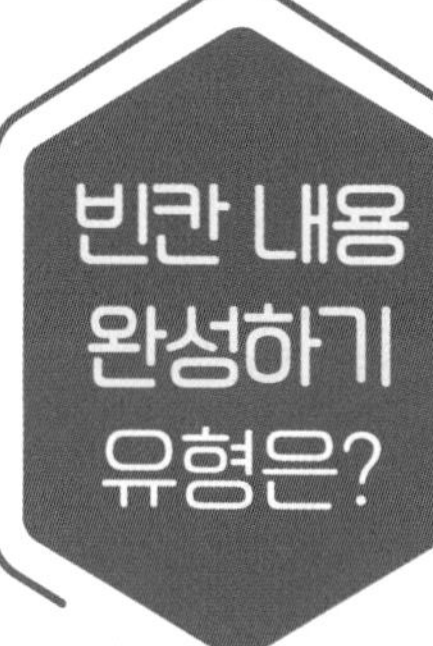

• 유형 설명

글의 논리적 흐름을 고려하여 빈칸에 들어갈 적절한 단어, 어구, 절이나 문장을 고르는 유형이다.

• 출제 경향

주로 글의 핵심어, 중심 소재와 밀접한 부분, 요지, 주제 등이 빈칸으로 제시되며, 최근에는 세부 정보를 나타내는 부분에 빈칸이 있는 문제도 출제되고 있다. 수능에서는 4문제가 출제되며 대부분 3점으로 다소 어렵게 출제되고 있다.

대표 예제

어휘수 109

난이도 ★★☆

다음 빈칸에 들어갈 말로 가장 적절한 것은? 고1 학평 3월

Remember that __________ is always of the essence. Even if someone doesn't accept your apology, thank him for hearing it out. Then give him the opportunity to reconcile later. Remember, when someone accepts your apology it doesn't mean he is fully forgiving you. It can take time, maybe a long time, before the injured party can completely let go and fully trust you again. There is little you can do to speed this process up. If the person is truly important to you, it is helpful to give him the time and space needed to heal. Do not expect the person to go right back to acting normally immediately.

* reconcile: 화해하다

① curiosity
② independence
③ patience
④ creativity
⑤ honesty

이렇게 풀어라!

KEY 1 **빈칸이 포함된 문장의 역할을 파악하라.**
빈칸이 포함된 문장부터 읽고, 글에서 그 문장의 역할이 무엇인지 생각해 본다.

KEY 2 **예시를 통해 반복되거나 강조하는 내용을 확인하거나 도입부를 통해 글의 주제나 중심 소재를 파악하라.**
글쓴이가 반복적으로 언급하거나 강조하는 표현을 확인하거나 글의 앞부분에 제시된 주제 혹은 소재를 찾아본다.

KEY 3 **결론을 통해 선택지가 문맥상 자연스러운지 확인하라.**

적용하기

KEY❶ '무엇'이 항상 가장 중요하다는 것을 기억하라.
→ 빈칸 내용이 글의 중심 소재이고, 빈칸이 포함된 문장이 주제문임을 파악

명사절 접속사(동사 Remember의 목적어)

❶Remember / that patience is always of the essence. ❷Even if someone
명령문 / be of the essence: 가장 중요하다 / 양보 접속사(비록 ~일지라도)
기억하라 / 인내가 항상 가장 중요하다는 것을 / 비록 어떤 사람이 여러분의 사과를

hear ~ out: ~을 끝까지 듣다

doesn't accept your apology, / thank him for hearing it out. ❸Then / give him
받아들이지 않을지라도 / 그 말을 끝까지 들어줬다는 것을 그에게 감사하라 / 그러고 나서 / 그에게 나중에

KEY❷ 상대방이 사과를 받아들이기까지는 혹은 신뢰를 회복하기까지는 시간이 필요하며, 그 과정을 빨라지도록 만들 수는 없음

the opportunity to reconcile later. ❹Remember, / when someone accepts your
형용사적 용법
화해할 기회를 주어라 / 기억하라 / 누군가가 여러분의 사과를 받아들인다고 해서

apology / it doesn't mean ∧ he is fully forgiving you. ❺It can take time, / maybe
명사절 접속사 that 생략 / (시간이) 걸리다
그것은 의미하지 않는다 / 그가 여러분을 완전히 용서하고 있다는 것을 / 그것은 시간이 걸릴 수 있다 / 어쩌면 오래

a long time, / before the injured party can completely let go / and fully trust
~하기까지 / 과거분사 / (걱정·근심 등을) 떨쳐 버리다
걸릴 수 있다 / 상처받은 당사자가 완전히 떨쳐 버릴 수 있기까지 / 그리고 여러분을 온전히 다시

you again. ❻There is little ∧ you can do to speed this process up. ❼If the person
선행사(부정대명사) / 목적격 관계대명사 that 생략 / 부사적 용법(목적) / 조건 접속사(만약 ~라면)
믿을 수 있기(까지) / 거의 없다 / 여러분이 이 과정을 빨라지게 하기 위해 할 수 있는 것은 / 만약 그 사람이

is truly important to you, / it is helpful / to give him the time and space / needed
가주어 / 진주어 / 과거분사
여러분에게 진정으로 중요하다면 / 도움이 된다 / 그에게 시간과 공간을 주는 것이 / 치유하는 데

to heal. ❽Do not expect the person to go right back / to acting normally
형용사적 용법 / ⟨expect+목적어+목적격보어(to부정사)⟩ / 바로 / 동명사(전치사 to의 목적어)
필요한 / 그 사람이 바로 돌아갈 것이라고 기대하지 마라 / 즉시 평상시처럼 행동하는 것으로

immediately.

KEY❸ 상대방이 즉시 평상시처럼 바로 돌아갈 것이라고 기대하지 말고 그 사람에게 치유되는 데 필요한 시간과 공간을 주는 게 도움이 됨 → '인내'와 같은 선택지를 빈칸에 넣어 자연스러운지 확인

* reconcile: 화해하다

KEY 1 빈칸이 포함된 문장의 역할 파악

KEY 2 예시를 통해 반복되거나 강조하는 내용 확인

KEY 3 결론을 통해 선택지가 문맥상 자연스러운지 확인

문제 해설 상대방에게 사과를 하더라도 상대방이 나를 용서해주고 나에 대한 신뢰를 되찾기까지는 오랜 시간이 걸릴 수 있고, 이 과정을 빨라지게 할 수 없으므로 치유에 필요한 시간, 공간을 상대방에게 주라고 했다. 따라서 빈칸에 들어갈 말로 가장 적절한 것은 ③ '인내'이다.

답 ③

어휘수 124
난이도 ★★☆

다음 빈칸에 들어갈 말로 가장 적절한 것은?

고1 학평 3월

Most of us are suspicious of rapid cognition. We believe that the quality of the decision is directly related to the time and effort that went into making it. That's what we tell our children: "Haste makes waste." "Look before you leap." "Stop and think." "Don't judge a book by its cover." We believe that it is always desirable to make the best use of information and time available in careful consideration. But there are times, particularly in time-driven, important situations, when ________________________. In those situations, quick judgments and first impressions give us a better way to make sense of the world. Survivors have in some way learned this lesson and have developed and sharpened their skill of rapid cognition.

* cognition: 인식 ** time-driven: 시간에 쫓기는

① haste does not make waste
② it is never too late to learn
③ many hands make light work
④ slow and steady wins the race
⑤ you don't judge by appearances

More & More

내신형
1 윗글의 내용과 일치하도록 주어진 질문에 대한 답을 완성하시오.

Q: What do most people believe about the quality of the decision?
A: Most people believe that the ________ and ________ are directly related to the quality.

수능 변형
2 윗글의 제목으로 가장 적절한 것은?

① The Importance of First Impressions
② How We Waste Our Time and Effort
③ Always Be Suspicious of Rapid Cognition
④ Rapid Cognition Might Be Better Sometimes
⑤ The Reason Rapid Cognition Causes Misunderstanding

어휘 **suspicious** 의심하는 **rapid** 신속한 **directly** 직접적으로 **haste** 서두름 **leap** (껑충) 뛰다 **desirable** 바람직한 **available** 이용 가능한 **consideration** 숙고 **particularly** 특히 **impression** 인상 **make sense of** ~을 파악하다[이해하다] **survivor** 생존자

어휘수 110
난이도 ★★☆

다음 빈칸에 들어갈 말로 가장 적절한 것은? 고1 학평 3월

Within a store, the wall marks the back of the store, but not the end of the marketing. Merchandisers often use the back wall as a magnet, because it means that ________________________. This is a good thing because travel distance directly relates to sales per customer. It is more direct than any other consumer variable. Sometimes, the wall's attraction such as a wall decoration and background music is simply appealing to the senses. Sometimes the attraction is specific goods. In supermarkets, the dairy is often at the back, because people frequently come just for milk. At video rental shops, it's the new releases.

* merchandiser: 상품 판매업자 ** variable: 변수

① the store looks larger than it is
② more products can be stored there
③ people have to walk through the whole store
④ the store provides customers with cultural events
⑤ people don't need to spend too much time in the store

More & More

내신형
1 윗글의 내용과 일치하도록 빈칸에 알맞은 말을 쓰시오.

The dairy is usually at the __________ in supermarkets to __________ customers.

수능 변형
2 윗글의 제목으로 가장 적절한 것은?

① Useful Guide to In-Store Product Placement
② Walls in a Store: A Strategic Point for Marketing
③ How Background Music Affects Shopping Behaviors
④ Unique Wall Display Ideas Attracting the Customers
⑤ The Reason Why the Customers Stay Long in a Store

어휘 **mark** 나타내다, 표시하다 **magnet** 자석; 사람 마음을 끄는 것 **attraction** 매력 요소, 사람의 관심을 끄는 것 **decoration** 장식물 **appeal** 관심을 끌다 **specific** 특정한 **dairy** 유제품 **frequently** 자주, 흔히 **release** 출시(발매)(물)

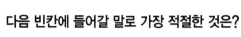

어휘수 103
난이도 ★★★

다음 빈칸에 들어갈 말로 가장 적절한 것은? 고1 학평 9월

In an experiment, researchers presented participants with two photos of faces and asked participants to choose the photo that they thought was more attractive, and then handed participants that photo. Through a clever trick inspired by stage magic, participants received the other less attractive photo. Surprisingly, most participants accepted this photo as their own choice and then proceeded to give arguments for why they had chosen that face in the first place. This revealed a dramatic mismatch between our choices and our ability to ________________. This same finding has since been observed in various domains including taste for jam and financial decisions.

① keep focused
② solve problems
③ rationalize outcomes
④ control our emotions
⑤ attract others' attention

More & More

내신형 **1** 윗글의 내용과 일치하도록 빈칸에 알맞은 말을 쓰시오.

Participants ________ a different picture from their choice as their ________ choice.

내신형 **2** 윗글의 내용과 일치하지 않는 것은?

① 실험 참가자들은 처음에 마음에 드는 사진을 직접 선택했다.
② 실험에 쓰인 속임수는 마술에서 영감을 얻었다.
③ 실험 참가자들은 속임수를 눈치채지 못했다.
④ 실험 참가자들은 스스로의 선택에 대한 합리적인 논거를 제시하지 못했다.
⑤ 결과를 합리화하는 능력과 선택은 서로 불일치할 수 있다.

어휘 **experiment** 실험 **trick** 속임수 **inspire** 영감을 주다 **proceed** 계속해서 ~하다 **mismatch** 불일치 **rationalize** 합리화하다 **observe** 관찰하다 **domain** 분야, 영역 **financial** 금전상의

어휘수 131

다음 빈칸에 들어갈 말로 가장 적절한 것은? 고1 학업성취도 평가

Behavioral norms reflecting values are of high educational significance. They "translate" a general value — such as cooperation or respect for other people — into specific behavioral rules. Examples might include norms such as waiting and taking turns in a conversation which reflect the value of respect. Norms such as training children to share toys or solve problems together reflect the value of cooperation. Literature on norms emphasizes the importance of value-reflecting norms. However, the existence of behavior learned from norms is not necessarily proof that the person ______________________. For example, many men open doors for women and let them pass first, but their acts are not necessarily from sincere respect. Sometimes the behavioral expression — especially if overdone — is a mask hiding the absence of the relevant value!

① holds the value and internalized it
② affects others or changes their values
③ respects the social value of cooperation
④ puts public values before personal ones
⑤ translates general values into specific ones

More & More

내신형
1 윗글의 내용과 일치하도록 빈칸에 알맞은 말을 쓰시오.

Norms can reflect __________ which have educational importance.

수능 변형
2 윗글의 요지로 가장 적절한 것은?

① 사회적 규범은 개인적 가치를 바탕으로 형성된다.
② 규범에 대한 교육 문헌들은 현실을 잘 반영해야 한다.
③ 진정성 없는 행동은 타인에게 감정적인 상처를 줄 수 있다.
④ 윤리적 가치가 반영된 규범은 사회를 변화시킬 수 있다.
⑤ 가치에 기반한 규범을 통해 배운 행동이 반드시 진정성이 있는 것은 아니다.

어휘 **behavioral** 행동의, 행동적인 **norm** 규범 **reflect** 반영하다 **significance** 의미 **translate** 전환하다 **cooperation** 협력, 협동 **literature** 문헌; 문학 **emphasize** 강조하다 **internalize** 내재화하다 **sincere** 진심 어린 **absence** 부재 **relevant** 관련된

무관한 문장 찾기

수능 필수 어휘 550

이번 Unit의 핵심 어휘입니다. 유형 학습을 하기 전에 수능 필수 어휘 중 아는 어휘에 ☑ 체크해 보고 모르는 어휘는 미리 익혀 보세요.

(Unit을 마친 후 체크하지 않았던 어휘를 완전히 알고 있는지 다시 확인하세요.)

어휘	뜻	어휘	뜻
☐ pay attention to	~에 주의를 기울이다	☐ verbal	언어적인
☐ dismissive	무시하는	☐ nonverbal	비언어적인
☐ arrogant	거만한	☐ assist	돕다
☐ limit	한계; 제한하다	☐ memorize	암기하다, 기억하다
☐ stable	안정된	☐ respectful	존중하는
☐ relationship	관계	☐ connection	관계
☐ meaningful	의미 있는	☐ grab	잡다, 움켜쥐다
☐ public speaking	대중 연설	☐ drag	끌다, 끌고 다니다
☐ audience	청중	☐ path	통로, 길
☐ monitor	주시하다	☐ effect	효과

어휘	뜻	어휘	뜻
☐ entrance	입구	☐ recommendation	추천
☐ route	경로, 통로	☐ potential	잠재력; 잠재적인, (~이 될) 가능성이 있는
☐ checkout	계산대	☐ examine	고찰하다; 검토하다
☐ rating	평점, 등급	☐ habitually	습관적으로
☐ review	후기, 비평	☐ press	강요하다, 압력을 가하다
☐ purchase	구매; 구매(구입)하다	☐ diversity	다양성
☐ comment	논평; 의견, 견해	☐ inhabit	살다
☐ negative	부정적인	☐ shape	형성하다
☐ interpersonal	사람과 사람 사이의, 대인간의	☐ in spite of	~에도 불구하고
☐ exchange	의견 교환; 교환	☐ precisely	바로; 정확히

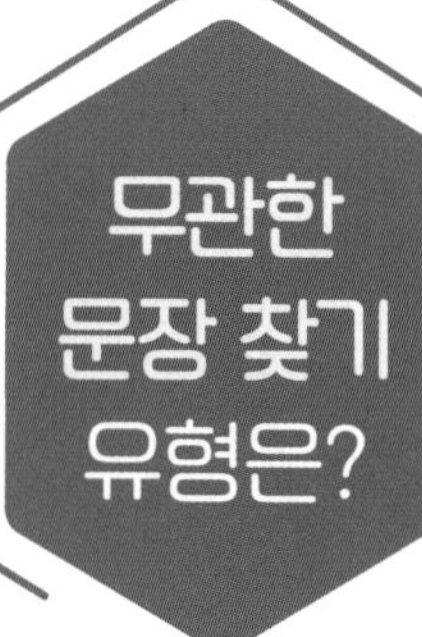

• 유형 설명

여러 개의 문장들 중에서 글의 전체 흐름과 관계 없는 문장을 찾아내는 유형이다.

• 출제 경향

실제로는 글의 전체 흐름과 관계 없지만 소재나 언급된 내용이 다른 문장들과 비슷하거나 주제와 관련이 있어 보이는 문장이 주로 제시되며, 수능에서는 1문제가 출제되고 있다.

대표 예제

어휘수 115
난이도 ★★☆

다음 글에서 전체 흐름과 관계 <u>없는</u> 문장은? 고1 학평 3월

Paying attention to some people and not others doesn't mean you're being dismissive or arrogant. ① It just reflects a hard fact: there are limits on the number of people we can possibly pay attention to or develop a relationship with. ② Some scientists even believe that the number of people that we can continue to meet for stable relationships might be limited naturally by our brains. ③ The more people you know of different backgrounds, the more colorful your life becomes. ④ Professor Robin Dunbar explained that our minds can form meaningful relationships with a maximum of about a hundred people. ⑤ Whether that's true or not, it's safe to assume that we can't be real friends with everyone.

* dismissive: 무시하는 ** arrogant: 거만한

KEY 1 **글의 핵심 소재를 파악하라.**
글의 앞부분에서 핵심 소재나 주제, 요지를 파악한다.

KEY 2 **글의 전개 방식을 예측하라.**
연결어나 지시어 등에 유의하여 글의 전개 방식을 예측한다.

KEY 3 **글의 흐름에서 벗어나는 문장을 찾아라.**
전체적인 주제와의 관계를 생각하면서 글을 꼼꼼히 읽으며, 흐름에서 벗어나는 문장을 찾는다.

KEY 4 **문맥상 흐름이 자연스러운지 재확인하라.**
무관한 문장을 제외하고 다시 읽으며 전체 흐름이 자연스러운지 재확인한다.

적용하기

❶Paying attention to some people / and not others / doesn't mean / you're being dismissive or arrogant. ❷①It just reflects a hard fact: / there are limits on the number of people / we can possibly pay attention to / or develop a relationship with. ❸②Some scientists even believe / that the number of people / that we can continue to meet / for stable relationships / might be limited naturally / by our brains. ❹③The more people you know of different backgrounds, / the more colorful your life becomes. ❺④Professor Robin Dunbar explained / that our minds can form meaningful relationships / with a maximum of about a hundred people. ❻⑤Whether that's true or not, / it's safe to assume / that we can't be real friends with everyone.

(Some ~, others ...): (정해지지 않은 집단에서) 일부는 ~, 또 다른 일부는 …
동명사구(주어) / pay attention to: ~에 주의를 기울이다
명사절 접속사 that 생략
일부 사람들에게 주의를 기울이고 / 다른 사람들에게 그렇게 하지 않는 것이 / 의미하지는 않는다 / 여러분이 남을 무시하고 있다거나 거만하게 굴고 있다는 것을 / 그것은 단지 명백한 사실을 나타낼 뿐이다 / 사람의 수에 한계가 있다는 것이다

KEY❶ '주의를 기울이거나 관계를 맺을 수 있는 사람 수의 한계'가 핵심 소재임을 파악

(the number of+복수 명사) / 목적격 관계대명사 that 생략 / 가능의 의미
우리가 될 수 있는 한 주의를 기울일 수 있는 / 또는 관계를 발전시킬 수 있는 / 일부 과학자들은 심지어 믿는다 / 사람들의 수가

심지어 / 명사절 접속사(동사 believe의 목적어)
목적격 관계대명사

KEY❷ 안정된 관계를 지속할 수 있는 사람의 수가 우리의 뇌에 의해 제한된다고 믿는 과학자들이 있음을 언급함

우리가 만나는 것을 지속할 수 있는 / 안정된 관계를 위해 / 자연스럽게 제한되는 것일지도 모른다고 / 우리의 뇌에 의해

(the+비교급 ~, the+비교급 …): ~하면 할수록 더 …해지다
여러분이 다른 배경의 사람들을 더 많이 알수록 / 여러분의 삶은 더 다채로워진다

KEY❸ 다른 배경의 사람들을 더 많이 알수록 삶이 더 다채로워진다는 내용은 지금까지의 흐름과 무관한 내용임을 확인

Robin Dunbar 교수는 설명했다 / 우리의 마음은 의미 있는 관계를 형성할 수 있다는 것을 / 최대 약 100명의 사람들과

명사절 접속사(동사 explained의 목적어)
약, 대략
~이든 아니든(명사절 접속사) / 가주어 / 진주어 / 명사절 접속사(동사 assume의 목적어)

그것이 사실이든 아니든 / 가정하는 것이 안전하다 / 우리가 모두와 진정한 친구가 될 수 있는 것은 아니라는 것을

KEY❹ 의미 있는 관계를 형성할 수 있는 사람의 수가 최대 100명 정도라는 말을 인용하며, 핵심 소재로 돌아와 자연스럽게 결론으로 연결됨을 확인

* dismissive: 무시하는 ** arrogant: 거만한

KEY 1 핵심 소재 파악

KEY 2 글의 전개 방식 예측

KEY 3 흐름에 반하는 문장 검색

KEY 4 문맥상 흐름이 자연스러운지 재확인

문제 해설 우리가 주의를 기울이거나 관계를 발전시킬 수 있는 사람의 수에는 한계가 있다는 내용이며, 의미 있는 관계를 형성할 수 있는 사람의 수는 100명 남짓이라고 말하고 있다. 그러므로 다른 배경의 사람들을 더 많이 알수록 삶이 더 다채로워진다는 문장은 맥락에서 벗어난다. 따라서 전체 흐름과 관계 없는 문장은 ③이다. **답** ③

어휘수 110
난이도 ★★☆

다음 글에서 전체 흐름과 관계 없는 문장은? 고1 학평 3월

Public speaking is audience-centered because speakers "listen" to their audiences during speeches. They monitor audience feedback, the verbal and nonverbal signals that an audience gives a speaker. ① Audience feedback often indicates whether listeners understand, have interest in, and are ready to accept the speaker's ideas. ② This feedback assists the speaker in many ways. ③ It helps the speaker know when to slow down, explain things more, and tell the audience that an issue will be talked about later after the speech. ④ It is important for the speaker to memorize his or her script to reduce anxiety on stage. ⑤ Audience feedback assists the speaker in creating a respectful connection with the audience.

* verbal: 언어적인 ** nonverbal: 비언어적인

More & More

유형 문제
1 윗글의 핵심 소재를 나타내는 말을 본문에서 찾아 두 단어로 쓰고, 해석하시오.

〈 핵심 소재 〉 ____________________

〈 해석 〉 ____________________

수능 변형
2 윗글의 제목으로 가장 적절한 것은?

① Roles of Nonverbal Signals in Communication
② The Audience's Helpful Response to the Speaker
③ Techniques for Engaging the Audience in Speech
④ Advantages of Creating a Connection with the Audience
⑤ Hearing the Audience: The Big Trend of Public Speaking

어휘 **public speaking** 대중 연설 **audience** 청중 **monitor** 주시하다 **assist** 돕다 **memorize** 암기하다, 기억하다 **respectful** 존중하는 **connection** 관계

다음 글에서 전체 흐름과 관계 없는 문장은? 고1 학평 11월

어휘수 112
난이도 ★★☆

It would be very helpful if you could take customers by the hand and guide them to the products you want to sell. ① Most people, however, would not particularly enjoy having a stranger grab their hand and drag them through a store. ② Rather, let the store do it for you. ③ Have a central path that leads shoppers through the store and lets them look at many different departments or product areas. ④ You can use this effect of music on shopping behavior by playing it in the store. ⑤ This path leads your customers from the entrance through the store on the route you want them to take all the way to the checkout.

More & More

(유형 문제)
1 윗글의 핵심 소재를 나타내는 어구를 본문에서 찾아 9단어로 쓰고, 해석하시오.

〈 핵심 소재 〉 ______________________

〈 해석 〉 ______________________

(수능 변형)
2 윗글의 요지로 가장 적절한 것은?

① 부담스러운 고객 응대를 지양해야 한다.
② 가격대를 고려하여 상품을 배치해야 한다.
③ 과도한 광고는 부정적인 이미지를 심어준다.
④ 쇼핑에 혼선이 없도록 자세한 매장 안내가 필요하다.
⑤ 여러 곳으로 이어지는 중앙 통로를 만들어야 판매에 효과적이다.

어휘 **by the hand** 손을 잡고 **grab** 잡다, 움켜쥐다 **drag** 끌다, 끌고 다니다 **path** 통로, 길 **effect** 효과 **entrance** 입구 **route** 경로, 통로 **checkout** 계산대

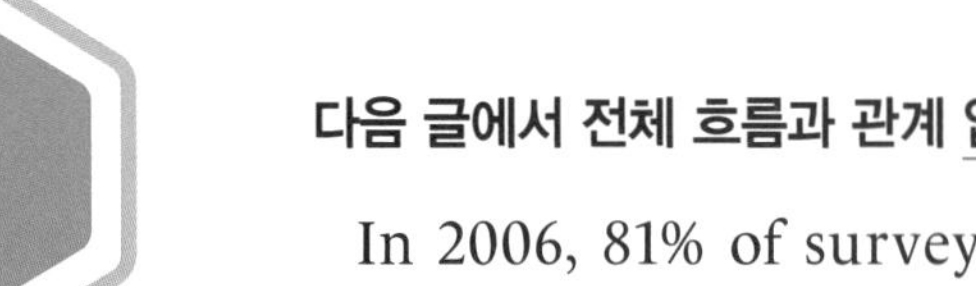

3

어휘수 118
난이도 ★★★

다음 글에서 전체 흐름과 관계 없는 문장은? 고1 학평 3월

In 2006, 81% of surveyed American shoppers said that they considered online customer ratings and reviews important when planning a purchase. Though an online comment — positive or negative — is not as powerful as a direct interpersonal exchange, it can be very important for a business. ① Many people depend on online recommendations. ② And young people who rely on them are very likely to be influenced by the Internet when purchasing something. ③ These individuals with broad social networks have the potential to reach thousands. ④ Experts suggest that young people stop wasting their money on unnecessary things and start saving it. ⑤ It has been reported that young people aged six to 24 influence about 50% of all spending in the US.

More & More

유형 문제
1 윗글의 핵심 소재를 나타내는 어구를 본문에서 찾아 8단어로 쓰고, 해석하시오.

〈 핵심 소재 〉 ______________________

〈 해석 〉 ______________________

내신형
2 윗글의 내용과 일치하지 않는 것은?

① 응답자의 81퍼센트가 온라인 고객 평점을 중요하게 고려했다.
② 온라인 평가는 직접적인 의견 교환만큼 강력하진 않다.
③ 젊은 사람들은 소비 활동에서 인터넷의 영향을 받을 가능성이 크다.
④ 젊은 사람들은 잠재력이 있는 사업을 위해 정기적으로 소통한다.
⑤ 6세에서 24세의 젊은이들이 전체 지출의 약 50퍼센트에 영향을 끼친다.

어휘 **rating** 평점, 등급 **review** 후기, 비평 **purchase** 구매; 구매(구입)하다 **comment** 논평; 의견, 견해 **negative** 부정적인 **interpersonal** 사람과 사람 사이의, 대인간의 **exchange** 의견 교환; 교환 **recommendation** 추천 **potential** 잠재력; 잠재적인, (~이 될) 가능성이 있는 **reach** 영향을 미치다

• 정답과 해설 52쪽

어휘수 131

다음 글에서 전체 흐름과 관계 없는 문장은? 고1 학평 9월

Many of us live our lives without examining why we habitually do what we do and think what we think. Why do we spend so much of each day working? Why do we save up our money? ① If we are pressed to answer such questions, we may respond by saying "because that's what people like us do." ② But there is nothing natural about it; instead, we do so because of the culture we live in. ③ As we try to find answers to the questions of cultural diversity, we realize that cultures are not about being right or wrong. ④ The culture that we inhabit shapes how we think, feel, and act in the most pervasive ways. ⑤ We are who we are not in spite of our culture but precisely because of it.

* pervasive: 널리 스며있는

More & More

유형 문제

1 윗글의 핵심 소재를 나타내는 문장을 본문에서 찾아 쓰고, 해석하시오.

〈 핵심 소재 〉 ____________________

〈 해석 〉 ____________________

수능 변형

2 윗글의 요지로 가장 적절한 것은?

① 좋은 습관을 형성해야 한다.
② 철학적인 질문이 일상에서 도움이 될 때가 있다.
③ 습관적인 사고와 행동 방식에는 문화가 스며있다.
④ 우리 사회에는 특정한 행동을 강요하는 문화가 만연하다.
⑤ 일을 실행하기 전에 옳고 그름에 대한 정확한 인식이 필요하다.

어휘 **examine** 고찰하다 **habitually** 습관적으로 **press** 강요하다, 압력을 가하다 **diversity** 다양성 **inhabit** 살다 **shape** 형성하다 **in spite of** ~에도 불구하고 **precisely** 바로; 정확히

글의 순서 배열하기

수능 필수 어휘 550

이번 Unit의 핵심 어휘입니다. 유형 학습을 하기 전에 수능 필수 어휘 중 아는 어휘에 ☑ 체크해 보고 모르는 어휘는 미리 익혀 보세요.
(Unit을 마친 후 체크하지 않았던 어휘를 완전히 알고 있는지 다시 확인하세요.)

어휘	뜻	어휘	뜻
☐ **appropriate**	적절한, 알맞은	☐ **adapt to**	~에 적응하다
☐ **disclose**	공개하다, 드러내다	☐ **environment**	환경
☐ **willingness**	기꺼이 하려는 의향(마음)	☐ **obstacle**	장애물
☐ **harmony**	조화	☐ **circumstance**	환경
☐ **improve**	개선하다, 향상시키다	☐ **goal**	목표
☐ **unfavorable**	불리한	☐ **clarify**	분명하게 하다
☐ **basic**	기본적인	☐ **analyze**	분석하다
☐ **normal**	보통의	☐ **prove**	증명하다

어휘	뜻	어휘	뜻
☐ develop	(계획을) 세우다, 수립하다; 발달시키다	☐ deal with	~을 다루다(처리하다)
☐ research	조사하다, 연구하다	☐ preparation	준비
☐ write ~ down	~을 적다(기록하다)	☐ confidence	자신감
☐ vital	중요한	☐ negotiation	협상
☐ unrealistic	비현실적인	☐ identify	알아보다, 확인하다
☐ reward	보답하다	☐ value	소중하게 여기다
☐ realistic	현실적인	☐ in return	보답으로

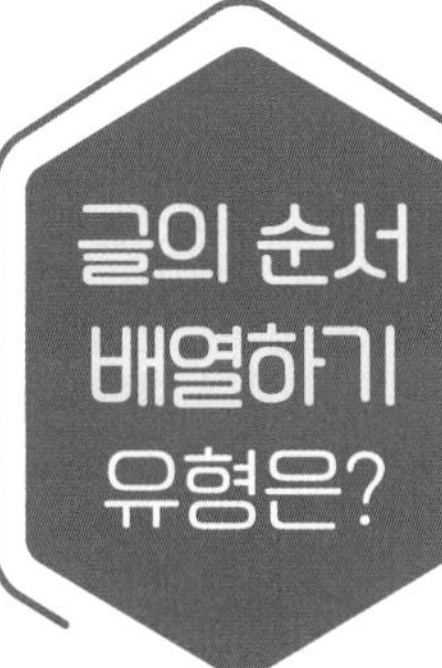

• **유형 설명**

주어진 글에 이어질 세 개의 문단을 흐름에 맞도록 순서대로 배열하는 유형이다.

• **출제 경향**

시간의 흐름이나 논리적 전개를 단서로 순서를 정해야 하는 글이 주로 제시되며 수능에서는 2문제가 출제되고 있다.

대표 예제

어휘수 112
난이도 ★★☆

주어진 글 다음에 이어질 글의 순서로 가장 적절한 것은? 고1 학평 3월

Ideas about how much disclosure is appropriate vary among cultures.

(A) On the other hand, Japanese tend to do little disclosing about themselves to others. They only disclose to the few people they consider close. In general, Asians do not reach out to strangers.

(B) Those born in the United States tend to be high disclosers. They even show a willingness to disclose information about themselves to strangers. This may explain why Americans seem particularly easy to meet and are good at cocktail-party conversation.

(C) They do, however, show great care for each other, since they view harmony as essential to improving relationships. They work hard to keep outsiders from learning information that is unfavorable.

* disclosure: (정보의) 공개

① (A) – (C) – (B)
② (B) – (A) – (C)
③ (B) – (C) – (A)
④ (C) – (A) – (B)
⑤ (C) – (B) – (A)

KEY 1 **주어진 글의 내용 및 핵심 소재를 파악하라.**
주어진 글을 읽고 글의 핵심 소재를 파악하여 앞으로의 전개를 예측한다.

KEY 2 **연결사, 지시어 등의 단서로 흐름을 파악하라.**
문단 간의 연결 고리인 연결어나 첫 문장의 지시어, 반복되는 표현, 이어지는 내용 등을 통해 글의 흐름을 파악한다.

KEY 3 **글의 흐름과 단서를 고려해 글의 순서를 정하라.**

적용하기

KEY❶ '적절한 정보 공개 수준에 대한 문화 간의 차이'가 핵심 소재이며, 이어서 정보 공개의 문화별 차이를 비교·대조할 것임을 예측

❶ [Ideas about how much disclosure is appropriate] / vary among cultures.
(주어부 / 간접의문문: 〈의문사+주어+동사〉 어순 / 동사)
얼마나 많은 정보를 공개하는 것이 적절한지에 관한 생각은 문화마다 다르다

KEY 1 주어진 글의 내용 및 핵심 소재 파악

(B) ❷ Those / born in the United States / tend to be high disclosers. ❸ They even show a willingness to disclose / information about themselves to strangers. ❹ This may explain / [why Americans seem particularly easy to meet / and are good at cocktail-party conversation].
(KEY❷ 단서: Those / 과거분사구 / ~하는 경향이 있다 / 형용사적 용법 / 재귀 용법(전치사 about의 목적어) / ~일지도 모른다(추측) / 간접의문문(동사 explain의 목적어) / be good at: ~에 능숙하다)
사람들은 미국에서 태어난 정보를 잘 공개하는 사람들인 경향이 있다 그들은 심지어 기꺼이 공개하려는 의향을 보인다 그들 자신에 관한 정보를 낯선 사람들에게 이것은 설명할 수 있을지 모른다 왜 미국인들이 특히 만나기 쉬운지 그리고 칵테일 파티에서의 대화에 능숙한지를

KEY 2 반복되는 표현을 통해 글의 흐름 파악

KEY❷ – (B) ① 단서: 미국인들의 사례 제시 ② 내용: 미국인들은 정보를 잘 공개하는 경향이 있고, 낯선 이에게 기꺼이 공개하려는 의향도 보임

(A) ❺ On the other hand, / Japanese tend to do little disclosing / about themselves to others. ❻ They only disclose to the few people / ^ they consider close. ❼ In general, / Asians do not reach out to strangers.
(KEY❷ 단서: On the other hand / 반면에(대조) / 거의 ~없다(부정) / 동명사(do의 목적어) / 재귀 용법 / 목적격 관계대명사 whom 생략 / = Generally / ~에게 관심을 보이다)
반면에 일본인들은 거의 공개하지 않는 경향이 있다 타인에게 자기 자신에 대해 그들은 단지 몇 사람에게만 공개한다 그들이 친하다고 여기는 일반적으로 아시아인들은 낯선 사람들에게 관심을 보이지 않는다

KEY❷ – (A) ① 단서: (B)에서 언급한 미국인들의 사례와 대조되는 사례 제시 ② 내용: 일본인들과 아시아인들은 자신에 관한 정보를 거의 공개하지 않는 경향을 보임

(C) ❽ They do, / however, / show great care for each other, / since they view harmony / as essential to improving relationships. ❾ They work hard / to keep outsiders from learning information / that is unfavorable.
(KEY❷ 단서: They / 강조의 do(동사 show 강조) / ~을 소중히 여기다 / 서로 / 이유 접속사(~ 때문에) / 〈view A as B〉: A를 B로 간주하다 / 부사적 용법(목적)〈keep+A+from+-ing〉: A가 ~하지 못하게 하다 / 주격 관계대명사)
그들은 정말 ~하다 그러나 서로를 매우 배려하는 모습을 보인다 조화를 간주하기 때문에 관계를 발전시키는 데 필수적이라고 그들은 열심히 노력한다 외부인들이 정보를 얻지 못하도록 불리한

* disclosure: (정보의) 공개

KEY❷ – (C) ① 단서: (A)의 아시아인들(Asians)을 가리킴 ② 내용: 아시아인들은 조화를 관계 발전에 필수적이라고 간주하므로, 자신이 불리하다고 생각하는 정보를 외부인이 얻지 못하도록 노력함

문제 해설 주어진 글은 '적절한 정보 공개 수준에 대한 문화 간의 차이'라는 핵심 소재를 제시한다. (B)에서는 정보를 잘 공개하는 미국인들의 예를 들고, (A)에서는 반면에 정보를 거의 공개하지 않는 일본인들과 아시아인들의 예를 든 후, (C)에서 그들(아시아인들)이 관계를 발전시키는 데 조화를 필수적이라 간주하기 때문에 정보를 공개하지 않는다는 설명으로 이어지는 것이 자연스럽다. 따라서 이어질 글의 순서로 가장 적절한 것은 ② (B) – (A) – (C)이다. 답 ②

주어진 글 다음에 이어질 글의 순서로 가장 적절한 것은?

고1 학평 3월

어휘수 122
난이도 ★★☆

> The basic difference between an AI robot and a normal robot is to make decisions, and learn and adapt to its environment based on data from its sensors.

(A) For instance, when running into an obstacle the robot will always do the same thing, like going to the left. On the other hand, an AI robot can make decisions and learn from experience.

(B) It will adapt to circumstances, and may do something different in each situation. The AI robot may try to push the obstacle out of the way, or make up a new route, or change goals.

(C) To be a bit more specific, the normal robot shows deterministic behaviors. That is, for the same situation, the robot will do the same thing.

* deterministic: 결정론적인

① (A) – (C) – (B)
② (B) – (A) – (C)
③ (B) – (C) – (A)
④ (C) – (A) – (B)
⑤ (C) – (B) – (A)

More & More

유형 문제
1 글의 순서를 정할 단서가 되는 말을 각 글에서 찾아 쓰시오.

(A) ________________________ (2단어)
(B) ________________________ (1단어)
(C) ________________________ (6단어)

수능 변형
2 윗글의 제목으로 가장 적절한 것은?

① Benefits of AI Robot
② Examples of AI Robot in Use Today
③ AI Robot and the Future of Humans
④ Three Things AI Robot Can Do for You
⑤ Difference Between an AI Robot and a Normal Robot

어휘 **basic** 기본적인 **AI** 인공 지능 (= Artificial Intelligence) **normal** 보통의 **adapt to** ~에 적응하다 **environment** 환경 **obstacle** 장애물 **circumstance** 환경 **goal** 목표

• 정답과 해설 57쪽

주어진 글 다음에 이어질 글의 순서로 가장 적절한 것은? 고1 학평 3월

어휘수 118
난이도 ★★☆

> You should first clarify the question you are trying to answer. It can be harmful to start collecting and analyzing data without it.

(A) In the design plan, you clarify the issues to solve, state your hypotheses, and list what is required to prove them. Developing this plan before you start researching will greatly increase your problem-solving productivity.

(B) You'll have too much information and realize that it was a waste of time. To avoid this problem, you should develop a problem-solving design plan before you start collecting information.

(C) In addition, writing your plan down on paper will not only clarify your thoughts. If you're in a team, this plan will also help your team focus on what to do.

* hypothesis: 가설

① (A) – (C) – (B)
② (B) – (A) – (C)
③ (B) – (C) – (A)
④ (C) – (A) – (B)
⑤ (C) – (B) – (A)

More & More

유형 문제
1 글의 순서를 정할 단서가 되는 말을 각 글에서 찾아 쓰시오.

(A) ______________________ (3단어)
(B) ______________________ (4단어)
(C) ______________________ (2단어)

내신형
2 윗글의 주제로 가장 적절한 것은?

① 가설의 필요성
② 많은 정보 수집의 이점
③ 문제 해결 설계 계획의 단점
④ 데이터 분석이 팀워크에 끼치는 영향
⑤ 데이터 수집 전의 문제 해결 계획의 필요성

어휘 **clarify** 분명하게 하다 **analyze** 분석하다 **prove** 증명하다 **develop** (계획을) 세우다, 수립하다; 발달시키다 **research** 조사하다, 연구하다 **write ~ down** ~을 적다[기록하다]

주어진 글 다음에 이어질 글의 순서로 가장 적절한 것은?

고1 학평 9월

어휘수 114
난이도 ★★★

> To be successful, you need to understand the vital difference between believing you will succeed, and believing you will succeed easily.

(A) Unrealistic optimists, on the other hand, believe that success will happen to them. They believe that they will be rewarded for their positive thinking and quickly become a person who can overcome obstacles.

(B) Put another way, it's the difference between being a realistic optimist, and an unrealistic optimist. Realistic optimists believe that they will succeed, but also believe they have to make success happen.

(C) They recognize the need for giving serious thought to how they will deal with obstacles. This preparation only increases their confidence in their own ability to get things done.

* optimist: 낙관주의자

① (A) – (C) – (B)
② (B) – (A) – (C)
③ (B) – (C) – (A)
④ (C) – (A) – (B)
⑤ (C) – (B) – (A)

More & More

유형 문제
1 글의 순서를 정할 단서가 되는 말을 각 글에서 찾아 쓰시오.

(A) ____________________ (4단어)
(B) ____________________ (3단어)
(C) ____________________ (1단어)

내신형
2 윗글의 주제로 가장 적절한 것은?

① 성공한 사람들의 비법
② 인생의 역경을 이기는 힘
③ 낙관주의자들이 경험하는 삶의 어려움
④ 두 종류의 낙관주의자들의 성공에 대한 태도 차이
⑤ 현실적인 낙관주의자가 비현실적인 낙관주의자로 변화하는 과정

어휘 **vital** 중요한 **unrealistic** 비현실적인 **reward** 보답하다 **realistic** 현실적인 **deal with** ~을 다루다(처리하다) **preparation** 준비 **confidence** 자신감

주어진 글 다음에 이어질 글의 순서로 가장 적절한 것은? 고1 학평 3월

어휘수 129

> In negotiation, there often will be issues that you do not care about — but that the other side cares about very much! It is important to identify these issues.

(A) Now you are able to give her something that she values (at no cost to you) and get something of value in return. For example, you might start a month earlier and receive a larger bonus.

(B) Similarly, when purchasing my home, the seller was very interested in closing the deal as soon as possible. So I agreed to close one month earlier, and the seller agreed to a lower price.

(C) For example, you may not care about when you start your new job. But if your potential boss strongly prefers that you start as soon as possible, that's valuable information.

① (A) – (C) – (B)
② (B) – (A) – (C)
③ (B) – (C) – (A)
④ (C) – (A) – (B)
⑤ (C) – (B) – (A)

More & More

유형 문제

1 글의 순서를 정할 단서가 되는 말을 각 글에서 찾아 쓰시오.

(A) ______________________ (2단어)
(B) ______________________ (1단어)
(C) ______________________ (2단어)

수능 변형

2 윗글의 요지로 가장 적절한 것은?

① 자신의 이익만 찾다보면 타협점을 찾을 수 없다.
② 좋은 가격을 제안할수록 거래에 신중을 기해야 한다.
③ 새로운 직장에서의 이슈를 최대한 빨리 파악해야 한다.
④ 자신은 개의치 않지만 상대방에게는 중요한 이슈를 찾는 것은 협상에 유리하다.
⑤ 상대방이 민감하게 생각하는 사항들에 대해 지적할 때는 신중하게 말해야 한다.

어휘 **negotiation** 협상 **identify** 알아보다, 확인하다 **value** 소중하게 여기다 **at no cost** 손해를 보지 않는, 무료로 **in return** 보답으로 **close the deal** 거래를 매듭짓다

주어진 문장 위치 파악하기

수능 필수 어휘 550

이번 Unit의 핵심 어휘입니다. 유형 학습을 하기 전에 수능 필수 어휘 중 아는 어휘에 ☑ 체크해 보고 모르는 어휘는 미리 익혀 보세요.
(Unit을 마친 후 체크하지 않았던 어휘를 완전히 알고 있는지 다시 확인하세요.)

어휘	뜻	어휘	뜻
☐ dramatically	극적으로	☐ breed	기르다
☐ symbol	상징	☐ devotion	헌신
☐ central	중심인, 중심의	☐ association	협회
☐ mythology	신화	☐ share	공유하다
☐ poetry	시	☐ have ~ in common	~을 공통적으로 지니다
☐ ritual	의식, 의례	☐ be into	~을 좋아하다
☐ exhibit	보이다; 전시하다	☐ interconnected	상호 연결된
☐ opposite	상반되는; 반대의	☐ hire	고용하다
☐ species	종(생물 분류의 기초 단위)	☐ technical	전문적인; 기술적인
☐ honor	숭배하다	☐ inspirer	사기를 불어넣는 사람

어휘	뜻	어휘	뜻
☐ **diversify**	다양화하다	☐ **contribution**	기여
☐ **complement**	보완하다	☐ **crew**	단원
☐ **complex**	복잡한	☐ **build on**	~을 바탕으로 하다
☐ **equipment**	장비	☐ **accomplishment**	성과; 성취
☐ **instruction**	설명	☐ **nervousness**	긴장감
☐ **surroundings**	환경	☐ **overwhelming**	당황스러운
☐ **eliminate**	제거하다	☐ **pressure**	압박, 압력
☐ **minimum**	최소한도, 최저(치)	☐ **humor**	기분, 마음
☐ **undoubtedly**	의심할 바 없이	☐ **enthusiasm**	열정
☐ **rehearsal**	리허설, (예행) 연습	☐ **tackle**	(문제를) 해결하다, 다루다

• 유형 설명

글의 논리적 연결과 내용의 흐름을 고려해서 흐름이 끊긴 부분에 주어진 문장을 넣는 유형이다.

• 출제 경향

주제가 논리적으로 전개되는 글이 주로 제시되며 수능에서는 2문제가 출제되고 있다.

대표 예제

어휘수 111
난이도 ★★☆

글의 흐름으로 보아, 주어진 문장이 들어가기에 가장 적절한 곳은? 고1 학평 3월

> Of course, within cultures individual attitudes can vary dramatically.

The natural world provides a rich source of symbols used in art and literature. (①) Plants and animals are central to mythology, dance, song, poetry, rituals, festivals, and holidays around the world. (②) Different cultures can exhibit opposite attitudes toward a given species. (③) Snakes, for example, are honored by some cultures and hated by others. (④) Rats are considered pests in much of Europe and North America and greatly respected in some parts of India. (⑤) For instance, in Britain many people dislike rodents, and yet they are bred with devotion by several associations such as the National Mouse Club and the National Fancy Rat Club.

* pest: 유해 동물 ** rodent: (쥐, 다람쥐 등이 속한) 설치류

이렇게 풀어라!

KEY 1 주어진 문장을 파악하라.
주어진 문장의 내용을 파악하고 연결어, 대명사, 지시어 등의 단서에 주목한다.

KEY 2 문장 간 흐름을 파악하라.
문장 간 흐름을 파악하여 논리적 비약이 있는 부분을 찾아낸다.

KEY 3 문장 간 연결 고리를 파악하라.
연결어, 대명사, 지시어 등을 활용하여 문장 간 연결 고리를 찾는다.

적용하기

❶Of course, / within cultures / individual attitudes / can vary dramatically.
(within: ~내에서)
물론 / (같은) 문화 내에서 / 개인의 태도는 / 극적으로 다를 수 있다

KEY❶ (같은) 문화 내에서 개인의 태도가 극적으로 다를 수 있다는 것으로 미루어 앞부분에 다른 문화끼리의 비교가 있었음을 추측

❷The natural world provides / a rich source of symbols / used in art and literature. (①) ❸Plants and animals are central / to mythology, dance, song, poetry, rituals, festivals, and holidays / around the world. (②) ❹Different cultures can exhibit / opposite attitudes / toward a given species. (③) ❺Snakes, / for example, / are honored by some cultures / and hated by others. (④) ❻Rats are considered pests / in much of Europe and North America / and greatly respected in some parts of India. (❺) ❼For instance, / in Britain / many people dislike rodents, / and yet they are bred with devotion by several associations / such as the National Mouse Club and the National Fancy Rat Club.

- used in art and literature: 과거분사구 / 예술과 문학에서 사용되는
- 자연계는 제공한다 / 상징의 풍부한 원천을
- central to: ~의 중심이 되는 / 식물과 동물은 중심에 있다 / 신화, 춤, 노래, 시, 의식, 축제 그리고 기념일의 / 전 세계의
- toward: ~을 향해 / given: 과거분사 / 각기 다른 문화는 보일 수 있다 / 상반되는 태도를 / 주어진 종에 대해
- are honored: 수동태 / 뱀은 / 예를 들어 / 일부 문화에서는 숭배된다 / 그리고
- hated: honored와 병렬 연결됨 / 다른 문화에서는 증오를 받는다
- are considered: 수동태 / 쥐는 유해 동물로 여겨진다 / 유럽과 북아메리카의 많은 지역에서
- greatly: 매우 / respected: considered와 병렬 연결됨 / 그리고 인도의 일부 지역에서는 매우 중시된다
- they = rodents / 예를 들어 / 영국에서는 / 많은 사람들이 설치류를 싫어한다 / 하지만 그들은 몇몇
- are bred: 수동태 / with devotion: 헌신적으로 / 협회에 의해 헌신적으로 길러진다
- such as: ~와 같은 / National Mouse Club과 National Fancy Rat Club과 같은

* pest: 유해 동물 ** rodent: (쥐, 다람쥐 등이 속한) 설치류

KEY 1 주어진 문장 파악

KEY 2 문장 간 흐름 파악
동식물에 대한 태도는 각 문화마다 다름

일부 문화에서는 숭배되고 다른 문화에서는 증오 받는 뱀의 예시

유럽과 북아메리카에서 유해 동물로 여겨지지만 인도의 일부 지역에서는 중시되는 쥐의 예시

KEY 3 문장 간 연결 고리 파악
영국의 많은 사람들이 설치류를 싫어하지만, 몇몇 협회에서는 헌신적으로 기른다는 내용으로, 논리적 비약이 발생
➡ 주어진 문장의 예시임을 파악

문제 해설 주어진 문장은 (같은) 문화 내에서 개인의 태도가 다를 수 있다는 내용이므로, 같은 문화 내의 서로 다른 태도를 예시로 든 문장 앞에 와야 한다. 따라서 주어진 문장이 들어가기에 가장 적절한 곳은 ⑤이다. 답 ⑤

글의 흐름으로 보아, 주어진 문장이 들어가기에 가장 적절한 곳은?

고1 학평 3월

어휘수 105
난이도 ★☆☆

> When you reach puberty, however, sometimes these forever-friendships go through growing pains.

Childhood friends who you've known forever are really special. (①) They know everything about you, and you've shared lots of things that you did for the first time. (②) You find that you have less in common than you used to. (③) Maybe you're into rap and she's into pop, or you go to different schools and have different groups of friends. (④) Change can be scary, but remember: Friends, even best friends, don't have to be exactly alike. (⑤) Having friends with other interests keeps life interesting — just think of what you can learn from each other.

* puberty: 사춘기

More & More

내신형
1 윗글의 내용과 일치하도록 주어진 질문에 대한 답을 완성하시오.

Q: How can friends with different interests keep your life interesting?
A: We think of what we can ________ from each other.

수능 변형
2 윗글의 요지로 가장 적절한 것은?

① 공유하는 것이 줄어들면 그 관계는 끝이 난다.
② 서로의 모든 것을 알고 있어야 진정한 친구이다.
③ 참다운 우정이라면 사춘기의 성장통도 이겨내야 한다.
④ 관심사가 다른 친구와 사귀는 것은 삶을 지루하게 만든다.
⑤ 서로 똑같지 않거나 관심사가 달라도 친한 친구가 될 수 있다.

어휘 **growing pain** 성장통 **share** 공유하다 **have ~ in common** ~을 공통적으로 지니다 **be into** ~을 좋아하다 **rap** 랩(음악) **pop** 팝(음 악)

글의 흐름으로 보아, 주어진 문장이 들어가기에 가장 적절한 곳은?

고1 학평 3월

> This may have worked in the past, but today, with interconnected team processes, we don't want all people who are the same.

어휘수 116
난이도 ★★☆

Most of us have hired many people based on human resources criteria along with some technical and personal information. (①) I have found that most people like to hire people just like themselves. (②) In a team, some need to be leaders, some need to be creative, some need to be inspirers, and so on. (③) In other words, we are looking for a diversified team where members complement one another. (④) When we hire team members, we need to look into how their strengths complement the team. (⑤) The bigger the team, the more possibilities exist for diversity.

* criteria: 기준

More & More

내신형

1 윗글의 내용과 일치하도록 빈칸에 알맞은 말을 쓰시오.

If you hire people just like you, the members can't __________ one another.

수능 변형

2 윗글의 요지로 가장 적절한 것은?

① 필요한 업무 능력을 최대한 빨리 습득해야 한다.
② 다양한 능력을 가진 구성원으로 팀을 조직해야 한다.
③ 자신이 맡은 업무가 아니더라도 능동적으로 대처해야 한다.
④ 사회성과 같은 인격적인 부분도 고용 조건에 고려해야 한다.
⑤ 다양한 성향을 가진 구성원들은 팀의 공동 목표에 방해가 될 수 있다.

어휘 **interconnected** 상호 연결된 **hire** 고용하다 **human resources** 인적 자원 **technical** 전문적인; 기술적인 **inspirer** 사기를 불어넣는 사람 **diversify** 다양화하다 **complement** 보완하다

글의 흐름으로 보아, 주어진 문장이 들어가기에 가장 적절한 곳은?

고1 학평 6월

> Yet libraries must still provide quietness for study and reading, because many of our students want a quiet study environment.

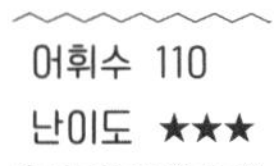

Acoustic concerns in school libraries are much more complex today than they were in the past. (①) Years ago, before electronic resources, we had only to deal with noise produced by people. (②) Today, computers, printers, and other equipment have added machine noise. (③) People noise has also increased, because of group work and instruction. (④) So, the modern school library is no longer the quiet zone it once was. (⑤) Considering this need for library surroundings, it is important to design spaces where noise can be eliminated or at least kept to a minimum.

* acoustic: 소리의

More & More

내신형
1 윗글의 내용과 일치하도록 빈칸에 알맞은 말을 쓰시오.

__________ __________ and __________ have increased people noise in school libraries.

수능 변형
2 윗글의 내용을 한 문장으로 요약하고자 한다. 빈칸 (A), (B)에 들어갈 말로 가장 적절한 것은?

> Noise in libraries has ____(A)____, but many students want a ____(B)____ environment.

① increased – noisy
② decreased – noisy
③ increased – quiet
④ decreased – quiet
⑤ increased – large

어휘 quietness 조용함 complex 복잡한 electronic resource 전자 장비 equipment 장비 instruction 설명 surroundings 환경 space 공간 eliminate 제거하다 minimum 최소한도, 최저(치)

글의 흐름으로 보아, 주어진 문장이 들어가기에 가장 적절한 곳은?

고1 학평 9월

In addition to positive comments, the director and manager will undoubtedly have comments about what still needs work.

어휘수 119

After the technical rehearsal, the theater company will meet with the director, technical managers, and stage manager to review the rehearsal. Usually there will be comments about all the good things about the performance. (①) The positive comments about their own personal contributions are as worthy of note as those directed toward the crew and the entire company. (②) Building on positive accomplishments can reduce nervousness. (③) Sometimes, these negative comments can seem overwhelming and stressful. (④) Time pressures to make these last-minute changes can be a source of stress. (⑤) Take each suggestion with good humor and enthusiasm and tackle each task one by one.

More & More

내신형

1 윗글의 내용과 일치하도록 빈칸에 알맞은 말을 쓰시오.

To __________ nervousness, building on __________ accomplishments can help.

수능 변형

2 윗글의 제목으로 가장 적절한 것은?

① How to Get Rid of Time Pressures
② The Importance of Personal Contributions
③ Things to Make Sure Through the Rehearsal
④ How to Build a Strong Team Spirit Before a Big Stage
⑤ What Theater Company Should Note on Rehearsal Feedback

어휘 **undoubtedly** 의심할 바 없이 **rehearsal** 리허설, (예행) 연습 **contribution** 기여 **crew** 단원 **build on** ~을 바탕으로 하다 **accomplishment** 성과; 성취 **nervousness** 긴장감 **overwhelming** 당황스러운 **pressure** 압박, 압력 **humor** 기분, 마음 **enthusiasm** 열정 **tackle** (문제를) 해결하다, 다루다

UNIT 14 요약문 완성하기

수능 필수 어휘 550

이번 Unit의 핵심 어휘입니다. 유형 학습을 하기 전에 수능 필수 어휘 중 아는 어휘에 ☑ 체크해 보고 모르는 어휘는 미리 익혀 보세요.

(Unit을 마친 후 체크하지 않았던 어휘를 완전히 알고 있는지 다시 확인하세요.)

어휘	뜻	어휘	뜻
☐ evolutionary	진화적인	☐ compare	비교하다
☐ means	수단	☐ hatch	부화하다
☐ eye contact	시선의 마주침	☐ nest	둥지
☐ force	힘	☐ limited	제한적인
☐ arguably	거의 틀림없이; 주장하건데	☐ flexible	유연한
☐ noncooperative	비협조적인	☐ extended	길어진, 연장된
☐ cooperative	협조적인	☐ intelligence	지능
☐ rearview mirror	(자동차의) 백미러	☐ initial	초기의
☐ crow	까마귀	☐ rate	평가하다
☐ remarkably	놀랄 만큼	☐ intelligent	똑똑한

Let's hold on
for this moment

어휘	뜻	어휘	뜻
□ recall	기억해내다	□ bullet	총알
□ opinion	의견	□ psychologist	심리학자
□ evidence	증거	□ adolescent	청소년
□ discount	무시하다, (무가치한 것으로) 치부하다	□ crash	충돌하다
□ population	인구; 개체군, 개체 수	□ randomly	무작위로
□ habitat	서식지	□ assign	(~하도록) 임명하다
□ seek	찾다, 구하다	□ look on	지켜보다, 구경하다
□ migrate	이동하다, 이주하다	□ peer	또래
□ continent	대륙	□ risky	위험한; 모험적인
□ wound	상처	□ regardless of	~에 상관없이

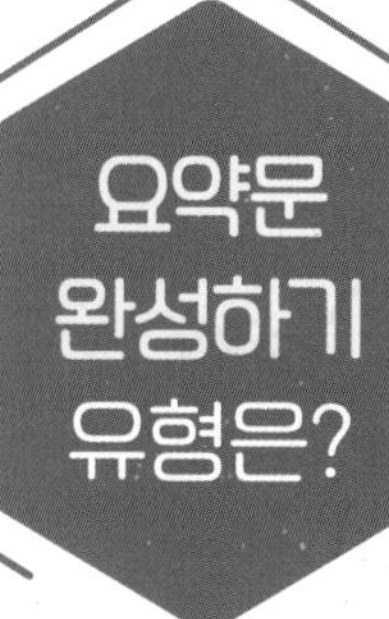

• 유형 설명

지문의 내용을 요약한 하나의 문장에 주어지는 두 개의 빈칸에 들어갈 적절한 단어나 어구를 찾는 유형이다.

• 출제 경향

실험 결과나 사회 현상에 관한 지문이 주로 제시되며 수능에서는 1문제가 출제되고 있다.

대표 예제

어휘수 127
난이도 ★★☆

다음 글의 내용을 한 문장으로 요약하고자 한다. 빈칸 (A), (B)에 들어갈 말로 가장 적절한 것은?

고1 학평 3월

There are many evolutionary or cultural reasons for cooperation. One of the most important means of cooperation is the eyes. Eye contact may be the most powerful human force we lose while driving. It is, arguably, the reason why humans can become so noncooperative on the road, although they are normally a quite cooperative species. Most of the time we are moving too fast — we begin to lose the ability to keep eye contact around 20 miles per hour — or it is not safe to look. Maybe our view is blocked. Often other drivers are wearing sunglasses, or their car may have tinted windows. Sometimes we make eye contact through the rearview mirror, but it feels weak, not quite believable at first, because it is not "face-to-face."

* tinted: 색이 옅게 들어간

⬇

While driving, people become ____(A)____, because they make ____(B)____ eye contact.

	(A)		(B)		(A)		(B)
①	uncooperative	……	little	②	careful	……	direct
③	confident	……	regular	④	uncooperative	……	direct
⑤	careful	……	little				

KEY 1 **요약문을 읽고 글의 내용을 예측하라.**
요약문을 먼저 읽고, 글의 내용을 예측해 본다.

KEY 2 **글의 핵심어를 파악하라.**
글의 핵심어를 찾으며 내용을 파악한다.

KEY 3 **원인과 결과 또는 연구와 결과를 통해 글의 핵심 내용을 파악하라.**

적용하기

❶There are many evolutionary or cultural reasons / for cooperation.
〈There+be동사〉: ~가 있다
진화적이거나 문화적인 많은 이유가 있다 협동에는

❷One of the most important means of cooperation / is the eyes. ❸Eye contact
〈one of the+최상급+복수 명사〉: ~ 중 하나(단수 취급) 단수 동사
가장 중요한 협동 수단 중 하나는 눈이다 시선의 마주침은 가장

may be the most powerful human force / we lose while driving. ❹It is,
~일지도 모른다(추측) 목적격 관계대명사 that 생략 분사구문(= while we are driving)
강력한 인간의 힘일지도 모른다 차량 운행 중에 우리가 잃는 그것은

arguably, the reason / [why humans can become so noncooperative / on the
간접의문문: 〈의문사+주어+동사〉의 어순
틀림없이 이유이다 인간이 그렇게 비협조적이 될 수 있는 도로에서

road], / although they are normally a quite cooperative species. ❺Most of the
= humans
양보 접속사(비록) ~임에도 불구하고) 꽤, 상당히
보통은 인간이 꽤 협동적인 종임에도 불구하고 대부분의 시간에

time / we are moving too fast / — we begin to lose the ability / to keep eye
〈begin+to부정사〉: ~하기 시작하다 형용사적 용법
우리가 너무 빨리 움직이고 있어서 우리는 능력을 잃기 시작한다 시선을 마주치는

contact / around 20 miles per hour — / or it is not safe to look. ❻Maybe our
대략, 약 가주어 진주어
시속 20마일 정도에서 혹은 (서로를) 보는 것이 안전하지 않다 어쩌면 우리의 시야가

view is blocked. ❼Often other drivers are wearing sunglasses, / or their car
수동태
차단되어 있을 수도 있다 흔히 다른 운전자들은 선글라스를 끼고 있다 혹은 그들의 차는 색이

may have tinted windows. ❽Sometimes we make eye contact / through the
〈may have+과거분사〉: ~했을지도 모른다(과거 사실에 대한 약한 추측) ~을 통해
옅게 들어간 창문이 있을 수 있다 때로는 우리는 시선을 마주치지만 백미러를 통해

rearview mirror, / but it feels weak, / not quite believable at first, / because it is
= eye contact
〈feel+형용사〉: ~하게 느끼다 처음에는
그러나 약하게 느껴진다 처음에는 전혀 믿을 수 없게 '얼굴을 마주하고 있는

not "face-to-face." * tinted: 색이 옅게 들어간
것'이 아니기 때문에

➡ ❾While driving, / people become (A) uncooperative, / because they make
분사구문(= While they are driving)
운전하는 동안 사람들은 비협조적이 되는데 왜냐하면 그들이 거의 시선을

(B) little eye contact.
마주치지 않기 때문이다

KEY 2 **글의 핵심어 파악**
'협동'과 '시선'이 중심 소재임을 파악

KEY 3 **원인과 결과를 통해 글의 핵심 내용 파악**
운전 중에 비협조적이 될 수 있는 원인은 시선을 마주치기 어렵기 때문임을 파악 → (A)와 (B)의 단서

KEY 1 **요약문 읽고 글의 내용 예측**
'운전하는 동안, 사람들은 (A)한 상태가 되는데, 왜냐하면 그들이 시선 마주치기를 (B)하기 때문이다'라는 내용

문제 해설 〉 가장 중요한 협동 수단은 시선의 마주침인데 운전하는 동안은 너무 빨리 움직이느라 시선을 마주치지 못하거나 선글라스 혹은 색이 옅게 들어간 창문 등으로 인해 시야가 차단되어 있을 수도 있다. 이는 우리가 도로에서 비협조적이 될 수 있는 거의 틀림없는 이유라고 했으므로 요약문의 빈칸에 들어갈 말로 가장 적절한 것은 ① 'uncooperative(비협조적인) – little(거의 ~않는)'이다.
답 ①

다음 글의 내용을 한 문장으로 요약하고자 한다. 빈칸 (A), (B)에 들어갈 말로 가장 적절한 것은?

고1 학평 3월

Crows are a remarkably clever family of birds. They can solve many more complex problems when they're compared to other birds, such as chickens. After hatching, chickens are able to peck for their own food. On the other hand, crows rely on the parent bird for food in the nest. However, as adults, chickens have very limited hunting skills, while crows are much more flexible in hunting for food. Crows also end up with bigger and more complex brains. Their extended period between hatching and leaving the nest enables them to develop intelligence.

* peck: (모이를) 쪼아 먹다

⬇

Crows are more ___(A)___ than chickens because crows have a longer period of ___(B)___.

	(A)		(B)
①	intelligent	……	dependency
②	passive	……	dependency
③	selfish	……	competition
④	intelligent	……	competition
⑤	passive	……	hunting

More & More

내신형

1 윗글의 내용과 일치하지 않는 부분을 두 군데 찾아 바르게 고쳐 쓰시오.

Crows hunt their own food faster than chickens, but crows end up with simpler brains.

(1) ____________ → ____________ (2) ____________ → ____________

내신형

2 윗글의 내용과 일치하지 않는 것은?

① 까마귀는 다른 새들에 비해 더 영리하다.
② 까마귀는 부화한 후 일찌감치 스스로 먹이를 찾는다.
③ 다 자란 까마귀는 닭보다 먹이를 찾는 데 더 유연하다.
④ 까마귀는 결국 점점 더 크고 더 복잡한 뇌를 갖게 된다.
⑤ 다른 새들보다 둥지를 늦게 떠나는 것이 까마귀의 지능을 발달시킨다.

어휘 crow 까마귀 remarkably 놀랄 만큼 compare 비교하다 hatch 부화하다 nest 둥지 limited 제한적인 flexible 유연한 extended 길어진, 연장된 intelligence 지능

다음 글의 내용을 한 문장으로 요약하고자 한다. 빈칸 (A), (B)에 들어갈 말로 가장 적절한 것은?

고1 학평 3월

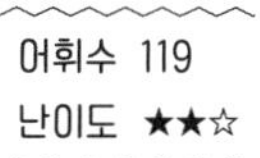

어휘수 119
난이도 ★★☆

In one experiment, two groups of subjects observed a person solve 30 multiple-choice problems. In all cases, 15 of the problems were solved correctly. One group of subjects saw the person solve more problems correctly in the first half. Another group saw the person solve more problems correctly in the second half. The group that saw the person perform better on the initial examples rated the person as more intelligent. They also recalled that he had solved more problems correctly while the other group formed the opposite opinion. Once an opinion on the initial set of data is formed, when opposing evidence is presented it can be discounted. This is done by attributing later performance to some other cause.

* subject: 실험 대상자 ** attribute ~ to ...: ~을 …의 탓으로 돌리다

⬇

People tend to form an opinion based on ____(A)____ data, and when evidence against the opinion is presented, it is likely to be ____(B)____.

	(A)		(B)
①	more	......	accepted
②	more	......	tested
③	earlier	......	ignored
④	earlier	......	accepted
⑤	easier	......	ignored

More & More

내신형
1 윗글의 내용과 일치하도록 빈칸에 알맞은 말을 쓰시오.

It's not easy to change an ________ once it's formed.

내신형
2 윗글의 내용과 일치하지 않는 것은?

① 실험 대상자들은 두 집단으로 나뉘었다.
② 실험에서 30개의 문제가 모두 정확하게 해결되었다.
③ 한 집단은 문제가 전반부에 더 많이 해결되는 것을 관찰했다.
④ 또 다른 집단은 문제가 후반부에 더 많이 해결되는 것을 관찰했다.
⑤ 실험 대상자인 두 집단은 서로 다른 의견을 형성했다.

어휘 **multiple-choice problem** 선다형 문제 **initial** 초기의 **rate** 평가하다 **intelligent** 똑똑한 **recall** 기억해내다 **opinion** 의견 **evidence** 증거 **discount** 무시하다, (무가치한 것으로) 치부하다

다음 글의 내용을 한 문장으로 요약하고자 한다. 빈칸 (A), (B)에 들어갈 말로 가장 적절한 것은?

고1 학업성취도 평가

어휘수 120
난이도 ★★★

Every year the number of people living in Africa and Asia increases. As the human populations grow, their need for land and resources also increases. By cutting the trees and building houses, people change natural habitats into farmland. Their homes stand in places where elephants once lived. Elephants seeking food and water are forced to look elsewhere. With farmland dotting the landscape, elephants now cannot travel freely. Without the ability to migrate across the continent, they are cut off from elephant society. Furthermore, sharing land puts humans and elephants in closer contact. For some elephant populations, this contact means trouble. Wild elephants have been seen with wounds from bullets and other weapons. Some have lost their tusks after being caught.

* tusk: (코끼리 따위의) 엄니(상아)

⬇

Growth of human populations in Africa and Asia leads to ___(A)___ into elephant habitats, limiting elephants' movement along with ___(B)___ acts done to them.

	(A)		(B)
①	expansion	……	useful
②	expansion	……	cruel
③	reduction	……	cruel
④	reduction	……	unfair
⑤	migration	……	useful

More & More

내신형
1 윗글의 내용과 일치하도록 빈칸에 알맞은 말을 쓰시오.

The __________ between humans and some elephants means __________.

내신형
2 윗글의 내용과 일치하지 않는 것은?

① 아프리카와 아시아의 인구 수 증가로 자원이 더 필요하다.
② 벌목으로 인해 자연 서식지가 농경지로 바뀌고 있다.
③ 농경지가 산재하여 코끼리의 자유로운 이동이 제한된다.
④ 인간과 코끼리가 땅을 공유하면서 공생하는 경우도 있다.
⑤ 인간에게 공격당한 야생 코끼리가 목격되고 있다.

어휘 **population** 인구; 개체군, 개체 수 **habitat** 서식지 **farmland** 농경지 **seek** 찾다, 구하다 **migrate** 이동하다, 이주하다 **continent** 대륙 **wound** 상처 **bullet** 총알

• 정답과 해설 67쪽

다음 글의 내용을 한 문장으로 요약하고자 한다. 빈칸 (A), (B)에 들어갈 말로 가장 적절한 것은?

고1 학평 9월

어휘수 130

In a study, psychologist Laurence Steinberg and his co-author, psychologist Margo Gardner divided 306 people into three age groups: young adolescents, with an average age of 14; older adolescents, with an average age of 19; and adults, aged 24 and older. Subjects played a computerized driving game in which the player must avoid crashing into a wall that appears, without warning, on the roadway. Steinberg and Gardner randomly assigned some participants to play alone or with two same-age peers looking on. On an index of risky driving, the driving of older adolescents was 1.5 times more dangerous, and the driving of early ones was twice as reckless when others were around. In contrast, adults behaved in similar ways regardless of whether they were on their own or observed by others.

* index: 지수 ** reckless: 무모한

⬇

The ____(A)____ of peers makes adolescents, but not adults, more likely to ____(B)____.

	(A)		(B)
①	presence	……	take risks
②	presence	……	behave cautiously
③	indifference	……	perform poorly
④	absence	……	enjoy adventures
⑤	absence	……	act independently

More & More

내신형

1 윗글의 내용과 일치하도록 빈칸에 알맞은 말을 쓰시오.

Risky drivers are poor at ________ ________ ________ a wall that suddenly appears.

수능 변형

2 윗글의 주제로 가장 적절한 것은?

① how to be good at driving
② safety effects of driving lessons for teenagers
③ danger of playing driving games
④ age differences in playing computer games
⑤ negative audience effect on teenagers' driving

어휘 **psychologist** 심리학자 **adolescent** 청소년 **computerized** 컴퓨터화된 **crash** 충돌하다 **randomly** 무작위로 **assign** (~하도록) 임명하다 **peer** 또래 **look on** 지켜보다, 구경하다 **risky** 위험한; 모험적인 **regardless of** ~에 상관없이

알맞은 어법 · 어휘 찾기

수능 필수 어휘 550

이번 Unit의 핵심 어휘입니다. 유형 학습을 하기 전에 수능 필수 어휘 중 아는 어휘에 ☑ 체크해 보고 모르는 어휘는 미리 익혀 보세요.

(Unit을 마친 후 체크하지 않았던 어휘를 완전히 알고 있는지 다시 확인하세요.)

어휘	뜻	어휘	뜻
☐ physical	신체적인	☐ sweat	땀을 흘리다; 땀
☐ processed	가공된	☐ slide	빠져 들다; 미끄러지다
☐ chemical	화학 물질	☐ previous	이전의
☐ artificial	인공적인	☐ routine	일상
☐ ingredient	재료, 성분	☐ pace	(일의) 속도
☐ fortunately	다행히도	☐ transformation	변화
☐ comfort	편안함	☐ scale	(저울의) 눈금
☐ condition	조건	☐ mystery	불가사의; 신비

어휘	뜻	어휘	뜻
☐ **unique**	독특한	☐ **transform**	변화시키다, 바꾸다
☐ **constantly**	끊임없이	☐ **cultural**	문화의
☐ **reexamine**	재검토하다	☐ **connectedness**	유대감, 소속감
☐ **theory**	이론	☐ **isolation**	고립
☐ **conclusion**	결론	☐ **forbid**	금지하다
☐ **discovery**	발견	☐ **favor**	선호하다
☐ **correct**	바로잡다, 정정하다	☐ **attention**	주의 (집중)

• **유형 설명**

어법은 글의 흐름 안에서 표현들이 어법에 맞게 쓰였는지를 파악하는 유형이고, 어휘는 글의 흐름에 맞게 문장 내에서 어휘가 적절하게 쓰였는지를 파악하는 유형이다.

• **출제 경향**

밑줄 친 부분 중 틀린 것을 찾는 유형과 각 네모 안에서 어법·어휘에 맞는 표현을 찾는 유형이 출제되었다. 하지만 최근에는 주로 밑줄 친 부분에서 틀린 것을 찾는 유형이 각 1문제씩 출제되고 있다.

대표 예제

어휘수 106
난이도 ★★☆

다음 글의 밑줄 친 부분 중, 어법상 틀린 것은? 고1 학평 3월

"You are what you eat." That phrase is often used to ①show the relationship between the foods you eat and your physical health. But do you know what is in processed foods? Many of the manufactured products contain so many chemicals and artificial ingredients ②which it is sometimes difficult to know exactly what is inside them. Fortunately, there are food labels. Food labels are a good way ③to find the information about the foods you eat. Labels on food are ④like the table of contents found in books. The main purpose of food labels ⑤is to inform you what is inside the food you are purchasing.

* manufactured: (공장에서) 제조된 ** table of contents: (책 등의) 목차

이렇게 풀어라!

KEY 1 **글의 소재 및 전체 내용을 파악하라.**
글의 소재와 대략적인 글의 내용을 파악한다.

KEY 2 **전후 문맥을 파악하라.**
- 밑줄이나 네모 (A), (B), (C)가 들어간 문장을 중심으로, 어법 요소를 확인하고 글의 흐름과 문장 구조를 파악한다.
- 밑줄이나 네모 (A), (B), (C)가 들어간 문장을 중심으로, 글의 흐름에 맞게 어휘의 쓰임을 파악한다.

적용하기

❶"You are what you eat." ❷That phrase is often used / to ①show the
관계대명사(보어) / 〈be used to+동사원형〉: ~하는 데 사용되다
'여러분이 먹는 것이 여러분 자신이다(여러분을 만든다)' 그 구절은 흔히 사용된다 관계를 보여 주기 위해

relationship / between the foods you eat and your physical health. ❸But
〈between A and B〉: A와 B 사이에
여러분이 먹는 음식과 여러분의 신체 건강 사이의 하지만

do you know / what is in processed foods? ❹Many of the manufactured
간접의문문(동사 know의 목적어)
여러분은 아는가 가공식품 안에 무엇이 들었는지를 제조식품 중 다수는 함유한다

products contain / so many chemicals and artificial ingredients /
〈so ~ that ...〉: 너무 ~해서 …하다
너무 많은 화학 물질과 인공적인 재료를

②which(→ that) it is sometimes difficult / to know exactly / what is
가주어 / 진주어 / 간접의문문
때때로 ~하는 것은 어렵다 정확히 아는 것은 그들 안에서

inside them. ❺Fortunately, / there are food labels. ❻Food labels / are a
= many of the manufactured products
무엇이 들어 있는지 다행히도 식품 라벨이 있다 식품 라벨은 좋은

good way / ③to find the information / about the foods / you eat. ❼Labels
형용사적 용법 / 목적격 관계대명사 which[that] 생략
방법이다 정보를 알아내는 식품에 관한 여러분이 먹는 식품의

on food are ④like the table of contents / found in books. ❽The main
~와 같은 / 과거분사구 / 핵심 주어
라벨은 목차와 같다 책에서 볼 수 있는 식품 라벨의 주된

purpose of food labels / ⑤is to inform you / what is inside the food / you
단수 동사 / 명사적 용법(보어) / 간접의문문 / 목적격 관계대명사 which[that] 생략
목적은 여러분에게 알려주는 것이다 식품 안에 무엇이 있는지 여러분이

are purchasing.
구입하고 있는

* manufactured: (공장에서) 제조된 ** table of contents: (책 등의) 목차

① 문맥상 '보여 주는 데 사용된다'라는 의미가 되도록, '~하는 데 사용되다'라는 뜻의 〈be used to+동사원형〉 구문이 적절하므로 동사원형 show는 어법상 맞다.

② 문맥상 '너무 ~해서 …하다'라는 의미의 〈so ~ that ...〉 구문이 되도록 관계대명사 which는 접속사 that으로 쓰는 것이 어법상 맞다.

③ '(정보를) 알아내는'이라는 뜻으로 앞의 명사구 a good way를 꾸며 주는 to부정사의 형용사적 용법이므로 to find는 어법상 맞다.

④ '~와 같은'이라는 뜻의 전치사로 쓰였으므로 like는 어법상 맞다.

⑤ The main purpose는 전치사구 of food labels의 꾸밈을 받는 핵심 주어이므로, 동사를 주어의 수에 일치시킨 단수형 is는 어법상 맞다.

문제 해설 ② which 뒤에 완전한 절이 이어졌으므로 불완전한 절을 이끄는 관계대명사 which는 쓸 수 없다. 또한 앞의 so를 받아 문맥상 '너무 ~해서 …하다'라는 뜻의 〈so ~ that ...〉 구문을 만들 접속사 that이 필요하다. 따라서 관계대명사 which는 접속사 that으로 고쳐야 한다. 답 ②

어휘수 73
난이도 ★★☆

(A), (B), (C)의 각 네모 안에서 어법에 맞는 표현으로 가장 적절한 것은? 고1 학평 3월

Clothing doesn't have to be expensive to provide comfort during exercise. Select clothing appropriate for the temperature and environmental conditions (A) [which / in which] you will be doing exercise. Clothing that is appropriate for exercise and the season can improve your exercise experience. In warm environments, clothes that have a wicking capacity (B) [is / are] helpful in dissipating heat from body. In contrast, you should wear layers in cold environments to avoid sweating and remain (C) [comfortable / comfortably].

* wick: (모세관 작용으로) 수분을 흡수하거나 배출하다 ** dissipate: (열을) 발산하다

	(A)		(B)		(C)
①	which	……	is	……	comfortable
②	which	……	are	……	comfortable
③	in which	……	are	……	comfortable
④	in which	……	is	……	comfortably
⑤	in which	……	are	……	comfortably

More & More

내신형
1 윗글의 내용과 일치하도록 주어진 질문에 대한 답을 완성하시오.

Q: What should you wear when you exercise in cold enviorments?
A: You should wear ________ to control your body temperature.

수능 변형
2 윗글의 요지로 가장 적절한 것은?

① 비싼 옷이 운동 중 편안함을 주는 데 적격이다.
② 운동복의 종류보다 운동할 때의 체온 조절이 중요하다.
③ 몸으로부터 열을 발산시키는 운동을 해야 더 건강해진다.
④ 운동 경험을 향상시키려면 항상 따뜻한 환경에서 운동해야 한다.
⑤ 운동복의 가격에 상관없이 운동 환경에 맞는 옷을 선택해야 한다.

어휘 **comfort** 편안함 **condition** 조건 **sweat** 땀을 흘리다; 땀 **remain** 계속 ~이다, 여전히 ~인 채로이다

어휘수 121
난이도 ★★☆

다음 글의 밑줄 친 부분 중, 문맥상 낱말의 쓰임이 적절하지 <u>않은</u> 것은? 고1 학평 3월

We often ignore small changes because they don't seem to ①<u>matter</u> very much in the moment. If you save a little money now, you're still not a millionaire. If you study Spanish for an hour, you still haven't learned the language. We make a few changes, but the results never seem to come ②<u>quickly</u> and so we slide back into our previous routines. The slow pace of transformation also makes it ③<u>easy</u> to break a bad habit. If you eat an unhealthy meal today, the scale doesn't move much. A single decision is easy to ignore. But when we ④<u>repeat</u> small errors, day after day, our small choices add up to bad results. Many wrong choices eventually lead to a ⑤<u>problem</u>.

More & More

내신형
1 윗글의 내용과 일치하도록 빈칸에 알맞은 말을 쓰시오.

________ ________ slowly make big results, good or bad.

내신형
2 윗글의 내용과 일치하지 <u>않는</u> 것은?

① 우리는 흔히 작은 변화들을 중요하게 여기지 않는다.
② 스페인어를 한 시간 공부하더라도 그 언어를 익힌 것은 아니다.
③ 약간의 변화를 만든다고 해도 그 결과는 결코 빨리 오지 않는다.
④ 오늘 몸에 안 좋은 음식을 먹더라도, 저울 눈금은 별로 움직이지 않는다.
⑤ 잘못된 선택들을 반복하더라도 별 다른 문제가 발생하지는 않는다.

어휘 **millionaire** 백만장자 **slide** 빠져 들다; 미끄러지다 **previous** 이전의 **routine** 일상 **pace** (일의) 속도 **transformation** 변화 **scale** (저울의) 눈금

다음 글의 밑줄 친 부분 중, 어법상 틀린 것은?

어휘수 122
난이도 ★★★

There are many methods for finding answers to the mysteries of the universe, and science is only one of these. However, science is unique. Instead of making guesses, scientists follow a system ① designed to prove if their ideas are true or false. They constantly reexamine and test their theories and conclusions. Old ideas are replaced when scientists find new information ② that they cannot explain. Once somebody makes a discovery, others review it carefully before ③ using the information in their own research. This way of building new knowledge on older discoveries ④ ensure that scientists correct their mistakes. As people are armed with scientific knowledge, people build tools and machines that transform the way we live. This makes our lives ⑤ much easier and better.

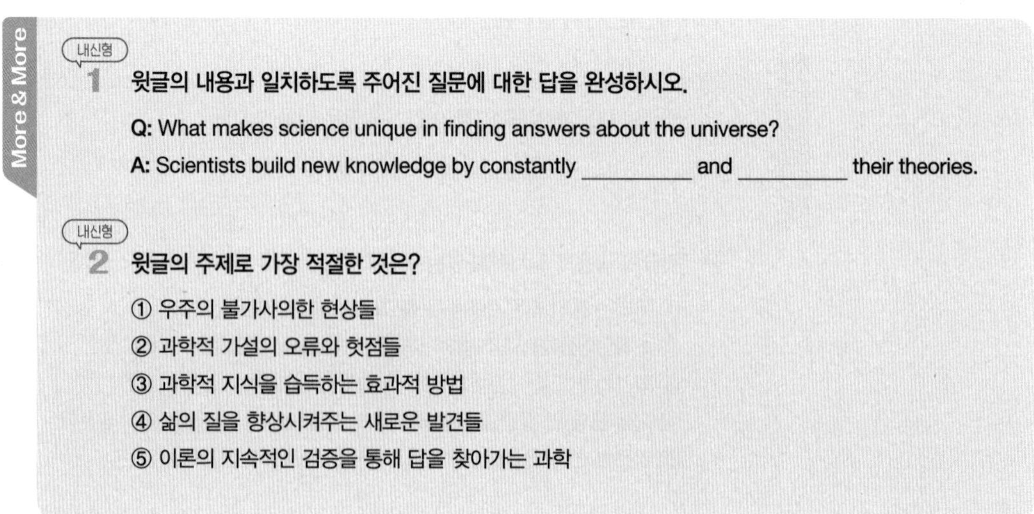
More & More

내신형
1 윗글의 내용과 일치하도록 주어진 질문에 대한 답을 완성하시오.

Q: What makes science unique in finding answers about the universe?

A: Scientists build new knowledge by constantly ________ and ________ their theories.

내신형
2 윗글의 주제로 가장 적절한 것은?

① 우주의 불가사의한 현상들
② 과학적 가설의 오류와 헛점들
③ 과학적 지식을 습득하는 효과적 방법
④ 삶의 질을 향상시켜주는 새로운 발견들
⑤ 이론의 지속적인 검증을 통해 답을 찾아가는 과학

어휘 **mystery** 불가사의; 신비 **unique** 독특한 **constantly** 끊임없이 **reexamine** 재검토하다 **theory** 이론 **conclusion** 결론 **discovery** 발견 **correct** 바로잡다, 정정하다 **transform** 변화시키다, 바꾸다

어휘수 122

(A), (B), (C)의 각 네모 안에서 문맥에 맞는 낱말로 가장 적절한 것은? 고1 학평 3월

New technologies create new interactions and cultural rules. Social television systems now enable social interaction among TV viewers in different locations. These systems are known to build a greater sense of (A) [connectedness / isolation] among TV-using friends. One field study focused on how five friends communicated while watching TV at their homes. The technology (B) [allowed / forbade] them to see which of the friends were watching TV and what they were watching. They could choose to communicate through voice chat or text chat. The study showed a strong preference for text over voice. Users offered two key reasons for (C) [disliking / favoring] text chat. First, text chat required less effort and attention, and was more enjoyable than voice chat. Second, study participants viewed text chat as more polite.

	(A)		(B)		(C)
①	connectedness	……	allowed	……	disliking
②	connectedness	……	forbade	……	disliking
③	connectedness	……	allowed	……	favoring
④	isolation	……	forbade	……	favoring
⑤	isolation	……	allowed	……	disliking

More & More

내신형

1 윗글의 연구 참가자들이 음성 채팅보다 문자 채팅을 더 선호한 이유 두 가지를 우리말로 쓰시오.

(1) ______________________________

(2) ______________________________

수능 변형

2 윗글의 내용을 한 문장으로 요약하고자 한다. 빈칸 (A), (B)에 들어갈 말로 가장 적절한 것은?

> Social TV systems allow ___(A)___ communication among viewers through ___(B)___.

	(A)		(B)
①	instant	……	call
②	instant	……	chat
③	delayed	……	call
④	delayed	……	chat
⑤	recorded	……	attention

어휘 **cultural** 문화의 **connectedness** 유대감, 소속감 **isolation** 고립 **field study** 현장 연구 **forbid** 금지하다(–forbade–forbidden) **voice chat** 음성 채팅 **text chat** 문자 채팅 **favor** 선호하다 **attention** 주의 (집중)

memo

memo

me
mo

memo

" 실전과 기출문제를 통해
어휘와 독해 원리를 익히며 "

단계별로 단련하는 수능 학습!

2
Level

워크북

visang

우리는 남다른 상상과 혁신으로
교육 문화의 새로운 전형을 만들어
모든 이의 행복한 경험과 성장에 기여한다

중등 수능 독해

영어 독해

Level 2

워크북

UNIT 01

글의 목적 찾기

WORD TEST

A 다음 영어에 해당하는 우리말을 쓰시오.

1 opening ____________
2 quality ____________
3 product ____________
4 attractive ____________
5 location ____________
6 branch ____________
7 principal ____________
8 replace A with B ____________
9 require ____________
10 miss ____________
11 policy ____________
12 warranty ____________
13 gain ____________
14 issue ____________
15 department ____________
16 monthly ____________
17 on the spot ____________
18 training ____________
19 personnel ____________
20 look forward to ____________

B 다음 우리말에 해당하는 영어를 쓰시오.

1 항의하다, 불만을 털어놓다 ____________
2 작동하다; 효과가 있다; 작품 ____________
3 환불 ____________
4 사원, 직원 ____________
5 교육 ____________
6 영수증 ____________
7 판매인 ____________
8 알리다; 발표하다 ____________
9 만족 ____________
10 고객 ____________
11 운동선수 ____________
12 기회 ____________
13 이해 ____________
14 간단한, 짧은 ____________
15 구독 (기간) ____________
16 갱신[연장]하다 ____________
17 곧 있을, 다가오는 ____________
18 채우다; 완료하다 ____________
19 경험; 경험하다 ____________
20 지속하다, 계속하다 ____________

• 정답과 해설 47쪽

WRITING TEST

A 다음 우리말과 일치하도록 주어진 말을 바르게 배열하시오.

1 모든 신입 사원들이 모든 부서에게 경험을 얻어야 한다는 것이 우리 회사의 정책입니다. 〈Reading 1〉

→ ______________________________

(our company's policy, it, must gain, is, that, experience, all new employees, in all departments)

2 저희는 새로운 Sunshine 문구점의 개점을 알리게 되어 기쁩니다. 〈Reading 2〉

→ ______________________________

(are excited, the opening of, to announce, we, our new Sunshine Stationery Store)

3 저희는 선수들에게 얼마나 교육이 중요한지를 알고 있습니다. 〈Reading 3〉

→ ______________________________

(how, an education, know, to the players, is, we, important)

4 그 카드를 보내 주시기만 하면 당신은 〈Winston Magazine〉을 계속해서 받을 것입니다. 〈Reading 4〉

→ ______________________________

(the card, you'll, send back, to receive, *Winston Magazine*, continue, and)

B 다음 우리말과 일치하도록 주어진 표현을 이용하여 문장을 쓰시오.

1 귀하는 3주 전에 구입했던 토스트기에 대해 항의하셨습니다. (complain about) 〈대표 예제〉

→ ______________________________

2 우리는 귀하가 새 부서에서 훌륭하게 일하는 것을 보기를 기대합니다. (look forward to) 〈Reading 1〉

→ ______________________________

3 코치들은 재능 있는 학생 선수들을 찾으려고 그 경기에 참석할 것입니다. (look for) 〈Reading 3〉

→ ______________________________

4 서비스를 확실히 지속하기 위해 지금 갱신하십시오. (make sure) 〈Reading 4〉

→ ______________________________

TRANSLATION TEST

다음 문장을 끊어 읽고, 우리말로 해석하시오.

1 It didn't work and so you asked for a new toaster or a refund. 〈대표 예제〉

→ ______________________________

2 To get your new toaster, bring your receipt and the toaster to the dealer. 〈대표 예제〉

→ ______________________________

3 As you have completed your three months in the Sales Department, it's time to move on to your next department. 〈Reading 1〉

→ ______________________________

4 From next week, you will be working in the Marketing Department. 〈Reading 1〉

→ ______________________________

5 We are glad to welcome you to the Grand Opening of the Raleigh store on March 15, 2018. 〈Reading 2〉

→ ______________________________

6 We would love to show you all the Raleigh store products and hope to see you there on the 15th! 〈Reading 2〉

→ ______________________________

7 So, the games can be a great opportunity for young soccer players to show what they can do as athletes. 〈Reading 3〉

→ ______________________________

8 We hope that you allow the players of your school to be absent during this event. 〈Reading 3〉

→ ______________________________

9 Your subscription to *Winston Magazine* will end soon and we haven't heard from you about renewing it. 〈Reading 4〉

→ ______________________________

10 To make it as easy as possible for you to act now, we've sent a reply card for you to complete. 〈Reading 4〉

→ ______________________________

UNIT 02 글의 심경·분위기 파악하기

• 정답과 해설 48쪽

WORD TEST

A 다음 영어에 해당하는 우리말을 쓰시오.

1 dive ____________
2 loosen up ____________
3 spread ____________
4 be ready for ____________
5 lift ____________
6 airspeed ____________
7 have trouble -ing ____________
8 save ____________
9 surface ____________
10 fancy ____________
11 trunk ____________
12 turn over ____________
13 go away ____________
14 tie ____________
15 leather ____________
16 wedding ceremony ____________
17 picture ____________
18 joyful ____________
19 shake ____________
20 look into ____________

B 다음 우리말에 해당하는 영어를 쓰시오.

1 표, 상표 ____________
2 다 떨어지다 ____________
3 축하 행사 ____________
4 (태양이) 비치다; 빛나다 ____________
5 온화한 ____________
6 산들바람 ____________
7 약간의, 조금의 ____________
8 벗다, 제거하다 ____________
9 걱정, 염려 ____________
10 향기 ____________
11 (몸·표정이) 굳다 ____________
12 통제하다 ____________
13 (손뼉을) 치다 ____________
14 나타나다 ____________
15 보고하다 ____________
16 비상사태 ____________
17 부딪치다 ____________
18 우연히 ____________
19 되살아나다, 회복하다 ____________
20 가라앉다 ____________

WRITING TEST

A **다음 우리말과 일치하도록 주어진 말을 바르게 배열하시오.**

1 교복은 중학교 때보다 더 화려했다. 〈Reading 1〉

→ ______________________________

(were, the uniforms, than, in middle school, fancier)

2 그녀는 또한 따뜻한 태양이 자신에게 자양분을 주는 것을 느꼈다. 〈Reading 2〉

→ ______________________________

(felt, feed, she, the warm sun, also, her)

3 결혼식이 끝나자마자, 축하 행사가 시작되었다. 〈Reading 3〉

→ ______________________________

(the wedding ceremony, began, as soon as, was over)

4 최악의 고비가 끝난 후에, 나는 온몸의 긴장이 풀리고 있음을 알게 된다. 〈Reading 4〉

→ ______________________________

(the worst, find, after, I, my whole body, is over, loosening up)

B **다음 우리말과 일치하도록 주어진 표현을 이용하여 문장을 쓰시오.**

1 나는 탱크의 공기가 고갈되고 있다는 것을 알게 되었다. (run out) 〈대표 예제〉

→ ______________________________

2 나는 새로운 학교에서의 첫날을 빨리 시작하고 싶었다. (cannot wait to) 〈Reading 1〉

→ ______________________________

3 그녀는 천천히 그녀의 몸을 둘러 엎드렸다. (turn over) 〈Reading 2〉

→ ______________________________

4 추장은 Little Fawn을 나오라고 불렀다. (call for) 〈Reading 3〉

→ ______________________________

TRANSLATION TEST

다음 문장을 끊어 읽고, 우리말로 해석하시오.

1 I was diving alone in about 40 feet of water when I got a terrible stomachache. 〈대표 예제〉

→ ______________________________

2 I felt that the animal was lifting me toward the surface to save me. 〈대표 예제〉

→ ______________________________

3 As a St. Roma student, I had to wear a green sweater with the school label on the shoulder. 〈Reading 1〉

→ ______________________________

4 While she drove me to school, I pictured myself as a high school student. 〈Reading 1〉

→ ______________________________

5 Erda lay on her back in a green field as she watched sunlight shine through the leaves above her. 〈Reading 2〉

→ ______________________________

6 Then she pushed her face into the grass and smelled the scent of the fresh flowers. 〈Reading 2〉

→ ______________________________

7 Fawn and Sam sat on blankets as young boys and girls began dancing to flute music and drum beats. 〈Reading 3〉

→ ______________________________

8 They danced in circles while they're making joyful sounds and shaking their hands with arms raised over their heads. 〈Reading 3〉

→ ______________________________

9 Within minutes, the plane shakes hard, and I freeze, feeling like I can't control anything. 〈Reading 4〉

→ ______________________________

10 When I report an emergency to the center, I bump some levers by accident. 〈Reading 4〉

→ ______________________________

UNIT 03

도표 정보 파악하기

WORD TEST

A 다음 영어에 해당하는 우리말을 쓰시오.

1 list ____________
2 follow ____________
3 consumption ____________
4 social network ____________
5 mostly ____________
6 mobile ____________
7 daily ____________
8 laptop ____________
9 account for ____________
10 spend ____________
11 category ____________
12 desktop ____________
13 respondent ____________
14 young adult ____________
15 usage ____________

B 다음 우리말에 해당하는 영어를 쓰시오.

1 발명 ____________
2 기기, 장치 ____________
3 인기 있는 ____________
4 결과 ____________
5 전반적으로 ____________
6 증가하다 ____________
7 끊임없이 ____________
8 조사 ____________
9 전 세계 ____________
10 흥미, 관심 ____________
11 여성; 여성의 ____________
12 소비자 ____________
13 남성; 남성의 ____________
14 환경의 ____________
15 성별 ____________

• 정답과 해설 49쪽

WRITING TEST

A 다음 우리말과 일치하도록 주어진 말을 바르게 배열하시오.

1 그래프는 다섯 개 국가에서 사람들이 어떻게 뉴스 영상을 시청하는가를 보여 준다. 〈Reading 1〉

→ ______________________________

(shows, people, news videos, in five countries, watch, how, the graph)

2 휴대 전화로 인터넷을 사용한 시간은 데스크톱이나 노트북으로 사용한 시간보다 더 짧았다. 〈Reading 2〉

→ ______________________________

(by mobiles, that, Internet usage time, was shorter, by desktops or laptops, than)

3 TV를 시청하는 아이들의 비율은 스마트폰을 사용하는 아이들의 비율과 같다. 〈Reading 3〉

→ ______________________________

(who watch TV, the same as, who use smartphones, the percentage of children, that of children, is)

4 여성 응답자의 비율이 남성 응답자의 비율보다 두 배만큼 높았다. 〈Reading 4〉

→ ______________________________

(was, twice, that of male respondents, as high as, the percentage of female respondents)

B 다음 우리말과 일치하도록 주어진 표현을 이용하여 문장을 쓰시오.

1 프랑스어는 가장 적은 원어민 수를 갖고 있다. (the smallest) 〈대표 예제〉

→ ______________________________

2 뉴스 사이트에서 뉴스 영상을 시청하는 것은 소셜 네트워크를 통한 것보다 더 인기가 있다. (more popular than, via) 〈Reading 1〉

→ ______________________________

3 전체 인터넷 사용 시간은 2011년부터 2015년까지 증가했다. (from A to B) 〈Reading 2〉

→ ______________________________

4 남성 응답자는 소비재를 발명하는 것에 대해 흥미를 나타냈다. (interest in) 〈Reading 4〉

→ ______________________________

TRANSLATION TEST

다음 문장을 끊어 읽고, 우리말로 해석하시오.

1 The above graph shows the numbers of total speakers and native speakers of the five most spoken languages worldwide in 2015. 〈대표 예제〉

→ ______________________________

2 However, Chinese is spoken by the largest number of native speakers worldwide, and Hindi follows Chinese. 〈대표 예제〉

→ ______________________________

3 The percentage of people who mostly watch news videos on news sites in France is higher than that in Germany. 〈Reading 1〉

→ ______________________________

4 Japan is the country that has the lowest percentage of people who mostly watch news videos via social networks. 〈Reading 1〉

→ ______________________________

5 The above graph shows the average time that Americans spent on the Internet with each device daily from 2011 to 2015. 〈Reading 2〉

→ ______________________________

6 In 2014, Internet usage time by mobiles was longer than that by desktops or laptops. 〈Reading 2〉

→ ______________________________

7 39.3% of children watch TV every day, which is the highest percentage of all. 〈Reading 3〉

→ ______________________________

8 The percentage of children who spend 1-2 days using smartphones is twice as large as that of children who spend 1-2 days watching TV. 〈Reading 3〉

→ ______________________________

9 Among the five invention categories, the highest percentage of male respondents showed interest in inventing consumer products. 〈Reading 4〉

→ ______________________________

10 In the category of other invention, the percentage of respondents from each gender group was less than 10 percent. 〈Reading 4〉

→ ______________________________

UNIT 04 세부 정보 파악하기

• 정답과 해설 50쪽

WORD TEST

A 다음 영어에 해당하는 우리말을 쓰시오.

1 behavior ______________
2 flight ______________
3 temperature ______________
4 generate ______________
5 take in ______________
6 feather ______________
7 layer ______________
8 surrounding ______________
9 extreme ______________
10 shiver ______________
11 actively ______________
12 childhood ______________
13 approve ______________
14 escape ______________
15 congresswoman ______________
16 inspiration ______________
17 portrait ______________
18 sight ______________
19 weigh ______________
20 shiny ______________

B 다음 우리말에 해당하는 영어를 쓰시오.

1 승객 ______________
2 조절하다 ______________
3 불행하게도 ______________
4 부상 ______________
5 직업; 경력 ______________
6 학위 ______________
7 ~을 따서 이름 짓다 ______________
8 겁먹은, 무서워하는 ______________
9 ~을 전공하다 ______________
10 감탄하다 ______________
11 ~에 반대하여 ______________
12 개입 ______________
13 확대 ______________
14 개발; 발달, 성장 ______________
15 다 자란; 성숙한 ______________
16 사라지다 ______________
17 구별하다 ______________
18 닮다, 비슷하다 ______________
19 이점 ______________
20 갈망, 바람 ______________

WRITING TEST

A 다음 우리말과 일치하도록 주어진 말을 바르게 배열하시오.

1 그녀는 간호사가 승객을 돌봐야 한다고 제안했다. 〈대표 예제〉

→ ______________________________

(suggested, take care of, nurses, that, she, should, passengers)

2 수컷은 나이가 들면서, 몸통 색깔은 더 밝아진다. 〈Reading 2〉

→ ______________________________

(the males, grow older, becomes lighter, as, the body color)

3 이러한 이점은 온혈동물이 일 년 내내 먹이를 찾을 수 있게 해 준다. 〈Reading 3〉

→ ______________________________

(enables, to look for food, this advantage, warm-blooded animals, year round)

4 그녀가 화가가 되려고 결심했을 때 그녀의 가족은 찬성하지 않았다. 〈Reading 4〉

→ ______________________________

(when, an artist, approve, to become, her family, decided, she, did not)

B 다음 우리말과 일치하도록 주어진 표현을 이용하여 문장을 쓰시오.

1 그녀는 여성의 권리와 빈민들을 지지하는 목소리를 냈다. (speak out for) 〈Reading 1〉

→ ______________________________

2 수컷과 암컷 chuckwalla를 구별하기는 쉽지 않다. (distinguish between A and B) 〈Reading 2〉

→ ______________________________

3 그들은 음식을 에너지로 바꿈으로써 열을 발생시킨다. (turn A into B) 〈Reading 3〉

→ ______________________________

4 Cassatt은 70세에 시력을 잃었다. (lose one's sight) 〈Reading 4〉

→ ______________________________

TRANSLATION TEST

다음 문장을 끊어 읽고, 우리말로 해석하시오.

1 Unfortunately, a car accident injury forced her to end her career after only eighteen months. 〈대표 예제〉

→ ______________________________

2 Ellen Church Field Airport in her hometown, Cresco, was named after her. 〈대표 예제〉

→ ______________________________

3 After she graduated from Brooklyn College in 1946, she became a teacher and kept on studying. 〈Reading 1〉

→ ______________________________

4 She received a master's degree in elementary education from Columbia University. 〈Reading 1〉

→ ______________________________

5 Chuckwallas are fat lizards, usually 20–25cm long, though they may grow up to 45cm. 〈Reading 2〉

→ ______________________________

6 It is not easy to distinguish between male and female chuckwallas, because young males look like females and the largest females resemble males. 〈Reading 2〉

→ ______________________________

7 Warm-blooded animals have gone through changes in their body and behavior that help regulate body temperature. 〈Reading 3〉

→ ______________________________

8 Warm-blooded animals keep heat from escaping by covering themselves with hair, feathers, or layers of fat. 〈Reading 3〉

→ ______________________________

9 She admired the work of Edgar Degas and was able to meet him in Paris, which was a great inspiration. 〈Reading 4〉

→ ______________________________

10 Though she never had children of her own, she loved children and painted portraits of the children of her friends and family. 〈Reading 4〉

→ ______________________________

UNIT 05 실용문 정보 파악하기

WORD TEST

A 다음 영어에 해당하는 우리말을 쓰시오.

1 audition ____________
2 grand prize ____________
3 voting ____________
4 submission ____________
5 participant ____________
6 caution ____________
7 choir ____________
8 selfie ____________
9 background ____________
10 select ____________
11 deadline ____________
12 detail ____________
13 function ____________
14 auditorium ____________
15 winner ____________

B 다음 우리말에 해당하는 영어를 쓰시오.

1 편안한 ____________
2 제공하다 ____________
3 등록 ____________
4 적어도, 최소한 ____________
5 창의적인 ____________
6 대회 ____________
7 제출하다 ____________
8 줄이다 ____________
9 포함하다 ____________
10 상 ____________
11 공연 ____________
12 신입생 ____________
13 출품작 ____________
14 지원자 ____________
15 ~에 참가하다 ____________

• 정답과 해설 51쪽

WRITING TEST

A 다음 우리말과 일치하도록 주어진 말을 바르게 배열하시오.

1 학교 밖에서 과학을 즐기는 셀카 사진을 저희에게 보내세요. 〈대표 예제〉

→ ______________________________

(outside of school, a selfie, us, enjoying science, send)

2 여러분은 사진을 찍는 방법을 배우고 싶은 적이 있나요? 〈Reading 1〉

→ ______________________________

(how, to learn, ever, have you, to take photographs, wanted, ?)

3 가장 유명한 학교 동아리 중 하나가 여러분을 위해 오디션을 개최합니다. 〈Reading 3〉

→ ______________________________

(for you, one of, school clubs, is holding, the most famous, an audition)

4 디자인은 흰색 티셔츠에 인쇄될 것입니다. 〈Reading 4〉

→ ______________________________

(white T-shirts, on, will, printed, designs, be)

B 다음 우리말과 일치하도록 주어진 표현을 이용하여 문장을 쓰시오.

1 물과 간식이 무료로 제공됩니다. (for free) 〈Reading 1〉

→ ______________________________

2 여러분의 시계를 켜려면 길게 누르시오. (turn on) 〈Reading 2〉

→ ______________________________

3 만약 여러분이 오디션에 참가하길 원한다면, 저희에게 이메일을 보내주세요. (participate in) 〈Reading 3〉

→ ______________________________

4 저희는 Radio Music Festival을 위한 티셔츠 디자인을 찾고 있습니다. (look for). 〈Reading 4〉

→ ______________________________

TRANSLATION TEST

다음 문장을 끊어 읽고, 우리말로 해석하시오.

1 Your selfie should include a visit to any science museum or a science activity at home. 〈대표 예제〉

→ ____________________

2 Be as creative as you like, and write one short sentence about the selfie. 〈대표 예제〉

→ ____________________

3 Have you ever wanted to learn how to take photographs using your smartphone or tablet? 〈Reading 1〉

→ ____________________

4 Registration should be made at least 2 days before the program begins. 〈Reading 1〉

→ ____________________

5 Short press to return to the 'home' menu; long press to send SOS location. 〈Reading 2〉

→ ____________________

6 Make sure the battery level of your watch has at least two bars, in order to avoid an upgrading error. 〈Reading 2〉

→ ____________________

7 Happy Voice, one of the most famous school clubs, is holding an audition for you. 〈Reading 3〉

→ ____________________

8 Come and join us for some very exciting performances! 〈Reading 3〉

→ ____________________

9 The one grand prize winner will be chosen by online voting. 〈Reading 4〉

→ ____________________

10 The winners will receive two T-shirts with their design printed on them. 〈Reading 4〉

→ ____________________

글의 주제·제목 찾기

• 정답과 해설 52쪽

WORD TEST

A 다음 영어에 해당하는 우리말을 쓰시오.

1 factor ______
2 glacier ______
3 enemy ______
4 familiarity ______
5 drown ______
6 encounter ______
7 exception ______
8 suffer from ______
9 investment ______
10 storyteller ______
11 hang on ______
12 bit ______
13 currently ______
14 dramatic ______
15 discussion ______
16 further ______
17 be made up of ______
18 saying ______
19 material ______
20 natural ______

B 다음 우리말에 해당하는 영어를 쓰시오.

1 인상적인 ______
2 즉각적인 ______
3 상호 작용 ______
4 반응 ______
5 필수적인 ______
6 극복하다 ______
7 인용하다 ______
8 머뭇거림 ______
9 상호의 ______
10 측면, 양상 ______
11 진정하는 ______
12 고려하다 ______
13 방법 ______
14 속성, 특성 ______
15 만들다, 형성하다 ______
16 보여 주다, 나타내다 ______
17 미세한, 작은 ______
18 역사적인 ______
19 결정하다 ______
20 지식 ______

WRITING TEST

A 다음 우리말과 일치하도록 주어진 말을 바르게 배열하시오.

1 그 작은 여행자들은 점점 더 작아진다. 〈Reading 1〉

→ ______________________________

(travelers, smaller, get, smaller, and, the tiny)

2 우리는 많은 사람들이 교육 부족으로 고통 받는 것을 본다. 〈Reading 2〉

→ ______________________________

(lots of people, we, the lack of education, see, suffer from)

3 사실을 걸 수 있는 못을 제공하는 것은 바로 역사 속의 이야기이다. 〈Reading 3〉

→ ______________________________

(the story in history, the nail, that, is, to hang facts on, it, provides)

4 새로 온 사람은 새 이웃에게 도움을 요청해야 한다고 제안했다. 〈Reading 4〉

→ ______________________________

(ask, a favor, a new neighbor, to do him, a newcomer)

B 다음 우리말과 일치하도록 주어진 표현을 이용하여 문장을 쓰시오.

1 대부분의 모래는 암석의 작은 조각들로 이루어져 있다. (be made up of) 〈Reading 1〉

→ ______________________________

2 만약 당신이 물을 너무 많이 마시면, 죽을 수도 있다. (take in) 〈Reading 2〉

→ ______________________________

3 또 다른 그룹의 학생들은 전통적인 조사 기법에 참여한다. (be involved in) 〈Reading 3〉

→ ______________________________

4 그 이웃은 새로 온 사람에게 부탁을 할 수 있었다. (ask ~ for a favor) 〈Reading 4〉

→ ______________________________

• 정답과 해설 52쪽

TRANSLATION TEST

다음 문장을 끊어 읽고, 우리말로 해석하시오.

1 To choose an item, consumers depend on what they touch with their fingers or how things feel with their skin. 〈대표 예제〉

→ ______

2 In fact, consumers who have a high need for touch tend to like products that provide this opportunity. 〈대표 예제〉

→ ______

3 While some sand is formed in oceans from things like shells and rocks, most sand is made up of tiny bits of rock that came all the way from the mountains! 〈Reading 1〉

→ ______

4 If they're lucky, a river may give them a lift all the way to the coast. 〈Reading 1〉

→ ______

5 In fact, too much of certain things in life can kill you. 〈Reading 2〉

→ ______

6 I haven't yet seen anyone hurt in life by too much education. 〈Reading 2〉

→ ______

7 Storytellers present material in dramatic context to the students, and group discussion follows. 〈Reading 3〉

→ ______

8 The study indicates that the material presented by the storytellers is much more interesting and impressive than the material gained through the traditional method. 〈Reading 3〉

→ ______

9 He that has once done you a kindness will be more ready to do you another than he whom you yourself have obliged. 〈Reading 4〉

→ ______

10 Such asking on the part of the newcomer provided the neighbor with an opportunity to show himself or herself as a good person, at first encounter. 〈Reading 4〉

→ ______

글의 주장·요지 찾기

WORD TEST

A 다음 영어에 해당하는 우리말을 쓰시오.

1 volunteer ____________
2 capacity ____________
3 finding ____________
4 impulsive ____________
5 formation ____________
6 calligrapher ____________
7 consequently ____________
8 float around ____________
9 reminder ____________
10 hit ____________
11 shared ____________
12 raise ____________
13 be engaged in ____________
14 productivity ____________
15 ensure ____________
16 loneliness ____________
17 benefit ____________
18 voluntary ____________
19 mood ____________
20 settle for ____________

B 다음 우리말에 해당하는 영어를 쓰시오.

1 함양하다, 기르다 ____________
2 사고방식, 마음가짐 ____________
3 접근하다; 접근법 ____________
4 영향을 끼치다 ____________
5 얻다, 이루다 ____________
6 생산적인 ____________
7 ~에 만족하다 ____________
8 승진 ____________
9 외로운 ____________
10 풍부하게 하다 ____________
11 목적 ____________
12 기록하다 ____________
13 긍정적으로 ____________
14 목표로 하다 ____________
15 규칙적으로 ____________
16 익히다, 습득하다 ____________
17 동기를 부여하는 것 ____________
18 부담, 짐 ____________
19 조건 ____________
20 도구 ____________

WRITING TEST

A **다음 우리말과 일치하도록 주어진 말을 바르게 배열하시오.**

1 계속하여 하나의 습관을 충분히 오래 들이려고 노력하라. 〈Reading 1〉

→ ____________________

(working on, enough, one habit, long, keep)

2 서예는 연습을 필요로 하고, 여러분은 스스로 연습해야만 한다. 〈Reading 2〉

→ ____________________

(have to, calligraphy, and, yourself, practice, you, requires, train)

3 외로운 환자들이 친구를 사귈 한 가지 확실한 방법이 있다. 〈Reading 3〉

→ ____________________

(one sure way, to make a friend, for, there, lonely patients, is)

4 그가 하루를 어떻게 접근하는가는 그의 삶의 다른 모든 부분에 영향을 끼친다. 〈Reading 4〉

→ ____________________

(everything else, a person, how, the day, approaches, in that person's life, impacts)

B **다음 우리말과 일치하도록 주어진 표현을 이용하여 문장을 쓰시오.**

1 여러분이 자신의 꿈을 글로 적을 때, 여러분은 그것을 실행하기 시작하는 것이다. (put ~ into words, put ~ into action) 〈대표 예제〉

→ ____________________

2 그것은 테니스를 치는 것과 같다. (like) 〈Reading 2〉

→ ____________________

3 자원봉사자들은 그들의 소셜 네트워크를 풍부하게 하는 데에 만족한다. (be satisfied with) 〈Reading 3〉

→ ____________________

4 대부분의 사람들은 그들의 최선보다 덜한 것에 안주한다. (settle for) 〈Reading 4〉

→ ____________________

TRANSLATION TEST

다음 문장을 끊어 읽고, 우리말로 해석하시오.

1 Keeping good ideas floating around in your head is a great way to ensure that they won't happen. 〈대표 예제〉

→ ____________________

2 The only good ideas that come to life are the ones that get written down. 〈대표 예제〉

→ ____________________

3 Keep working on one habit long enough, and not only the habit but other things as well will become easier. 〈Reading 1〉

→ ____________________

4 It's why those people with the right habits seem to do better than others. 〈Reading 1〉

→ ____________________

5 To experience the joy of tennis, you have to learn, to train yourself to play. 〈Reading 2〉

→ ____________________

6 You are happy as a calligrapher only when you have the capacity to do calligraphy. 〈Reading 2〉

→ ____________________

7 First, someone who is lonely might benefit from helping others. 〈Reading 3〉

→ ____________________

8 Also, through a voluntary program they will receive support and help to build their own social network. 〈Reading 3〉

→ ____________________

9 Beginning a day in a good mood leads to working happily and often makes a person more productive in the office. 〈Reading 4〉

→ ____________________

10 This increased productivity unsurprisingly results in better work rewards, such as promotions or raises. 〈Reading 4〉

→ ____________________

밑줄 친 부분 의미 파악하기

• 정답과 해설 54쪽

WORD TEST

A 다음 영어에 해당하는 우리말을 쓰시오.

1 passion ________
2 remark ________
3 employ ________
4 bond ________
5 enhance ________
6 assume ________
7 discourse ________
8 establish ________
9 identity ________
10 obtain ________
11 satisfy ________
12 trait ________
13 maximize ________
14 virtue ________
15 treadmill ________
16 extremely ________
17 silence ________
18 motivate ________
19 sharpen ________
20 definition ________

B 다음 우리말에 해당하는 영어를 쓰시오.

1 대응하다 ________
2 논쟁; 논거 ________
3 화나게 하다 ________
4 화 ________
5 인정하다, 인식하다 ________
6 효과적인 ________
7 주의 깊은 ________
8 개념 ________
9 주장하다 ________
10 미덕이 있는, 덕이 높은 ________
11 배제하다, 제외하다 ________
12 의도적으로 ________
13 개성 ________
14 연관 짓다 ________
15 관대한 ________
16 속이다 ________
17 바람, 갈망 ________
18 반복 ________
19 좇다, 추구하다 ________
20 가치 있는 ________

WRITING TEST

A **다음 우리말과 일치하도록 주어진 말을 바르게 배열하시오.**

1 부족과 과잉 둘 다를 피하는 것이 최상이다. 〈Reading 1〉

→ ______________________________

(both, to avoid, it, deficiency and excess, best, is)

2 가치 있는 것을 만들어 내는 것은 여러 해 동안의 그런 결실 없는 노동을 필요로 할지도 모른다. 〈Reading 2〉

→ ______________________________

(years of such fruitless labor, to produce, may require, valuable, something)

3 은유적 사용은 주제로 (참가자들의) 태도를 가져간다. 〈Reading 3〉

→ ______________________________

(attitudes, metaphor use, brings, the topic, to)

4 그들은 결코 그 쳇바퀴에서 내리지 않을 작정이다. 〈Reading 4〉

→ ______________________________

(never, that treadmill, are determined, to, they, get off)

B **다음 우리말과 일치하도록 주어진 표현을 이용하여 문장을 쓰시오.**

1 그들은 의도적으로 화나게 하는 말을 하고 있을지도 모른다. (on purpose) 〈대표 예제〉

→ ______________________________

2 여러분은 그것을 계속할 수 있도록 동기 부여가 되어 있어야 한다. (be motivated to) 〈Reading 2〉

→ ______________________________

3 Cooper는 사회적 기능에 초점을 맞췄다. (focus on) 〈Reading 3〉

→ ______________________________

4 수백만의 사람들이 돈과 권력을 성공과 연관 짓는다. (associate A with B) 〈Reading 4〉

→ ______________________________

• 정답과 해설 54쪽

TRANSLATION TEST

다음 문장을 끊어 읽고, 우리말로 해석하시오.

1 They know that if they get you to lose your cool you'll say something foolish. 〈대표 예제〉

→ ______________________________

2 Indeed, any attentive listener will admire the fact that you didn't "rise to the bait." 〈대표 예제〉

→ ______________________________

3 The best way is to live at the "sweet spot" that maximizes well-being. 〈Reading 1〉

→ ______________________________

4 Aristotle's suggestion is that virtue is the midpoint, where someone is neither too generous nor too cheap, neither too afraid nor extremely brave. 〈Reading 1〉

→ ______________________________

5 What kept all of these people going when things were going badly was their passion for their subject. 〈Reading 2〉

→ ______________________________

6 Without such passion, they would have achieved nothing. 〈Reading 2〉

→ ______________________________

7 He developed Cohen's idea that an important role of metaphor is to create social bonds. 〈Reading 3〉

→ ______________________________

8 Individuals can make use of shared lists of metaphor to obtain membership themselves and to exclude others. 〈Reading 3〉

→ ______________________________

9 Still millions believe that the next promotion or the next million dollar payday will satisfy their longing to feel better about themselves, or silence their dissatisfaction. 〈Reading 4〉

→ ______________________________

10 We cannot find the answer in our current definition of success alone because — as Gertrude Stein once said of Oakland — "There is no there there". 〈Reading 4〉

→ ______________________________

UNIT 09

가리키는 대상 찾기

WORD TEST

A 다음 영어에 해당하는 우리말을 쓰시오.

1 nod ____________

2 drop ____________

3 lab ____________

4 round trip ____________

5 practice ____________

6 sunset ____________

7 injure ____________

8 vehicle ____________

9 bracelet ____________

10 troubled ____________

11 guilt ____________

12 teenager ____________

13 tear up ____________

14 rival ____________

15 quietly ____________

B 다음 우리말에 해당하는 영어를 쓰시오.

1 패배하다 ____________

2 용서하다 ____________

3 창조하다 ____________

4 축복 ____________

5 불평 ____________

6 구부릴 수 있는 ____________

7 ~을 제거하다 ____________

8 활기찬, 명랑한 ____________

9 성공하다 ____________

10 깨닫다 ____________

11 벌하다, 처벌하다 ____________

12 절망, 좌절 ____________

13 설명하다 ____________

14 상황 ____________

15 바라보다, 응시하다 ____________

WRITING TEST

A **다음 우리말과 일치하도록 주어진 말을 바르게 배열하시오.**

1 Amy는 너무 놀라서 아무것도 할 수 없었다. 〈Reading 1〉

→ ______________________________

(was, surprised, anything, too, Amy, to do)

2 그녀는 너무 자주 넘어져서 발목을 다쳤다. 〈Reading 2〉

→ ______________________________

(had fallen, she, her ankle, so, injured, that, often, she)

3 Gandhi는 그 편지를 그의 아버지께 건넸다. 〈Reading 3〉

→ ______________________________

(his father, handed, to, the letter, Gandhi)

4 그는 나에게 그의 차 열쇠를 가져다줄 수 없어요. 〈Reading 4〉

→ ______________________________

(can't, his car key, me, bring, he)

B **다음 우리말과 일치하도록 주어진 표현을 이용하여 문장을 쓰시오.**

1 그는 그들의 캥거루 꼬리를 없애 주었다. (get rid of) 〈대표 예제〉

→ ______________________________

2 Serene은 자신의 어머니는 결코 실수를 한 적이 없었다고 생각했다. (make a mistake) 〈Reading 1〉

→ ______________________________

3 그의 아버지는 그 편지를 찢었다. (tear up) 〈Reading 3〉

→ ______________________________

4 그냥 제가 운동이 필요했다고 치죠. (let's just say) 〈Reading 4〉

→ ______________________________

TRANSLATION TEST

다음 문장을 끊어 읽고, 우리말로 해석하시오.

1 A god called Moinee was defeated by a rival god called Dromerdeener in a terrible battle up in the stars. 〈대표 예제〉

→ ______________________________

2 He felt pity for them, gave them bendable knees, and got rid of their kangaroo tails so they could finally sit down. 〈대표 예제〉

→ ______________________________

3 As the only new kid in the school, she was pleased to have a lab partner. 〈Reading 1〉

→ ______________________________

4 But Amy wondered if Mina chose her because she had felt sorry for the new kid. 〈Reading 1〉

→ ______________________________

5 Serene's mother said that she herself had tried many times before succeeding at Serene's age. 〈Reading 2〉

→ ______________________________

6 Listening to her mother made her realize that she had to work harder. 〈Reading 2〉

→ ______________________________

7 Gandhi was so troubled by his guilt that one day he decided to tell his father what he had done. 〈Reading 3〉

→ ______________________________

8 From that day on, he always kept his father's tears and love in his heart and went on to be a great leader. 〈Reading 3〉

→ ______________________________

9 Leaving a store, I returned to my car only to find that I'd locked my car key and cell phone inside the vehicle. 〈Reading 4〉

→ ______________________________

10 The boy said, "Call your husband and tell him I'm coming to get his key." 〈Reading 4〉

→ ______________________________

UNIT 10

빈칸 내용 완성하기

• 정답과 해설 56쪽

WORD TEST

A 다음 영어에 해당하는 우리말을 쓰시오.

1 frequently ______________
2 dairy ______________
3 trick ______________
4 inspire ______________
5 proceed ______________
6 rationalize ______________
7 observe ______________
8 domain ______________
9 financial ______________
10 norm ______________
11 consideration ______________
12 particularly ______________
13 internalize ______________
14 make sense of ______________
15 survivor ______________
16 mark ______________
17 attraction ______________
18 decoration ______________
19 literature ______________
20 completely ______________

B 다음 우리말에 해당하는 영어를 쓰시오.

1 특정한 ______________
2 과정 ______________
3 치유하다 ______________
4 정상적으로, 보통 ______________
5 실험 ______________
6 인내 ______________
7 의심하는 ______________
8 신속한 ______________
9 바람직한 ______________
10 이용 가능한 ______________
11 반영하다, 나타내다 ______________
12 의미 ______________
13 전환하다 ______________
14 협력, 협동 ______________
15 관심을 끌다 ______________
16 강조하다 ______________
17 인상 ______________
18 진심 어린 ______________
19 부재 ______________
20 관련된 ______________

WRITING TEST

A 다음 우리말과 일치하도록 주어진 말을 바르게 배열하시오.

1 그게 우리가 자녀들에게 말하는 것이다. 〈Reading 1〉

→ ______________________________

(what, our children, tell, that's, we)

2 그것은 다른 어떤 소비자 변수보다 더 직접적이다. 〈Reading 2〉

→ ______________________________

(more direct, is, any other, it, than, consumer variable)

3 연구자들은 그들에게 더 매력적인 사진을 고르라고 요청했다. 〈Reading 3〉

→ ______________________________

(asked, researchers, to choose, was more attractive, that, them, the photo)

4 많은 남성들은 여성들이 먼저 지나가게 한다. 〈Reading 4〉

→ ______________________________

(women, let, first, many men, pass)

B 다음 우리말과 일치하도록 주어진 표현을 이용하여 문장을 쓰시오.

1 우리 대부분은 신속한 인식을 의심한다. (be suspicious of) 〈Reading 1〉

→ ______________________________

2 이동 거리가 고객 당 판매량과 관련되어 있다. (relate to) 〈Reading 2〉

→ ______________________________

3 연구자들은 그들에게 두 장의 얼굴 사진을 제시했다. (present A with B) 〈Reading 3〉

→ ______________________________

4 그것들은 일반적인 가치를 특정한 행동 규칙으로 전환한다. (translate A into B) 〈Reading 4〉

→ ______________________________

TRANSLATION TEST

다음 문장을 끊어 읽고, 우리말로 해석하시오.

1 Remember when someone accepts your apology it doesn't mean he is fully forgiving you. 〈대표 예제〉

→ ______________________________

2 If the person is truly important to you, it is helpful to give him the time and space needed to heal. 〈대표 예제〉

→ ______________________________

3 We believe that it is always desirable to make the best use of information and time available in careful consideration. 〈Reading 1〉

→ ______________________________

4 In those situations, quick judgments and first impressions give us a better way to make sense of the world. 〈Reading 1〉

→ ______________________________

5 Sometimes, the wall's attraction such as a wall decoration and background music is simply appealing to the senses. 〈Reading 2〉

→ ______________________________

6 In supermarkets, the dairy is often at the back, because people frequently come just for milk. 〈Reading 2〉

→ ______________________________

7 Surprisingly, most participants accepted this photo as their own choice and then proceeded to give arguments for why they had chosen that face in the first place. 〈Reading 3〉

→ ______________________________

8 This revealed a dramatic mismatch between our choices and our ability to rationalize outcomes. 〈Reading 3〉

→ ______________________________

9 Norms such as training children to share toys or solve problems together reflect the value of cooperation. 〈Reading 4〉

→ ______________________________

10 However, the existence of behavior learned from norms is not necessarily proof that the person holds the value and internalized it. 〈Reading 4〉

→ ______________________________

UNIT 11

무관한 문장 찾기

WORD TEST

A 다음 영어에 해당하는 우리말을 쓰시오.

1 audience ______

2 monitor ______

3 assist ______

4 memorize ______

5 respectful ______

6 connection ______

7 grab ______

8 drag ______

9 path ______

10 diversity ______

11 entrance ______

12 route ______

13 checkout ______

14 rating ______

15 review ______

16 purchase ______

17 comment ______

18 public speaking ______

19 interpersonal ______

20 nonverbal ______

B 다음 우리말에 해당하는 영어를 쓰시오.

1 ~에 주의를 기울이다 ______

2 무시하는 ______

3 거만한 ______

4 한계; 제한하다 ______

5 안정된 ______

6 관계 ______

7 의미 있는 ______

8 의견 교환; 교환 ______

9 언어적인 ______

10 부정적인 ______

11 추천 ______

12 잠재력; 잠재적인 ______

13 고찰하다; 검토하다 ______

14 습관적으로 ______

15 강요하다, 압력을 가하다 ______

16 효과 ______

17 살다 ______

18 형성하다 ______

19 ~에도 불구하고 ______

20 바로; 정확히 ______

WRITING TEST

A 다음 우리말과 일치하도록 주어진 말을 바르게 배열하시오.

1 여러분이 다른 배경의 사람들을 더 많이 알수록, 여러분의 삶은 더 다채로워진다. 〈대표 예제〉

→ ______________________________

(the more colorful, of different backgrounds, your life, you, know, the more people, becomes)

2 연사가 자신의 원고를 암기하는 것이 중요하다. 〈Reading 1〉

→ ______________________________

(his script, to memorize, important, is, for the speaker, it)

3 여러분을 위해 상점이 그것을 하게 하라. 〈Reading 2〉

→ ______________________________

(the store, for you, it, do, let)

4 온라인 평가는 사람 간의 직접적인 의견 교환만큼 강력하지는 않다. 〈Reading 3〉

→ ______________________________

(a direct interpersonal exchange, is not, powerful, as, an online comment, as)

B 다음 우리말과 일치하도록 주어진 표현을 이용하여 문장을 쓰시오.

1 청중들(listeners)은 연사의 생각을 받아들일 준비가 되어 있다. (be ready to) 〈Reading 1〉

→ ______________________________

2 쇼핑객들이 많은 다양한 매장을 볼 수 있도록 하라. (look at) 〈Reading 2〉

→ ______________________________

3 많은 사람들이 온라인 추천에 의존한다. (depend on) 〈Reading 3〉

→ ______________________________

4 왜 우리는 하루 중 그렇게 많은 시간을 일하면서 보낼까? (spend + 시간 + -ing) 〈Reading 4〉

→ ______________________________

• 정답과 해설 58쪽

TRANSLATION TEST

다음 문장을 끊어 읽고, 우리말로 해석하시오.

1 Some scientists even believe that the number of people that we can continue to meet for stable relationships might be limited naturally by our brains. 〈대표 예제〉

→ ______________________________

2 Whether that's true or not, it's safe to assume that we can't be real friends with everyone. 〈대표 예제〉

→ ______________________________

3 Audience feedback often indicates whether listeners understand, have interest in, and are ready to accept the speaker's ideas. 〈Reading 1〉

→ ______________________________

4 It helps the speaker know when to slow down, explain things more, and tell the audience that an issue will be talked about later after the speech. 〈Reading 1〉

→ ______________________________

5 Most people, however, would not particularly enjoy having a stranger grab their hand and drag them through a store. 〈Reading 2〉

→ ______________________________

6 This path leads your customers from the entrance through the store on the route you want them to take all the way to the checkout. 〈Reading 2〉

→ ______________________________

7 And young people who rely on them are very likely to be influenced by the Internet when purchasing something. 〈Reading 3〉

→ ______________________________

8 Experts suggest that young people stop wasting their money on unnecessary things and start saving it. 〈Reading 3〉

→ ______________________________

9 As we try to find answers to the questions of cultural diversity, we realize that cultures are not about being right or wrong. 〈Reading 4〉

→ ______________________________

10 We are who we are not in spite of our culture but precisely because of it. 〈Reading 4〉

→ ______________________________

글의 순서 배열하기

• 정답과 해설 59쪽

WORD TEST

A 다음 영어에 해당하는 우리말을 쓰시오.

1 goal ________
2 unfavorable ________
3 write ~ down ________
4 circumstance ________
5 unrealistic ________
6 reward ________
7 realistic ________
8 analyze ________
9 preparation ________
10 develop ________
11 negotiation ________
12 identify ________
13 value ________
14 in return ________
15 environment ________

B 다음 우리말에 해당하는 영어를 쓰시오.

1 ~에 적응하다 ________
2 자신감 ________
3 장애물 ________
4 중요한 ________
5 ~을 다루다[처리하다] ________
6 분명하게 하다 ________
7 증명하다 ________
8 공개하다, 드러내다 ________
9 적절한, 알맞은 ________
10 기꺼이 하려는 의향 ________
11 조화 ________
12 개선하다, 향상시키다 ________
13 조사하다, 연구하다 ________
14 기본적인 ________
15 보통의 ________

WRITING TEST

A **다음 우리말과 일치하도록 주어진 말을 바르게 배열하시오.**

1 얼마나 많은 정보를 공개하는 것이 적절한지에 관한 생각은 문화마다 다르다. 〈대표 예제〉

→ ______________________________

(how much disclosure, appropriate, is, among cultures, ideas about, vary)

2 이 계획은 여러분의 팀이 무엇을 해야 할지에 집중하도록 도와줄 것이다. 〈Reading 2〉

→ ______________________________

(will help, focus on, this plan, your team, to do, what)

3 현실적인 낙관주의자들은 그들이 성공이 일어나게 만들어야 한다고 믿는다. 〈Reading 3〉

→ ______________________________

(they, success, make, realistic optimists, have to, happen, believe)

4 이러한 이슈들을 알아보는 것은 중요하다. 〈Reading 4〉

→ ______________________________

(important, these issues, is, to identify, it)

B **다음 우리말과 일치하도록 주어진 표현을 이용하여 문장을 쓰시오.**

1 아시아인들은 낯선 사람들에게 관심을 보이지 않는다. (reach out to) 〈대표 예제〉

→ ______________________________

2 AI 로봇은 경로에서 장애물을 밀어낼 수도 있다. (try to, push ~ out of) 〈Reading 1〉

→ ______________________________

3 여러분의 계획을 종이에 적는 것은 여러분의 생각을 분명하게 할 것이다. (write ~ down) 〈Reading 2〉

→ ______________________________

4 여러분은 보답으로 가치 있는 어떤 것을 받을 수 있다. (be able to, in return) 〈Reading 4〉

→ ______________________________

TRANSLATION TEST

다음 문장을 끊어 읽고, 우리말로 해석하시오.

1 They do, however, show great care for each other, since they view harmony as essential to improving relationships. 〈대표 예제〉

→ ____________________

2 They work hard to keep outsiders from learning information that is unfavorable. 〈대표 예제〉

→ ____________________

3 For instance, when running into an obstacle the robot will always do the same thing, like going to the left. 〈Reading 1〉

→ ____________________

4 The AI robot may try to push the obstacle out of the way, or make up a new route, or change goals. 〈Reading 1〉

→ ____________________

5 In the design plan, you clarify the issues to solve, state your hypotheses, and list what is required to prove them. 〈Reading 2〉

→ ____________________

6 Developing this plan before you start researching will greatly increase your problem-solving productivity. 〈Reading 2〉

→ ____________________

7 This preparation only increases their confidence in their own ability to get things done. 〈Reading 3〉

→ ____________________

8 They believe that they will be rewarded for their positive thinking and quickly become a person who can overcome obstacles. 〈Reading 3〉

→ ____________________

9 For example, you may not care about when you start your new job. 〈Reading 4〉

→ ____________________

10 But if your potential boss strongly prefers that you start as soon as possible, that's valuable information. 〈Reading 4〉

→ ____________________

UNIT 13

주어진 문장 위치 파악하기

WORD TEST

A 다음 영어에 해당하는 우리말을 쓰시오.

1 breed ____________
2 species ____________
3 association ____________
4 mythology ____________
5 have ~ in common ____________
6 technical ____________
7 interconnected ____________
8 surroundings ____________
9 inspirer ____________
10 be into ____________
11 contribution ____________
12 crew ____________
13 build on ____________
14 accomplishment ____________
15 central ____________
16 rehearsal ____________
17 pressure ____________
18 humor ____________
19 enthusiasm ____________
20 tackle ____________

B 다음 우리말에 해당하는 영어를 쓰시오.

1 다양화하다 ____________
2 보완하다 ____________
3 복잡한 ____________
4 장비 ____________
5 설명 ____________
6 고용하다 ____________
7 제거하다 ____________
8 최소한도, 최저(치) ____________
9 의심할 바 없이 ____________
10 당황스러운 ____________
11 극적으로 ____________
12 상징 ____________
13 긴장감 ____________
14 공유하다 ____________
15 시 ____________
16 의식, 의례 ____________
17 보이다; 전시하다 ____________
18 상반되는; 반대의 ____________
19 헌신 ____________
20 숭배하다 ____________

WRITING TEST

A 다음 우리말과 일치하도록 주어진 말을 바르게 배열하시오.

1 아주 오랫동안 알고 지낸 어린 시절의 친구들은 정말 특별하다. 〈Reading 1〉

→ ______________________________

(you've known forever, childhood friends, are, who, really special)

2 팀이 크면 클수록 다양함의 가능성이 더 많이 존재한다. 〈Reading 2〉

→ ______________________________

(the team, for diversity, the more possibilities, the bigger, exist)

3 학교 도서관에서 소리에 대한 염려는 오늘날 과거에 그랬던 것보다 훨씬 더 복잡하다. 〈Reading 3〉

→ ______________________________

(acoustic concerns, are, more complex, they were in the past, today than, much, in school libraries)

4 때때로, 이러한 부정적인 의견은 당황스럽고 스트레스를 주는 것처럼 보일 수 있다. 〈Reading 4〉

→ ______________________________

(seem, these negative comments, can, overwhelming and stressful, sometimes)

B 다음 우리말과 일치하도록 주어진 표현을 이용하여 문장을 쓰시오.

1 여러분은 랩을 좋아하고 그녀는 팝을 좋아한다. (be into) 〈Reading 1〉

→ ______________________________

2 우리는 그들의 강점이 팀을 어떻게 보완하는지 주의 깊게 볼 필요가 있다. (look into) 〈Reading 2〉

→ ______________________________

3 현대의 학교 도서관은 더 이상 조용한 구역이 아니다. (no longer) 〈Reading 3〉

→ ______________________________

4 긍정적인 성과를 바탕으로 하는 것은 긴장감을 줄일 수 있다. (build on) 〈Reading 4〉

→ ______________________________

TRANSLATION TEST

다음 문장을 끊어 읽고, 우리말로 해석하시오.

1 Of course, within cultures individual attitudes can vary dramatically. 〈대표 예제〉

→ ______________________________

2 Snakes, for example, are honored by some cultures and hated by others. 〈대표 예제〉

→ ______________________________

3 They know everything about you, and you've shared lots of things that you did for the first time. 〈Reading 1〉

→ ______________________________

4 Having friends with other interests keeps life interesting — just think of what you can learn from each other. 〈Reading 1〉

→ ______________________________

5 This may have worked in the past, but today, with interconnected team processes, we don't want all people who are the same. 〈Reading 2〉

→ ______________________________

6 In other words, we are looking for a diversified team where members complement one another. 〈Reading 2〉

→ ______________________________

7 Years ago, before electronic resources, we had only to deal with noise produced by people. 〈Reading 3〉

→ ______________________________

8 Considering this need for library surroundings, it is important to design spaces where noise can be eliminated or at least kept to a minimum. 〈Reading 3〉

→ ______________________________

9 After the technical rehearsal, the theater company will meet with the director, technical managers, and stage manager to review the rehearsal. 〈Reading 4〉

→ ______________________________

10 Time pressures to make these last-minute changes can be a source of stress. 〈Reading 4〉

→ ______________________________

UNIT 14

요약문 완성하기

• 정답과 해설 61쪽

WORD TEST

A 다음 영어에 해당하는 우리말을 쓰시오.

1 bullet ____________
2 psychologist ____________
3 look on ____________
4 adolescent ____________
5 crash ____________
6 randomly ____________
7 assign ____________
8 peer ____________
9 risky ____________
10 discount ____________
11 evolutionary ____________
12 means ____________
13 eye contact ____________
14 force ____________
15 arguably ____________
16 noncooperative ____________
17 continent ____________
18 rearview mirror ____________
19 seek ____________
20 remarkably ____________

B 다음 우리말에 해당하는 영어를 쓰시오.

1 비교하다 ____________
2 부화하다 ____________
3 둥지 ____________
4 제한적인 ____________
5 유연한 ____________
6 길어진, 연장된 ____________
7 지능 ____________
8 초기의 ____________
9 평가하다 ____________
10 똑똑한 ____________
11 기억해내다 ____________
12 의견 ____________
13 증거 ____________
14 ~에 상관없이 ____________
15 인구; 개체군, 개체 수 ____________
16 서식지 ____________
17 까마귀 ____________
18 이동하다, 이주하다 ____________
19 협조적인 ____________
20 상처 ____________

WRITING TEST

A **다음 우리말과 일치하도록 주어진 말을 바르게 배열하시오.**

1 까마귀는 결국 점점 더 크고 더 복잡한 뇌를 가지게 된다. 〈Reading 1〉

→ ______________________________

(bigger, crows, more complex, and, end up with, brains)

2 반대되는 증거가 제시될 때, 그것은 무시될 수 있다. 〈Reading 2〉

→ ______________________________

(opposing evidence, can, is, when, it, discounted, be, presented)

3 음식과 물을 찾는 코끼리들은 다른 곳을 볼 수밖에 없다. 〈Reading 3〉

→ ______________________________

(seeking food and water, elsewhere, are forced, elephants, to look)

4 Steinberg and Gardner는 몇몇 참가자들을 혼자 게임을 하게 했다. 〈Reading 4〉

→ ______________________________

(some participants, Steinberg and Gardner, assigned, to play alone)

B **다음 우리말과 일치하도록 주어진 표현을 이용하여 문장을 쓰시오.**

1 가장 중요한 협동 수단 중 하나는 눈이다. (one of the + 최상급 + 복수 명사) 〈대표 예제〉

→ ______________________________

2 까마귀는 먹이를 위해 둥지에서 부모 새에게 의존한다. (rely on) 〈Reading 1〉

→ ______________________________

3 사람들은 초반의 정보에 근거하여 의견을 형성하는 경향이 있다. (tend to, based on) 〈Reading 2〉

→ ______________________________

4 사람들은 자연의 서식지를 농경지로 바꾼다. (change A into B) 〈Reading 3〉

→ ______________________________

• 정답과 해설 61쪽

TRANSLATION TEST

다음 문장을 끊어 읽고, 우리말로 해석하시오.

1 It is, arguably, the reason why humans can become so noncooperative on the road, although they are normally a quite cooperative species. 〈대표 예제〉

→ ______________________________

2 Sometimes we make eye contact through the rearview mirror, but it feels weak, not quite believable at first, because it is not "face-to-face." 〈대표 예제〉

→ ______________________________

3 However, as adults, chickens have very limited hunting skills, while crows are much more flexible in hunting for food. 〈Reading 1〉

→ ______________________________

4 Their extended period between hatching and leaving the nest enables them to develop intelligence. 〈Reading 1〉

→ ______________________________

5 One group of subjects saw the person solve more problems correctly in the first half. 〈Reading 2〉

→ ______________________________

6 The group that saw the person perform better on the initial examples rated the person as more intelligent. 〈Reading 2〉

→ ______________________________

7 As the human populations grow, their need for land and resources also increases. 〈Reading 3〉

→ ______________________________

8 Without the ability to migrate across the continent, they are cut off from elephant society. 〈Reading 3〉

→ ______________________________

9 Steinberg and Gardner randomly assigned some participants to play alone or with two same-age peers looking on. 〈Reading 4〉

→ ______________________________

10 In contrast, adults behaved in similar ways regardless of whether they were on their own or observed by others. 〈Reading 4〉

→ ______________________________

UNIT 15

알맞은 어법·어휘 찾기

WORD TEST

A 다음 영어에 해당하는 우리말을 쓰시오.

1 sweat ____________

2 previous ____________

3 slide ____________

4 routine ____________

5 pace ____________

6 transformation ____________

7 scale ____________

8 mystery ____________

9 ingredient ____________

10 cultural ____________

11 attention ____________

12 isolation ____________

13 reexamine ____________

14 favor ____________

15 connectedness ____________

B 다음 우리말에 해당하는 영어를 쓰시오.

1 신체적인 ____________

2 화학 물질 ____________

3 인공적인 ____________

4 조건 ____________

5 변화시키다, 바꾸다 ____________

6 다행히도 ____________

7 편안함 ____________

8 금지하다 ____________

9 독특한 ____________

10 끊임없이 ____________

11 이론 ____________

12 결론 ____________

13 발견 ____________

14 가공된 ____________

15 바로잡다, 정정하다 ____________

WRITING TEST

A **다음 우리말과 일치하도록 주어진 말을 바르게 배열하시오.**

1 여러분은 가공식품에 무엇이 들어있는지를 아는가? 〈대표 예제〉

→ ______________________________

(what, in processed foods, is, do you know, ?)

2 하나의 결정은 무시하기 쉽다. 〈Reading 2〉

→ ______________________________

(is, to ignore, a single decision, easy)

3 이것은 우리의 삶을 훨씬 더 쉽고 더 낫게 만든다. 〈Reading 3〉

→ ______________________________

(our lives, easier and better, this, much, makes)

4 그 기술은 그들이 친구들 중 어떤 이가 TV를 보고 있는지를 알 수 있게 했다. 〈Reading 4〉

→ ______________________________

(allowed, which of the friends, the technology, to see, were watching TV, them)

B **다음 우리말과 일치하도록 주어진 표현을 이용하여 문장을 쓰시오.**

1 운동하는 동안 편안함을 주기 위해 옷이 비쌀 필요는 없다. (don't have to) 〈Reading 1〉

→ ______________________________

2 많은 잘못된 선택들은 결국 하나의 문제로 이어진다. (lead to) 〈Reading 2〉

→ ______________________________

3 추측하는 대신에 과학자들은 체계를 따른다. (instead of) 〈Reading 3〉

→ ______________________________

4 연구 참가자들은 문자 채팅을 더 예의 바르다고 여겼다. (view A as B) 〈Reading 4〉

→ ______________________________

TRANSLATION TEST

다음 문장을 끊어 읽고, 우리말로 해석하시오.

1 Food labels are a good way to find the information about the foods you eat. 〈대표 예제〉

→ ______

2 The main purpose of food labels is to inform you what is inside the food you are purchasing. 〈대표 예제〉

→ ______

3 Select clothing appropriate for the temperature and environmental conditions in which you will be doing exercise. 〈Reading 1〉

→ ______

4 In warm environments, clothes that have a wicking capacity are helpful in dissipating heat from body. 〈Reading 1〉

→ ______

5 The slow pace of transformation also makes it difficult to break a bad habit. 〈Reading 2〉

→ ______

6 But when we repeat small errors, day after day, our small choices add up to bad results. 〈Reading 2〉

→ ______

7 Once somebody makes a discovery, others review it carefully before using the information in their own. 〈Reading 3〉

→ ______

8 This way of building new knowledge on older discoveries ensures that scientists correct their mistakes. 〈Reading 3〉

→ ______

9 Social television systems now enable social interaction among TV viewers in different locations. 〈Reading 4〉

→ ______

10 One field study focused on how five friends communicated while watching TV at their homes. 〈Reading 4〉

→ ______

정답과 해설

UNIT 01 글의 목적 찾기

WORD TEST

• 본문 02쪽

A 1 개업, 개점 2 양질의; 질 3 제품, 상품 4 매력적인 5 장소, 위치 6 지점 7 교장 8 A를 B로 바꾸다, 교환하다 9 (~로 하여금) 요구하다; 필요로 하다 10 (학교·수업에) 결석하다, 빠지다 11 정책, 방침 12 품질 보증(서) 13 얻다, 획득하다 14 (출판물의) 호 15 부(서), 과 16 매달의, 월 1회의 17 그 자리에서 바로, 즉석에서 18 교육, 훈련 19 인사의 20 ~하기를 기대하다

B 1 complain 2 work 3 refund 4 employee 5 education 6 receipt 7 dealer 8 announce 9 satisfaction 10 customer 11 athlete 12 opportunity 13 understanding 14 brief 15 subscription 16 renew 17 upcoming 18 complete 19 experience 20 continue

WRITING TEST

• 본문 03쪽

A
1 It is our company's policy that all new employees must gain experience in all departments.
2 We are excited to announce the opening of our new Sunshine Stationery Store.
3 We know how important an education is to the players.
4 Send back the card and you'll continue to receive *Winston Magazine*.

B
1 You complained about a toaster that you bought three weeks ago.
2 We are looking forward to seeing excellent work from you in your new department.
3 Coaches will be attending the game to look for talented student athletes.
4 Renew now to make sure that the service will continue.

TRANSLATION TEST

• 본문 04쪽

1 It didn't work / and so you asked for / a new toaster or a refund.
그것이 작동하지 않아서 귀하는 새 토스터나 환불을 요구하셨습니다.

2 To get your new toaster, / bring your receipt and the toaster / to the dealer.
새 토스터를 받으시려면, 귀하의 영수증과 토스터를 판매인에게 가져가시면 됩니다.

3 As you have completed your three months / in the Sales Department, / it's time to move on / to your next department.
귀하께서는 영업부서에서 3개월을 채웠으므로, 다음 부서로 옮겨야 할 때입니다.

4 From next week, / you will be working / in the Marketing Department.
다음 주부터, 귀하께서는 마케팅부서에서 일하게 될 것입니다.

5 We are glad to welcome you / to the Grand Opening of the Raleigh store / on March 15, 2018.
저희는 2018년 3월 15일 Raleigh 매장의 그랜드 오픈에 귀하를 모시게 되어 기쁩니다.

6 We would love to show you / all the Raleigh store products / and hope to see you there / on the 15th!
저희는 Raleigh 매장의 모든 상품을 보여 드리고 싶고, 15일에 귀하를 그곳에서 뵙기를 바랍니다!

7 So, / the games / can be a great opportunity / for young soccer players to show / what they can do as athletes.
그래서, 그 경기는 어린 축구 선수들에게 운동선수로서 자신이 잘 할 수 있는 것을 보여 줄 엄청난 기회가 될 수 있습니다.

8 We hope / that you allow the players of your school to be absent / during this event.
저희는 귀하께서 학교의 선수들이 이 대회 동안 결석하는 것을 허락해 주시길 바랍니다.

9 Your subscription to *Winston Magazine* / will end soon / and we haven't heard from you / about renewing it.
당신의 〈Winston Magazine〉 구독 기간이 곧 만료되는데, 저희는 그것의 갱신에 대해 당신으로부터 (아무것도) 듣지 못했습니다.

10 To make it as easy as possible / for you to act now, / we've sent a reply card / for you to complete.
지금 가능한 한 쉽게 당신이 행동할 수 있도록, 저희는 당신이 작성할 회신용 카드를 보냈습니다.

UNIT
02 글의 심경·분위기 파악하기

WORD TEST

● 본문 05쪽

A 1 잠수하다 2 긴장을 풀다 3 (더 넓은 범위로) 퍼지다 4 ~할 준비가 되다 5 들어 올리다 6 풍속 7 ~하는 데 어려움을 겪다 8 보호하다 9 수면, 표면 10 멋진 11 나무의 몸통 12 몸[자세]을 뒤집다 13 사라지다 14 묶다 15 가죽 16 결혼식 17 상상하다, 마음속에 그리다 18 흥겨운 19 흔들다 20 ~의 속을 들여다 보다, 주의 깊게 살펴보다

B 1 label 2 run out 3 celebration 4 shine 5 mild 6 breeze 7 slight 8 remove 9 concern 10 scent 11 freeze 12 control 13 clap 14 appear 15 report 16 emergency 17 bump 18 by accident 19 regain 20 sink

WRITING TEST

● 본문 06쪽

A
1 The uniforms were fancier than in middle school.
2 She also felt the warm sun feed her.
3 As soon as the wedding ceremony was over, the celebration began.
4 After the worst is over, I find my whole body loosening up.

B
1 I found that the air in the tank was running out.
2 I could not wait to start my first day at a new school.
3 She slowly turned her body over.
4 The Chief called for Little Fawn to come out.

TRANSLATION TEST

● 본문 07쪽

1 I was diving alone / in about 40 feet of water / when I got a terrible stomachache.
내가 심한 복통을 느꼈을 때 나는 약 40피트의 물속에서 혼자 잠수하고 있었다.

2 I felt / that the animal was lifting me / toward the surface / to save me.
나는 그 동물이 나를 보호하기 위해 나를 수면 위로 들어 올리고 있다는 것을 느꼈다.

3 As a St. Roma student, / I had to wear / a green sweater / with the school label on the shoulder.
St. Roma 학생으로서, 나는 어깨에 학교 표시가 있는 녹색 스웨터를 입어야 했다.

4 While she drove me to school, / I pictured myself / as a high school student.
그녀가 나를 학교에 데려다 주는 동안, 나는 고등학생으로서의 내 자신을 상상했다.

5 Erda lay on her back / in a green field / as she watched sunlight shine / through the leaves / above her.
Erda는 그녀 위쪽의 잎들을 통해 햇살이 비치는 것을 보면서 초원에 등을 대고 누웠다.

6 Then / she pushed her face into the grass / and smelled the scent / of the fresh flowers.
그런 다음 그녀는 자신의 얼굴을 풀밭으로 내밀고 신선한 꽃들의 향기를 맡았다.

7 Fawn and Sam sat on blankets / as young boys and girls began dancing / to flute music and drum beats.
어린 소년들과 소녀들이 피리 음과 북 장단에 맞춰 춤을 추기 시작했을 때 Fawn과 Sam은 담요 위에 앉았다.

8 They danced in circles / while they're making joyful sounds / and shaking their hands / with arms raised over their heads.
그들은 흥겨운 소리를 내고 머리 위로 팔을 올려 손을 흔들며 원을 이뤄 춤을 추었다.

9 Within minutes, / the plane shakes hard, / and I freeze, / feeling like I can't control anything.
몇 분 되지 않아, 비행기가 심하게 흔들리고 나는 아무것도 통제할 수 없다고 느끼며 몸이 굳는다.

10 When I report an emergency to the center, / I bump some levers / by accident.
내가 센터에 비상 상황을 보고하려고 할 때, 나는 우연히 레버에 부딪친다.

UNIT 03 도표 정보 파악하기

WORD TEST

• 본문 08쪽

A 1 목록 2 ~의 뒤를 잇다 3 소비 4 소셜 네트워크 5 주로 6 휴대 전화 7 하루의, 매일의 8 노트북 (컴퓨터) 9 (부분·비율을) 차지하다 10 (시간을) 보내다; (돈을) 쓰다 11 범주 12 탁상용 컴퓨터 13 응답자 14 청소년, 성인기 초반의 사람 15 사용

B 1 invention 2 device 3 popular 4 result 5 overall 6 increase 7 steadily 8 survey 9 worldwide 10 interest 11 female 12 consumer 13 male 14 environmental 15 gender

WRITING TEST

• 본문 09쪽

A
1 The graph shows how people in five countries watch news videos.
2 Internet usage time by mobiles was shorter than that by desktops or laptops.
3 The percentage of children who watch TV is the same as that of children who use smartphones.
4 The percentage of female respondents was twice as high as that of male respondents.

B
1 French has the smallest number of native speakers.
2 Watching news videos on news sites is more popular than via social networks.
3 The total Internet usage time increased from 2011 to 2015.
4 Male respondents showed interest in inventing consumer products.

TRANSLATION TEST

• 본문 10쪽

1 The above graph shows / the numbers of total speakers and native speakers / of the five most spoken languages worldwide / in 2015.
위 그래프는 2015년에 전 세계에서 가장 많이 사용되는 다섯 개 언어의 총 사용자 수와 원어민의 수를 보여 준다.

2 However, / Chinese is spoken / by the largest number of native speakers worldwide, / and Hindi follows Chinese.
하지만 중국어는 전 세계적으로 가장 많은 수의 원어민에 의해 사용되며, 힌두어는 중국어 다음이다.

3 The percentage of people / who mostly watch news videos / on news sites / in France / is higher / than that in Germany.
프랑스에서는 주로 뉴스 사이트에서 뉴스 영상을 시청하는 사람들의 비율이 독일에서보다 더 높다.

4 Japan is the country / that has the lowest percentage of people / who mostly watch news videos / via social networks.
일본은 주로 소셜 네트워크를 통해 뉴스 영상을 시청하는 사람들의 비율이 가장 낮은 국가이다.

5 The above graph shows the average time / that Americans spent on the Internet / with each device daily / from 2011 to 2015.
위 그래프는 2011년에서 2015년까지 기기별로 미국인들이 하루에 인터넷에 사용한 평균 시간을 보여 준다.

6 In 2014, / Internet usage time by mobiles / was longer / than that by desktops or laptops.
2014년에, 휴대 전화로 인터넷을 사용한 시간은 데스크톱이나 노트북으로 사용한 시간보다 더 길었다.

7 39.3% of children / watch TV every day, / which is the highest percentage of all.
39.3퍼센트의 아이들은 매일 TV를 시청하는데, 그 비율은 전체에서 가장 높은 비율이다.

8 The percentage of children / who spend 1-2 days using smartphones / is twice as large as that of children / who spend 1-2 days watching TV.
스마트폰을 사용하는 데 1-2일을 보내는 아이들의 비율은 TV 시청에 1-2일을 보내는 아이들 비율의 두 배 만큼 더 많다.

9 Among the five invention categories, / the highest percentage of male respondents / showed interest in / inventing consumer products.
다섯 개 범주의 발명 분야 중에서, 가장 높은 비율의 남성 응답자가 소비재를 발명하는 것에 대해 흥미를 나타냈다.

10 In the category of other invention, / the percentage of respondents / from each gender group was / less than 10 percent.
기타 발명 범주에서, 각 성별 집단의 응답자 비율은 10퍼센트보다 더 적었다.

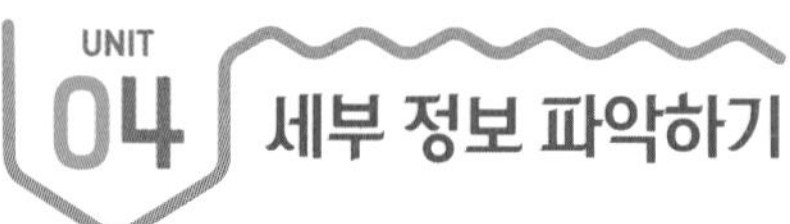

UNIT 04 세부 정보 파악하기

WORD TEST

• 본문 11쪽

A 1 행동 2 비행 3 온도, 기온 4 발생시키다, 만들어 내다 5 ~을 섭취하다 6 깃털 7 층, 겹 8 주위의 9 극도로, 극심한 10 (몸을) 떨다 11 적극적으로 12 어린 시절, 유년 시절 13 찬성하다 14 벗어나다, 빠져 나오다; 피하다 15 여성 하원 의원 16 영감 17 초상화 18 시력 19 무게가 나가다 20 윤기가 나는, 빛나는

B 1 passenger 2 regulate 3 unfortunately 4 injury 5 career 6 degree 7 name after 8 frightened 9 major in 10 admire 11 against 12 involvement 13 expansion 14 development 15 mature 16 disappear 17 distinguish 18 resemble 19 advantage 20 desire

WRITING TEST

• 본문 12쪽

A
1 She suggested that nurses should take care of passengers.
2 As the males grow older, the body color becomes lighter.
3 This advantage enables warm-blooded animals to look for food year round.
4 Her family did not approve when she decided to become an artist.

B
1 She spoke out for civil rights and poor people.
2 It is not easy to distinguish between male and female chuckwallas.
3 They generate heat by turning food into energy.
4 Cassatt lost her sight at the age of seventy.

TRANSLATION TEST

• 본문 13쪽

1 Unfortunately, / a car accident injury / forced her to end her career / after only eighteen months.
불행하게도, 자동차 사고 부상으로 그녀는 겨우 18개월 후에 일을 그만두어야 했다.

2 Ellen Church Field Airport / in her hometown, Cresco, / was named after her.
그녀의 고향인 Cresco에 있는 Ellen Church Field 공항은 그녀의 이름을 따서 붙였다.

3 After she graduated from Brooklyn College / in 1946, / she became a teacher / and kept on studying.
1946년에 Brooklyn 대학을 졸업한 후, 그녀는 교사가 되었고 계속해서 공부를 했다.

4 She received a master's degree / in elementary education from / Columbia University.
그녀는 Columbia 대학교에서 초등 교육 석사 학위를 취득했다.

5 Chuckwallas are fat lizards, / usually 20-25cm long, / though they may grow up to 45cm.
chuckwalla는 45센티미터까지 자랄 수도 있지만 대개 길이가 20~25센티미터인 통통한 도마뱀이다.

6 It is not easy / to distinguish between male and female chuckwallas, / because young males look like females / and the largest females resemble males.
어린 수컷의 생김새는 암컷과 비슷하고 가장 커다란 암컷은 수컷을 닮았기 때문에 수컷과 암컷 chuckwalla를 구별하기는 쉽지 않다.

7 Warm-blooded animals / have gone through changes / in their body and behavior / that help regulate body temperature.
온혈동물은 체온을 조절하는 데 도움이 되는 몸과 행동에서의 변화를 겪어왔다.

8 Warm-blooded animals / keep heat from escaping / by covering themselves / with hair, feathers, or layers of fat.
온혈동물은 털, 깃털, 지방층으로 자신들의 몸을 가림으로써 열이 빠져나가지 못하게 한다.

9 She admired the work of Edgar Degas / and was able to meet him / in Paris, / which was a great inspiration.
그녀는 Edgar Degas의 작품에 감탄했고 파리에서 그를 만날 수 있었는데, 그것은 큰 영감이 되었다.

10 Though she never had children / of her own, / she loved children / and painted portraits of the children / of her friends and family.
비록 그녀는 자기 자녀는 없었지만, 아이들을 사랑했고 그녀의 친구들과 가족의 자녀의 초상화를 그렸다.

UNIT 05 실용문 정보 파악하기

WORD TEST

• 본문 14쪽

A 1 오디션 2 대상 3 투표 4 제출 5 참가자 6 주의 사항 7 합창단 8 셀카 사진 9 배경 화면 10 선택하다 11 마감 기한 12 세부 사항 13 기능 14 강당 15 수상자

B 1 comfortable 2 provide 3 registration 4 at least 5 creative 6 competition 7 submit 8 decrease 9 include 10 prize 11 performance 12 freshman 13 entry 14 applicant 15 participate in

WRITING TEST

• 본문 15쪽

A
1 Send us a selfie enjoying science outside of school.
2 Have you ever wanted to learn how to take photographs?
3 One of the most famous school clubs is holding an audition for you.
4 Designs will be printed on white T-shirts.

B
1 Water and snacks are provided for free.
2 Long press to turn on your watch.
3 If you want to participate in the audition, please email us.
4 We are looking for T-shirt designs for the Radio Music Festival.

TRANSLATION TEST

• 본문 16쪽

1 Your selfie should include / a visit to any science museum / or a science activity at home.
여러분의 셀카 사진에는 과학 박물관 방문이나 집에서 하는 과학 활동이 포함되어야 합니다.

2 Be as creative as you like, / and write one short sentence / about the selfie.
마음껏 창의력을 발휘하여 셀카 사진에 관한 하나의 짧은 문장 하나를 써 주세요.

3 Have you ever wanted to learn / how to take photographs / using your smartphone or tablet?
여러분은 자신의 스마트폰이나 태블릿을 사용하여 사진을 찍는 방법을 배우고 싶은 적이 있나요?

4 Registration should be made / at least 2 days / before the program begins.
등록은 프로그램 시작 최소 2일 전까지 이루어져야 합니다.

5 Short press / to return to the 'home' menu; / long press / to send SOS location.
'홈' 메뉴로 돌아가려면 짧게 누르시오. 구조 요청 위치 정보를 보내려면 길게 누르시오.

6 Make sure / the battery level of your watch / has at least two bars, / in order to avoid an upgrading error.
업그레이드 오류를 피하기 위하여, 반드시 시계의 배터리 잔량 표시가 최소 두 칸은 되도록 하십시오.

7 Happy Voice, / one of the most famous school clubs, / is holding an audition for you.
가장 유명한 학교 동아리 중 하나인 Happy Voice가 여러분을 위해 오디션을 개최합니다.

8 Come and join us / for some very exciting performances!
아주 신나는 공연을 위해 와서 우리와 함께 하세요!

9 The one grand prize winner / will be chosen by online voting.
대상 수상자 한 명은 온라인 투표를 통해 선택될 것입니다.

10 The winners will receive / two T-shirts with their design printed on them.
수상자들은 자신의 디자인이 인쇄된 티셔츠 두 장을 받을 것입니다.

UNIT 06 글의 주제·제목 찾기

WORD TEST

• 본문 17쪽

A 1 요인, 요소 2 빙하 3 적 4 친밀감 5 물에 빠뜨리다, 익사하다 6 만남 7 예외, 제외 8 ~로부터 고통 받다 9 투자 10 스토리텔러, 이야기꾼 11 ~을 걸다[매달다] 12 (한) 조각 13 현재, 지금 14 극적인 15 토의 16 더, 더욱 더 17 ~(으)로 구성되다[이루어지다] 18 격언, 속담 19 천, 직물 20 당연한

B 1 impressive 2 immediate 3 interaction 4 response 5 essential 6 overcome 7 cite 8 hesitancy 9 mutual 10 aspect 11 soothing 12 consider 13 method 14 property 15 form 16 indicate 17 tiny 18 historical 19 determine 20 knowledge

WRITING TEST

• 본문 18쪽

A
1 The tiny travelers get smaller and smaller.
2 We see lots of people suffer from the lack of education.
3 It is the story in history that provides the nail to hang facts on.
4 A newcomer ask a new neighbor to do him a favor.

B
1 Most sand is made up of tiny bits of rock.
2 If you take in too much water, it could kill you.
3 Another group of students is involved in traditional research technique.
4 The neighbor could ask the newcomer for a favor.

TRANSLATION TEST

• 본문 19쪽

1 To choose an item, / consumers depend on / what they touch / with their fingers / or how things feel / with their skin.
물건을 고르기 위해, 소비자들은 손가락으로 만지거나 피부로 느끼는 것에 의존한다.

2 In fact, / consumers who have a high need for touch / tend to like products / that provide this opportunity.
실제로, 촉감에 대한 욕구가 많은 소비자들은 이런 기회를 제공하는 제품을 좋아하는 경향이 있다.

3 While some sand is formed in oceans / from things like shells and rocks, / most sand is made up of tiny bits of rock / that came all the way from the mountains!
어떤 모래는 조개껍데기나 암초와 같은 것들로부터 바다에서 만들어지기도 하지만, 대부분의 모래는 멀리 산맥에서 온 암석의 작은 조각들로 이루어져 있다!

4 If they're lucky, / a river may give them a lift / all the way to the coast.
만약 운이 좋다면, 강물이 그것들을 해안까지 내내 실어다 줄지도 모른다.

5 In fact, / too much of certain things / in life / can kill you.
실제로, 삶에서 어떤 것은 과도하면 당신을 죽일 수 있다.

6 I haven't yet seen anyone / hurt in life / by too much education.
나는 너무 많은 교육으로 인해 삶에서 피해를 본 사람을 아직 본 적이 없다.

7 Storytellers present material / in dramatic context / to the students, / and group discussion follows.
스토리텔러들은 자료를 극적인 맥락에 넣어 학생들에게 제시하고, 그룹 토의가 이어진다.

8 The study indicates / that the material presented by the storytellers / is much more interesting and impressive / than the material gained through the traditional method.
이 연구는 스토리텔러들에 의해 제시된 자료가 전통적인 방법을 통해 얻은 자료보다 훨씬 더 흥미롭고 인상적이라는 것을 보여 준다.

9 He that has once done you a kindness / will be more ready to do you another / than he whom you yourself have obliged.
너에게 친절을 행한 적이 있는 사람은 네가 친절을 베풀었던 사람보다도 너에게 또 다른 친절을 행할 준비가 더 되어 있을 것이다.

10 Such asking on the part of the newcomer / provided the neighbor with an opportunity to / show himself or herself / as a good person, / at first encounter.
새로 온 사람 쪽에서의 그러한 요청은 이웃에게 자신을 좋은 사람으로 보여 줄 수 있는 기회를 첫 만남에서 제공했던 것이다.

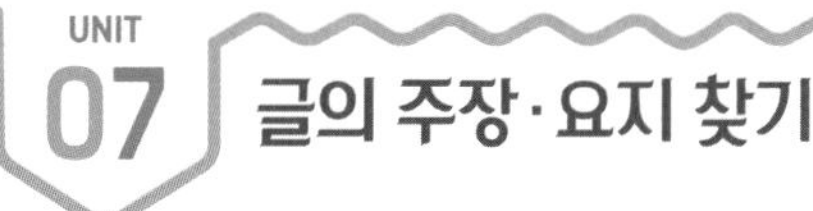

UNIT 07 글의 주장·요지 찾기

WORD TEST

• 본문 20쪽

A 1 자원봉사하다; 자원봉사자 2 능력 3 (조사·연구 등의) 발견 4 충동적인 5 형성 6 서예가 7 결과적으로 8 (생각·소문 등이) 떠돌다 9 상기시키는 것, 생각나게 하는 것 10 (특정 수량·수준에) 이르다 11 공통된, 공유된 12 임금 인상 13 ~에 관여(참여)하다 14 생산성 15 반드시 ~하게 하다; 보장하다 16 외로움 17 혜택을 받다 18 자발적인; 자원봉사의 19 기분 20 ~에 안주하다

B 1 cultivate 2 mindset 3 approach 4 impact 5 attain 6 productive 7 be satisfied with 8 promotion 9 lonely 10 enrich 11 purpose 12 record 13 positive 14 aim 15 regularly 16 acquire 17 motivator 18 burden 19 condition 20 tool

WRITING TEST

• 본문 21쪽

A 1 Keep working on one habit long enough.
2 Calligraphy requires practice, and you have to train yourself.
3 There is one sure way for lonely patients to make a friend.
4 How a person approaches the day impacts everything else in that person's life.

B 1 When you put your dreams into words, you begin putting them into action.
2 It's like playing tennis.
3 Volunteers are satisfied with enriching their social network.
4 Most people settle for less than their best.

TRANSLATION TEST

• 본문 22쪽

1 Keeping good ideas floating around / in your head / is a great way to ensure / that they won't happen.
좋은 아이디어를 머릿속에 계속 떠돌게 하는 것은 그것이 이루어지지 않도록 확실히 하는 데 훌륭한 방법이다.
2 The only good ideas / that come to life / are the ones / that get written down.
생명력을 얻는 유일한 좋은 아이디어는 (여러분이) 적어두는 아이디어들이다.
3 Keep working on one habit long enough, / and not only the habit but other things as well / will become easier.
계속하여 하나의 습관을 충분히 오래 들이려고 노력하라. 그러면 그 습관뿐만 아니라 다른 일들 또한 더 쉬워질 것이다.
4 It's why those people / with the right habits / seem to do better than others.
이것이 올바른 습관을 가진 사람들이 다른 사람들보다 더 뛰어나 보이는 이유이다.
5 To experience the joy of tennis, / you have to learn, to train yourself to play.
테니스의 즐거움을 경험하기 위해서는, 여러분은 (테니스를) 치는 법을 배우고, 스스로 연습해야만 한다.
6 You are happy / as a calligrapher / only when you have the capacity / to do calligraphy.
여러분은 서예를 할 능력이 있을 때만 서예가로서 행복하다.
7 First, / someone who is lonely / might benefit / from helping others.
첫째, 외로운 사람은 다른 사람들을 돕는 것으로부터 혜택을 받을지도 모른다.
8 Also, / through a voluntary program / they will receive support / and help to build their own social network.
또한, 자발적인 프로그램을 통해서 그들은 지원을 받고 자신들만의 소셜 네트워크를 형성하는 것을 도울 것이다.
9 Beginning a day / in a good mood / leads to working happily / and often makes a person more productive / in the office.
좋은 기분으로 하루를 시작하는 것은 행복하게 일하는 것으로 이어지고, 종종 사무실에서 사람을 더 생산적으로 만든다.
10 This increased productivity / unsurprisingly / results in better work rewards, / such as promotions or raises.
이러한 향상된 생산성은 놀랍지 않게도 승진이나 임금 인상과 같이 더 나은 업무 보상이란 결과를 낳는다.

UNIT 08 밑줄 친 부분 의미 파악하기

WORD TEST

• 본문 23쪽

A 1 열정 2 발언 3 사용하다 4 유대 5 높이다, 향상시키다 6 가정하다 7 담화 8 확립(설립)하다 9 정체성 10 얻다, 획득하다 11 충족시키다, 만족시키다 12 특성 13 극대화하다 14 미덕 15 쳇바퀴 16 매우, 대단히; 극히 17 잠재우다, 잠잠하게 하다 18 ~할 동기를 부여하다 19 (날카롭게) 깎다; 연마하다 20 정의

B 1 respond 2 argument 3 annoy 4 temper 5 recognize 6 effective 7 attentive 8 concept 9 argue 10 virtuous 11 exclude 12 deliberately 13 personality 14 associate 15 generous 16 deceive 17 longing 18 repetition 19 chase 20 valuable

WRITING TEST

• 본문 24쪽

A 1 It is best to avoid both deficiency and excess.
2 To produce something valuable may require years of such fruitless labor.
3 Metaphor use brings attitudes to the topic.
4 They are determined to never get off that treadmill.

B 1 They may be saying annoying things on purpose.
2 You need to be motivated to keep doing it.
3 Cooper focused on the social function.
4 Millions of people associate money and power with success.

TRANSLATION TEST

● 본문 25쪽

1 They know / that if they get you to lose your cool / you'll say something foolish.
그들은 만약 자신들이 여러분의 침착함을 잃게 한다면 여러분이 어리석은 말을 할 것이라는 것을 알고 있다.

2 Indeed, / any attentive listener / will admire the fact / that you didn't "rise to the bait."
정말로, 주의 깊은 청자라면 누구라도 여러분이 '미끼를 물지' 않았다는 사실에 감탄할 것이다.

3 The best way is / to live at the "sweet spot" / that maximizes well-being.
최상의 방법은 행복을 극대화하는 'sweet spot'에 사는 것이다.

4 Aristotle's suggestion is that virtue is the midpoint, / where someone is neither too generous nor too cheap, / neither too afraid nor extremely brave.
아리스토텔레스의 제안은 미덕이 중간 지점이라는 것인데, 이는 누군가가 너무 관대하지도, 너무 인색하지도, 너무 두려워하지도, 극단적으로 용감하지도 않은 지점이다.

5 What kept all of these people going / when things were going badly / was their passion / for their subject.
상황이 악화되고 있을 때 이 모든 사람들을 계속하게 했던 것은 자신들의 주제에 대한 그들의 열정이었다.

6 Without such passion, / they would have achieved nothing.
만약 그러한 열정이 없었다면, 그들은 아무것도 이루지 못했을 것이다.

7 He developed Cohen's idea / that an important role of metaphor is / to create social bonds.
그는 은유의 중요한 역할은 사회적 유대를 만드는 것이라는 Cohen의 생각을 발전시켰다.

8 Individuals can make use of / shared lists of metaphor / to obtain membership themselves / and to exclude others.
개인들은 회원 자격을 스스로 얻고 다른 사람들을 배제하기 위해서 공유된 은유 목록을 사용할 수 있다.

9 Still millions believe / that the next promotion / or the next million dollar payday / will satisfy their longing / to feel better about themselves, / or silence their dissatisfaction.
여전히 수백만 명이 다음 번 승진이나 다음 번 고액 월급을 받는 날이 스스로에 대해 더 좋게 느끼고자 하는 그들의 바람을 충족시켜 주거나 그들의 불만족을 잠재워 줄 것이라고 믿는다.

10 We cannot find the answer / in our current definition of success alone / because / — as Gertrude Stein once said of Oakland — / "There is no there there".
우리는 성공에 대한 현재의 정의만으로는 정답을 찾을 수 없는데, 왜냐하면 언젠가 Gertrude Stein이 Oakland에 대해 말했듯이, '그곳에는 그곳이 없기' 때문이다.

가리키는 대상 찾기

WORD TEST

● 본문 26쪽

A 1 (고개를) 끄덕이다 2 내려놓다 3 실험실 4 왕복 5 연습하다 6 석양, 일몰 7 다치다 8 차, 교통수단 9 팔찌 10 괴로워하는 11 죄책감; 유죄 12 십 대 13 (종이를) 갈기갈기 찢다[파기하다] 14 경쟁하는 15 조용히; 침착하게

B 1 defeat 2 forgive 3 create 4 blessing 5 complaint 6 bendable 7 get rid of 8 cheerful 9 succeed 10 realize 11 punish 12 frustration 13 explain 14 situation 15 stare

WRITING TEST

● 본문 27쪽

A 1 Amy was too surprised to do anything.
2 She had fallen so often that she injured her ankle.
3 Gandhi handed the letter to his father.
4 He can't bring me his car key.

B 1 He got rid of their kangaroo tails.
2 Serene thought that her mother had never made a mistake.
3 His father tore up the letter. [His father tore the letter up.]
4 Let's just say I needed the exercise.

TRANSLATION TEST

● 본문 28쪽

1 A god called Moinee was defeated / by a rival god called Dromerdeener / in a terrible battle / up in the stars.
Moinee라는 신이 별에서의 끔찍한 전투에서 Dromerdeener라는 경쟁 상대인 신에게 패배했다.
2 He felt pity for them, / gave them bendable knees, / and got rid of their kangaroo tails / so they could finally sit down.
그는 그들을 불쌍히 여겨서 그들에게 구부릴 수 있는 무릎을 주었고, 캥거루 같은 꼬리를 제거해서, 그들은 마침내 앉을 수 있었다.
3 As the only new kid in the school, / she was pleased / to have a lab partner.
학교의 유일한 전학생으로서, 그녀는 실험실 파트너가 생겨서 기뻤다.
4 But Amy wondered / if Mina chose her / because she had felt sorry for the new kid.
하지만 Amy는 그녀가 전학생을 안쓰럽게 여겼기 때문에 자신을 선택한 것인지 아닌지가 궁금했다.
5 Serene's mother said / that she herself had tried many times / before succeeding / at Serene's age.
Serene의 어머니는 자기 자신이 Serene의 나이였을 때 성공해 내기 전에 여러 번 (동작을) 시도했다고 말했다.
6 Listening to her mother / made her realize / that she had to work harder.
어머니의 말을 듣고 그녀는 자신이 더 열심히 노력해야 한다고 깨달았다.
7 Gandhi was so troubled / by his guilt / that one day / he decided to tell his father / what he had done.
Gandhi는 죄책감으로 너무 괴로워서 어느 날 그는 아버지에게 그가 저지른 일을 말하기로 결심했다.
8 From that day on, / he always kept / his father's tears and love / in his heart / and went on to be a great leader.
그날 이후 쭉, 그는 항상 아버지의 눈물과 사랑을 그의 마음에 간직했고 계속 나아가 위대한 지도자가 되었다.
9 Leaving a store, / I returned to my car only to find / that I'd locked / my car key and cell phone inside the vehicle.
가게를 떠난 뒤, 나는 내 차로 돌아와서 내가 차 안에 나의 차 열쇠와 휴대 전화를 넣고 문을 잠갔다는 것을 알게 됐다.
10 The boy said, / "Call your husband / and tell him / I'm coming to get his key."
그 소년은 말했다. "남편에게 전화해서 그의 차 열쇠를 제가 가지러 간다고 말씀하세요."

UNIT 10 빈칸 내용 완성하기

WORD TEST

● 본문 29쪽

A 1 자주, 흔히 2 유제품 3 속임수 4 영감을 주다 5 계속해서 ~하다 6 합리화하다 7 관찰하다 8 분야, 영역 9 금전상의 10 규범 11 숙고 12 특히 13 내재화하다 14 ~을 파악하다[이해하다] 15 생존자 16 나타내다, 표시하다 17 매력 요소, 사람의 관심을 끄는 것 18 장식물 19 문헌; 문학 20 완전히

B 1 specific 2 process 3 heal 4 normally 5 experiment 6 patience 7 suspicious 8 rapid 9 desirable 10 available 11 reflect 12 significance 13 translate 14 cooperation 15 appeal 16 emphasize 17 impression 18 sincere 19 absence 20 relevant

WRITING TEST

● 본문 30쪽

A 1 That's what we tell our children.
2 It is more direct than any other consumer variable.
3 Researchers asked them to choose the photo that was more attractive.
4 Many men let women pass first.

B 1 Most of us are suspicious of rapid cognition.
2 Travel distance relates to sales per customer.
3 Researchers presented them with two photos of faces.
4 They translate a general value into specific behavioral rules.

TRANSLATION TEST

● 본문 31쪽

1 Remember / when someone accepts your apology / it doesn't mean / he is fully forgiving you.
어떤 사람이 여러분의 사과를 받아들인다고 해서 그가 여러분을 완전히 용서하고 있다는 것은 아니라는 것을 기억하라.

2 If the person is truly important to you, / it is helpful / to give him the time and space / needed to heal.
만약 그 사람이 여러분에게 진정으로 중요하다면, 그에게 치유하는 데 필요한 시간과 공간을 주는 것이 도움이 된다.

3 We believe / that it is always desirable / to make the best use of information and time available / in careful consideration.
우리는 이용 가능한 정보와 시간을 신중하게 고려하여 최대한 활용하는 것이 항상 바람직하다고 생각한다.

4 In those situations, / quick judgments and first impressions / give us a better way / to make sense of the world.
그러한 상황 속에서, 재빠른 판단과 첫인상은 우리에게 세상을 파악하는 더 나은 방법을 제공한다.

5 Sometimes, / the wall's attraction / such as a wall decoration and background music / is simply appealing to the senses.
때때로, 그 벽의 매력 요소는 벽장식과 배경 음악과 같이 단순히 감각의 관심을 끄는 것들이다.

6 In supermarkets, / the dairy is often at the back, / because people frequently come / just for milk.
슈퍼마켓에서, 유제품은 흔히 뒤편에 있는데, 사람들이 우유만을 (사기) 위해 자주 오기 때문이다.

7 Surprisingly, / most participants accepted this photo / as their own choice / and then proceeded to give arguments / for why they had chosen that face / in the first place.
놀랍게도, 대부분의 참가자들은 이 사진을 그들 자신의 선택으로 받아들였고, 그런 다음 계속해서 왜 처음에 그들이 그 얼굴을 선택했는지에 대한 논거를 제시했다.

8 This revealed a dramatic mismatch / between our choices and our ability / to rationalize outcomes.
이것은 우리의 선택들과 결과를 합리화하는 우리의 능력 사이의 극적인 불일치를 드러냈다.

9 Norms such as training children / to share toys / or solve problems together / reflect the value of cooperation.
장난감을 공유하도록 하거나 함께 문제를 해결하도록 아이들을 훈련시키는 것과 같은 규범들은 협력의 가치를 반영한다.

10 However, /the existence of behavior learned from norms / is not necessarily proof / that the person holds the value / and internalized it.
하지만, 규범에서 배운 행동의 존재가 반드시 그 사람이 그 가치를 가지고 있고 그것을 내재화했다는 증거인 것은 아니다.

UNIT 11 무관한 문장 찾기

WORD TEST

● 본문 32쪽

A 1 청중 2 주시하다 3 돕다 4 암기하다, 기억하다 5 존중하는 6 관계 7 잡다, 움켜쥐다 8 끌다, 끌고 다니다 9 통로, 길 10 다양성 11 입구 12 경로, 통로 13 계산대 14 평점, 등급 15 후기, 비평 16 구매; 구매(구입)하다 17 논평; 의견, 견해 18 대중 연설 19 사람과 사람 사이의, 대인간의 20 비언어적인

B 1 pay attention to 2 dismissive 3 arrogant 4 limit 5 stable 6 relationship 7 meaningful 8 exchange 9 verbal 10 negative 11 recommendation 12 potential 13 examine 14 habitually 15 press 16 effect 17 inhabit 18 shape 19 in spite of 20 precisely

WRITING TEST

● 본문 33쪽

A 1 The more people you know of different backgrounds, the more colorful your life becomes.
2 It is important for the speaker to memorize his script.
3 Let the store do it for you.
4 An online comment is not as powerful as a direct interpersonal exchange.

B 1 Listeners are ready to accept the speaker's ideas.
2 Let shoppers look at many different departments.
3 Many people depend on online recommendations.
4 Why do we spend so much of each day working?

TRANSLATION TEST

● 본문 34쪽

1 Some scientists even believe / that the number of people / that we can continue to meet / for stable relationships / might be limited naturally / by our brains.
일부 과학자들은 우리가 안정된 관계를 위해 만나는 것을 지속할 수 있는 사람의 수가 우리의 뇌에 의해 자연스럽게 제한되는 것일지도 모른다고까지 믿는다.

2 Whether that's true or not, / it's safe to assume / that we can't be real friends with everyone.
그것이 사실이든 아니든, 우리가 모든 사람과 진정한 친구가 될 수 있는 것은 아니라고 가정하는 것이 안전하다.

3 Audience feedback often indicates / whether listeners understand, / have interest in, / and are ready to accept / the speaker's ideas.
청중의 피드백은 흔히 청중들이 연사의 생각을 이해하고, 그것에 관심을 갖고, 그것을 받아들일 준비가 되었는지를 보여 준다.

4 It helps the speaker know / when to slow down, / explain things more, / and tell the audience / that an issue will be talked about / later after the speech.
그것은 연사가 언제 속도를 늦출지, 언제 어떤 것을 좀 더 설명할지, 그리고 어떤 주제가 연설이 끝난 후에 논의될 것임을 언제 청중에게 말할지를 파악하도록 돕는다.

5 Most people, / however, / would not particularly enjoy / having a stranger grab their hand / and drag them through a store.
그러나 대부분의 사람들은 특히 낯선 사람이 그들의 손을 잡고 상점 안 여기저기로 끌고 다니도록 하는 것을 좋아하지 않을 것이다.

6 This path leads your customers / from the entrance / through the store / on the route you want them to take / all the way to the checkout.
이 통로는 여러분의 고객들을 그들이 걸었으면 하고 여러분이 바라는 경로로 상점 안 여기저기를 통해 입구에서부터 계산대까지 내내 이끈다.

7 And / young people who rely on them / are very likely to be influenced / by the Internet / when purchasing something.
그리고 그것에 의존하는 젊은 사람들은 물건을 살 때 인터넷에 의해 영향을 받을 가능성이 크다.

8 Experts suggest / that young people stop wasting their money / on unnecessary things / and start saving it.
전문가들은 젊은 사람들이 불필요한 것에 돈을 낭비하기를 그만두고 저축을 시작해야 한다고 권한다.

9 As we try to find answers / to the questions of cultural diversity, / we realize / that cultures are not / about being right or wrong.
우리가 문화적 다양성에 대한 질문들의 답을 찾으려고 노력할 때, 우리는 문화가 옳거나 틀린 것에 대한 것이 아니라는 걸 깨닫는다.

10 We are who we are / not in spite of our culture / but precisely because of it.
우리는 우리의 문화에도 불구하고가 아니라, 바로 우리의 문화 때문에 우리들인 것이다.

UNIT 12 글의 순서 배열하기

WORD TEST

• 본문 35쪽

A 1 목표 2 불리한 3 ~을 적다[기록하다] 4 환경 5 비현실적인 6 보답하다 7 현실적인 8 분석하다 9 준비 10 (계획을) 세우다, 수립하다; 발달시키다 11 협상 12 알아보다, 확인하다 13 소중하게 여기다 14 보답으로 15 환경

B 1 adapt to 2 confidence 3 obstacle 4 vital 5 deal with 6 clarify 7 prove 8 disclose 9 appropriate 10 willingness 11 harmony 12 improve 13 research 14 basic 15 normal

WRITING TEST

• 본문 36쪽

A
1 Ideas about how much disclosure is appropriate vary among cultures.
2 This plan will help your team focus on what to do.
3 Realistic optimists believe they have to make success happen.
4 It is important to identify these issues.

B
1 Asians do not reach out to strangers.
2 The AI robot may try to push the obstacle out of the way.
3 Writing your plan down on paper will clarify your thoughts.
4 You are able to get something of value in return.

TRANSLATION TEST

• 본문 37쪽

1 They do, / however, / show great care for each other, / since they view harmony / as essential to improving relationships.
그러나 그들은 관계를 발전시키는 데 조화가 필수적이라고 간주하기 때문에 정말 서로를 매우 배려하는 모습을 보인다.

2 They work hard / to keep outsiders from learning information / that is unfavorable.
그들은 불리한 정보를 외부인들이 얻지 못하도록 열심히 노력한다.

3 For instance, / when running into an obstacle / the robot will always do the same thing, / like going to the left.
예를 들어, 장애물을 우연히 마주칠 때, 그 로봇은 항상 왼쪽으로 가는 것과 같이 똑같은 행동을 할 것이다.

4 The AI robot may try to / push the obstacle out of the way, / or make up a new route, / or change goals.
AI 로봇은 경로에서 장애물을 밀어내거나, 새로운 경로를 만들거나, 목표를 바꾸려고 할 수도 있다.

5 In the design plan, / you clarify the issues to solve, / state your hypotheses, / and list what is required to prove them.
그 설계 계획에서, 여러분은 해결하려는 문제를 분명히 하고, 여러분의 가설을 진술하고, 그 가설들을 증명하는 데 필요한 것의 목록을 만든다.

6 Developing this plan / before you start researching / will greatly increase / your problem-solving productivity.
조사를 시작하기 전에 이러한 계획을 세우는 것이 여러분의 문제 해결의 생산성을 크게 증가시킬 것이다.

7 This preparation only increases their confidence / in their own ability / to get things done.
이런 준비만이 일이 수행될 수 있게 만드는 그들 자신의 능력에 대한 그들의 자신감을 높여준다.

8 They believe / that they will be rewarded for their positive thinking / and quickly become a person / who can overcome obstacles.
그들은 그들이 자신들의 모든 긍정적인 사고에 대해 보상받을 것이고, 장애물을 극복할 수 있는 사람이 빨리 될 거라고 믿는다.

9 For example, / you may not care about / when you start your new job.
예를 들어, 여러분은 언제 새로운 직장 생활을 시작하는지 신경 쓰지 않을 수도 있다.

10 But / if your potential boss strongly prefers / that you start as soon as possible, / that's valuable information.
그러나 장차 여러분의 상사가 될 사람이 여러분이 가능한 한 빨리 일을 시작하기를 강력히 원한다면, 그것은 귀중한 정보이다.

UNIT 13

주어진 문장 위치 파악하기

WORD TEST

• 본문 38쪽

A 1 기르다 2 종 3 협회 4 신화 5 ~을 공통적으로 지니다 6 전문적인; 기술적인 7 상호 연결된 8 환경 9 사기를 불어넣는 사람 10 ~을 좋아하다 11 기여 12 단원 13 ~을 바탕으로 하다 14 성과; 성취 15 중심인, 중심의 16 리허설, (예행) 연습 17 압박, 압력 18 기분, 마음 19 열정 20 (문제를) 해결하다, 다루다

B 1 diversify 2 complement 3 complex 4 equipment 5 instruction 6 hire 7 eliminate 8 minimum 9 undoubtedly 10 overwhelming 11 dramatically 12 symbol 13 nervousness 14 share 15 poetry 16 ritual 17 exhibit 18 opposite 19 devotion 20 honor

WRITING TEST

• 본문 39쪽

A
1 Childhood friends who you've known forever are really special.
2 The bigger the team, the more possibilities exist for diversity.
3 Acoustic concerns in school libraries are much more complex today than they were in the past.
4 Sometimes, these negative comments can seem overwhelming and stressful.

B
1 You're into rap and she's into pop.
2 We need to look into how their strengths complement the team.
3 The modern school library is no longer the quiet zone.
4 Building on positive accomplishments can reduce nervousness.

TRANSLATION TEST

• 본문 40쪽

1 Of course, / within cultures / individual attitudes / can vary dramatically.
물론, (같은) 문화 내에서 개인의 태도는 극적으로 다를 수 있다.

2 Snakes, / for example, / are honored by some cultures / and hated by others.
예를 들어, 뱀은 일부 문화에서는 숭배되고 다른 문화에서는 증오를 받는다.

3 They know everything about you, / and you've shared lots of things / that you did for the first time.
그들은 여러분에 관한 모든 것을 알고 있으며, 여러분은 여러분이 처음으로 했던 많은 일들을 공유해 왔다.

4 Having friends with other interests / keeps life interesting / — just think of / what you can learn from each other.
관심사가 다른 친구들을 갖는 것은 삶을 흥미롭게 하니, 그저 서로에게서 배울 수 있는 것에 대해 생각해 보라.

5 This may have worked in the past, / but today, / with interconnected team processes, / we don't want all people / who are the same.
이것이 과거에는 효과가 있었을지도 모르지만, 오늘날에는 상호 연결된 팀의 업무 과정으로 인해 우리는 전원이 똑같은 사람이기를 원치 않는다.

6 In other words, / we are looking for a diversified team / where members complement one another.
다시 말해서, 우리는 구성원들이 서로를 보완해 주는 다양화된 팀을 찾고 있다.

7 Years ago, / before electronic resources, / we had only to deal with noise / produced by people.
오래 전, 전자 장비들 전에는, 사람들이 만들어 내는 소음을 처리하기만 하면 되었다.

8 Considering this need for library surroundings, / it is important to design spaces / where noise can be eliminated / or at least kept to a minimum.
도서관 환경에 대한 이러한 요구를 고려할 때, 소음이 제거되거나 적어도 최소한으로 유지될 수 있는 공간을 만드는 것이 중요하다.

9 After the technical rehearsal, / the theater company will meet / with the director, technical managers, and stage manager / to review the rehearsal.
테크니컬 리허설(기술적인 부분의 연습) 후에, 극단은 리허설을 검토하기 위해 총감독, 기술 감독들, 그리고 무대 감독과 만날 것이다.

10 Time pressures / to make these last-minute changes / can be a source of stress.
이렇게 마지막 순간에 변경을 해야 하는 시간적 압박은 스트레스의 원인이 될 수 있다.

UNIT 14 요약문 완성하기

WORD TEST

• 본문 41쪽

A 1 총알 2 심리학자 3 지켜보다, 구경하다 4 청소년 5 충돌하다 6 무작위로 7 (~하도록) 임명하다 8 또래 9 위험한; 모험적인 10 무시하다, (무가치한 것으로) 치부하다 11 진화적인 12 수단 13 시선의 마주침 14 힘 15 거의 틀림없이; 주장하건데 16 비협조적인 17 대륙 18 (자동차의) 백미러 19 찾다, 구하다 20 놀랄 만큼

B 1 compare 2 hatch 3 nest 4 limited 5 flexible 6 extended 7 intelligence 8 initial 9 rate 10 intelligent 11 recall 12 opinion 13 evidence 14 regardless of 15 population 16 habitat 17 crow 18 migrate 19 cooperative 20 wound

WRITING TEST

• 본문 42쪽

A
1 Crows end up with bigger and more complex brains.
2 When opposing evidence is presented, it can be discounted.
3 Elephants seeking food and water are forced to look elsewhere.
4 Steinberg and Gardner assigned some participants to play alone.

B
1 One of the most important means of cooperation is the eyes.
2 Crows rely on the parent bird for food in the nest.
3 People tend to form an opinion based on earlier data.
4 People change natural habitats into farmland.

TRANSLATION TEST

• 본문 43쪽

1 It is, arguably, the reason / why humans can become so noncooperative / on the road, / although they are normally a quite cooperative species.
그것이 보통은 인간이 꽤 협동적인 종임에도 불구하고, 도로에서 그렇게 비협조적이 될 수 있는 이유라는 것은 거의 틀림없다.

2 Sometimes we make eye contact / through the rearview mirror, / but it feels weak, / not quite believable at first, / because it is not "face-to-face."
때로 우리는 백미러를 통해 시선을 마주치지만, '얼굴을 마주하고 있는 것'이 아니기 때문에 약하게, 처음에는 전혀 믿을 수 없게 느껴진다.

3 However, / as adults, / chickens have very limited hunting skills, / while crows are much more flexible / in hunting for food.
하지만, 다 자랐을 때 닭은 매우 제한적인 사냥 기술을 지니는 반면, 까마귀는 먹이를 찾는 데 있어서 훨씬 더 유연하다.

4 Their extended period / between hatching and leaving the nest / enables them to develop intelligence.
그들의 부화와 둥지를 떠나는 것 사이에 길어진 기간은 그들이 지능을 발달시키는 것을 가능하게 해 준다.

5 One group of subjects saw / the person solve more problems correctly / in the first half.
한 실험 대상자 집단은 그 사람이 전반부에 더 많은 문제를 정확하게 푸는 것을 보았다.

6 The group / that saw the person perform better / on the initial examples / rated the person as more intelligent.
그 사람이 초반의 예제에서 더 잘 하는 것을 본 집단은 그 사람을 더 똑똑하다고 평가했다.

7 As the human populations grow, / their need for land and resources also increases.
인구가 증가함에 따라, 땅과 자원에 대한 필요성도 증가한다.

8 Without the ability to migrate across the continent, / they are cut off / from elephant society.
대륙을 가로질러 이주할 능력이 없어, 그들은 코끼리 사회로부터 단절된다.

9 Steinberg and Gardner randomly / assigned some participants to play alone / or with two same-age peers looking on.
Steinberg와 Gardner는 무작위로 몇몇 참가자들을 혼자 게임하거나 혹은 두 명의 같은 나이 또래들이 지켜보는 가운데 게임을 하게 했다.

10 In contrast, / adults behaved in similar ways / regardless of whether they were on their own / or observed by others.
대조적으로, 성인들은 그들이 혼자 있든지 혹은 다른 사람에 의해 관찰되든지 상관없이 유사한 방식으로 행동했다.

UNIT 15 알맞은 어법·어휘 찾기

WORD TEST

● 본문 44쪽

A 1 땀을 흘리다; 땀 2 이전의 3 빠져 들다; 미끄러지다 4 일상 5 (일의) 속도 6 변화 7 (저울의) 눈금 8 불가사의; 신비 9 재료, 성분 10 문화의 11 주의 (집중) 12 고립 13 재검토하다 14 선호하다 15 유대감, 소속감

B 1 physical 2 chemical 3 artificial 4 condition 5 transform 6 fortunately 7 comfort 8 forbid 9 unique 10 constantly 11 theory 12 conclusion 13 discovery 14 processed 15 correct

WRITING TEST

● 본문 45쪽

A 1 Do you know what is in processed foods?
2 A single decision is easy to ignore.
3 This makes our lives much easier and better.
4 The technology allowed them to see which of the friends were watching TV.

B 1 Clothing doesn't have to be expensive to provide comfort during exercise.
2 Many wrong choices eventually lead to a problem.
3 Instead of making guesses, scientists follow a system.
4 Study participants viewed text chat as more polite.

TRANSLATION TEST

● 본문 46쪽

1 Food labels / are a good way / to find the information / about the foods / you eat.
식품 라벨은 여러분이 먹는 식품에 관한 정보를 알아내는 좋은 방법이다.

2 The main purpose of food labels / is to inform you / what is inside the food / you are purchasing.
식품 라벨의 주된 목적은 여러분이 구입하고 있는 식품 안에 무엇이 들어 있는지 여러분에게 알려주는 것이다.

3 Select clothing / appropriate for the temperature and environmental conditions / in which you will be doing exercise.
기온 및 여러분이 운동을 하고 있을 곳의 환경 조건에 알맞은 옷을 선택하라.

4 In warm environments, / clothes that have a wicking capacity / are helpful / in dissipating heat from body.
따뜻한 환경에서, 수분을 흡수하거나 배출하는 능력이 있는 옷은 몸으로부터 열을 발산시키는 데 도움을 준다.

5 The slow pace of transformation / also makes it difficult / to break a bad habit.
변화의 느린 속도는 또한 나쁜 습관을 버리기 어렵게 만든다.

6 But when we repeat small errors, / day after day, / our small choices add up to bad results.
하지만 우리가 작은 오류를 나날이 반복한다면, 우리의 작은 선택들이 결국 좋지 않은 결과가 된다.

7 Once somebody makes a discovery, / others review it carefully / before using the information / in their own.
일단 누군가가 발견을 하면, 다른 사람들은 그들 자신의 연구에서 그 정보를 사용하기 전에 그것을 주의 깊게 검토한다.

8 This way of building new knowledge / on older discoveries / ensures / that scientists correct their mistakes.
더 이전의 발견들에 새로운 지식을 쌓아가는 이러한 방법은 과학자들이 그들의 실수를 바로잡는다는 것을 보장한다.

9 Social television systems now enable / social interaction / among TV viewers in different locations.
이제 소셜 텔레비전 시스템은 서로 다른 곳에 있는 TV 시청자들 사이의 사회적 상호 작용을 가능하게 한다.

10 One field study focused on / how five friends communicated / while watching TV at their homes.
한 현장 연구는 다섯 명의 친구들이 자신들의 집에서 TV를 보면서 어떻게 의사소통하는지에 초점을 두었다.

me
mo

실전과 기출문제를 통해 어휘와 독해 원리를 익히며 단계별로 단련하는 수능 학습!

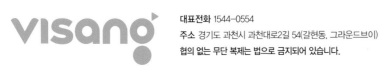

대표전화 1544-0554
주소 경기도 과천시 과천대로2길 54(갈현동, 그라운드브이)

중등 수능 독해

영어 독해 2 Level

정답과 해설

책 속의 가접 별책 (특허 제 0557442호)

'정답과 해설'은 본책에서 쉽게 분리할 수 있도록 제작되었으므로
유통 과정에서 분리될 수 있으나 파본이 아닌 정상제품입니다.

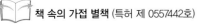

Level 2

정답과 해설

글의 목적 찾기

● 본문 014쪽

대표 예제

해석 ❶ Spadler 씨께,
❷ 저희는 귀하의 토스터와 관련된 편지를 받았습니다. ❸ 귀하의 편지에서, 귀하는 3주 전에 구입했던 토스터에 대해 항의하셨습니다. ❹ 그것이 작동하지 않아서 귀하는 새 토스터나 환불을 요구하셨습니다. ❺ 그 토스터는 1년의 품질 보증 기간이 있기 때문에, 저희 회사는 귀하의 토스터를 새 토스터로 기꺼이 교환해 드리겠습니다. ❻ 새 토스터를 받으시려면, 귀하의 영수증과 토스터를 판매인에게 가져가시면 됩니다. ❼ 그 판매인이 그 자리에서 바로 새 토스터를 드릴 것입니다. ❽ 고객의 만족은 저희에게 가장 중요합니다. ❾ 만약 어떤 도움이 필요하시다면, 부디 저희에게 알려주십시오.
❿ 진심을 담아,
Betty Swan 드림

어휘 **complain** 항의하다, 불만을 털어놓다 **work** 작동하다; 효과가 있다; 작품 **refund** 환불 **replace A with B** A를 B로 바꾸다, 교환하다 **receipt** 영수증 **dealer** 판매인 **on the spot** 그 자리에서 바로, 즉석에서 **satisfaction** 만족 **customer** 고객

READING 1 ~ 4

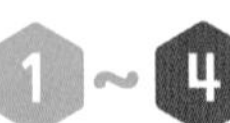

● 본문 016~019쪽

More & More

1 ① 1 From next week, you will be working in the Marketing Department. / 다음 주부터, 귀하께서는 마케팅 부서에서 일하게 될 것입니다. 2 ②

2 ④ 1 We are glad to welcome you to the Grand Opening of the Raleigh store on March 15, 2018. / 저희는 2018년 3월 15일 Raleigh 매장의 개업식에 귀하를 모시게 되어 기쁩니다. 2 ⑤

3 ④ 1 We hope that you allow the players of your school to be absent during this event. / 저희는 귀하께서 학교의 선수들이 이 대회 동안 결석하는 것을 허락해 주시길 바랍니다. 2 ④

4 ② 1 Renew now to make sure that the service will continue. / 서비스가 지속될 것을 확실히 하기 위해 지금 갱신하세요. 2 ⑤

1

답 ①

❶Dear Ms. Sue Jones,
Sue Jones 씨께

❷As you know, / it is our company's policy / that all new employees must gain experience / in all departments. ❸As you have completed your three months / in the Sales Department, / it's time to move on / to your next department. ❹From next week, / you will be working / in the Marketing Department. ❺We are looking forward to seeing excellent work / from you in your new department. ❻I hope / that when your training is finished / we can have you work / at a department of your choice.

가주어 / 진주어 / 이유 접속사(~ 때문에) / 현재완료(have+과거분사) / 〈It's time+to부정사〉: ~할 시간[때]이다 / 미래진행형(will be+동사원형-ing) / 〈look forward to+-ing〉: ~하기를 기대하다 / 명사절 접속사(동사 hope의 목적어) / 시간 접속사(~할 때) / 수동태(be동사+과거분사) / 〈사역동사 have+목적어+목적격보어(동사원형)〉

아시다시피 / 우리 회사의 정책입니다 / 모든 신입 사원들이 경험을 얻어야 한다는 것이 / 모든 부서에서 / 귀하께서는 3개월을 채웠기 때문에 / 영업부서에서 / 옮겨야 할 때입니다 / 다음 부서로 / 다음 주부터 / 귀하는 일하게 될 것입니다 / 마케팅부서에서 / 우리는 훌륭하게 일하는 것을 보기를 기대합니다 / 귀하가 새 부서에서 / 저는 바랍니다 / 귀하의 수습 (기간)이 끝나면 / 우리는 / 귀하를 일하게 할 수 있습니다 / 귀하가 선택하는 부서에서

❼Yours sincerely,
진심을 담아

Angie Young
Angie Young 드림

PERSONNEL MANAGER
인사 담당 이사

유형 해결 전략

KEY 1 글을 쓰게 된 동기 파악
신입 사원에 대한 회사 정책(our company's policy)을 언급

KEY 2 특정 상황이나 상태에 대한 내용 흐름 확인
it's time to move on to your next department, will be working in the Marketing Department 등을 통해 다른 부서로 옮겨야 할 상황임을 파악

KEY 3 핵심 표현에 집중하여 목적 재확인
We are looking forward to ~ your new department.를 통해 부서 이동을 통보하려는 목적을 재확인

해석

❶Sue Jones 씨께,
❷아시다시피, 모든 신입 사원들이 모든 부서에서 경험을 얻어야 한다는 것이 우리 회사의 정책입니다. ❸귀하께서는 영업부서에서 3개월을 채웠으므로, 다음 부서로 옮겨야 할 때입니다. ❹다음 주부터, 귀하께서는 마케팅부서에서 일하게 될 것입니다. ❺귀하가 새 부서에서 훌륭하게 일하는 것을 보기를 기대합니다. ❻귀하의 수습 (기간)이 끝나면 귀하가 선택하는 부서에서 일하게끔 해 드릴 수 있길 바랍니다.
❼진심을 담아,
인사 담당 이사 Angie Young 드림

해설

글의 전반부에서 회사의 모든 신입 사원들이 모든 부서에서 경험을 쌓아야 하는 회사 정책에 대해 언급했고 영업부서에서 3개월을 마쳤으므로 다음 주부터는 마케팅부서에서 일하게 될 것이라고 설명하고 있다. 따라서 글의 목적으로 가장 적절한 것은 ① '근무 부서 이동을 통보하려고'이다.

오답 노트

② 희망 근무 부서를 조사하려고 ➡ 수습 기간이 끝났을 때 원하는 부서로 배치할 수 있을 것이라고 했지만 현재 희망 근무 부서를 조사하려는 것은 아니다.
③ 부서 간 업무 협조를 당부하려고 ➡ 부서 간 업무 협조에 관한 내용은 언급되지 않았다.
④ 새로운 마케팅 전략을 공모하려고 ➡ 다음 주부터 마케팅부서로 이동한다고 했을 뿐 마케팅 전략 공모는 언급되지 않았다.
⑤ 직원 연수 일정 변경을 안내하려고 ➡ 수습 기간인 신입 사원에게 정책을 설명하는 내용이며, 직원 연수 일정에 대한 내용은 언급되지 않았다.

구문 해설

❷As you know, **it** is our company's policy **that** all new employees must gain experience in all department.
문장의 주어인 that절(that all new employees must ~ department)이 길어서 문장 뒤로 보내고 주어 자리에는 가주어 It이 쓰였다.

❺We are **looking forward to seeing** excellent work from you in your new department.
look forward to는 '~하기를 기대하다'라는 뜻으로, 여기서 to는 전치사이므로 뒤에 동명사 seeing이 쓰였다.

❻I hope **that** when your training is finished **we can have you work at a department of your choice.**
that은 동사 hope의 목적어 역할을 하는 명사절 접속사이며, that절은 시간의 접속사 when이 이끄는 부사절과 주절로 이루어져 있다. we can have you work at a department of your choice는 가능의 조동사 can과 사역동사 have를 써서 '우리는 당신이 선택한 부서에서 일할 수 있게 해 줄 수 있다'라는 뜻으로 '당신은 당신이 원하는 부서에서 일할 수 있을 것이다'라는 의미를 나타낸다.

More & More

2 글의 앞부분에서 '모든 신입 사원들은 모든 부서에서 경험을 쌓아야 하는 것이 우리 회사 방침'이라고 했으므로 ②는 글의 내용과 일치한다.

• 본문 017쪽

답 ④

❶Dear Ms. Cross,
Cross 씨께

❷We are excited to announce / the opening of our new Sunshine Stationery Store / in Raleigh, North Carolina! ❸The Sunshine Stationery Store has been famous for / fine quality paper products, / and we have picked / the warm and attractive city of Raleigh / as a location for our next branch. ❹We are glad to welcome you / to the Grand Opening of the Raleigh store / on March 15, 2018. ❺The opening event will be from 9 a.m. to 9 p.m. ❻We would love to show you / all the Raleigh store products / and hope to see you there / on the 15th!

(to announce: 부사적 용법(감정의 원인)) 저희는 알리게 되어 기쁩니다 / 저희의 새로운 Sunshine 문구점의 개점을 / North Carolina 주의 Raleigh에! / Sunshine 문구점은 유명합니다 (be famous for: ~로 유명하다) / 양질의 종이 제품들로 / 그리고 저희는 (have picked: 현재완료) 선정하였습니다 / 따뜻하고 매력적인 도시인 Raleigh를 / (as: ~로서(자격)) 저희의 다음 지점을 위한 장소로서 / (to welcome: 부사적 용법(감정의 원인)) 저희는 당신을 모시게 되어 기쁩니다 / Raleigh 매장의 그랜드 오픈에 / (날짜 앞에 전치사 on을 씀) 2018년 3월 15일에 / (〈from A to B〉: A부터 B까지) 개업 행사는 오전 9시부터 오후 9시까지입니다 / ((정말) ~하고 싶다) 저희는 귀하께 보여 드리고 싶습니다 / (〈수여동사 show+간접목적어+직접목적어〉) Raleigh 매장의 모든 상품을 / 그리고 (명사적 용법(목적어)) 귀하를 그곳에서 뵙기를 바랍니다 / 15일에!

❼Sincerely,
진심을 담아,

Donna Deacon
Donna Deacon 드림

유형 해결 전략

KEY 1 글을 쓰게 된 동기 파악
도입부에서 문구점의 개점을 알리는 상황을 파악

KEY 2 특정 상황이나 상태에 대한 내용 흐름을 확인
Sunshine 문구점의 특징을 간략 설명한 후, glad to welcome ~ the Grand Opening of the Raleigh store를 통해 새 매장의 개업식에 초대한다는 흐름을 확인

KEY 3 핵심 표현에 집중하여 목적 재확인
The opening event, would love to show you, hope to see you 등의 개업 행사의 세부 내용을 전달하는 표현에 유의하여 신설 매장의 개업식에 초대하는 것이 글의 목적임을 재확인

해석

❶Cross 씨께,
❷저희는 North Carolina 주의 Raleigh에 저희의 새로운 Sunshine 문구점의 개점을 알리게 되어 기쁩니다! ❸Sunshine 문구점은 양질의 종이 제품들로 유명하며, 따뜻하고 매력적인 도시인 Raleigh를 저희 다음 지점의 장소로 선정하였습니다. ❹저희는 2018년 3월 15일 Raleigh 매장의 그랜드 오픈에 귀하를 모시게 되어 기쁩니다. ❺개업 행사는 오전 9시부터 오후 9시까지입니다. ❻저희는 Raleigh 매장의 모든 것을 보여 드리고 싶고, 15일에 귀하를 그곳에서 뵙기를 바랍니다!
❼진심을 담아,
Donna Deacon 드림

해설

문구점의 새로운 지점이 새 지역에 개점된다는 것을 고객인 Cross 씨에게 알리고 그를 개업식에 초대하는 내용이므로, 글의 목적으로 가장 적절한 것은 ④ '신설 매장의 개업식에 초대하려고'이다.

오답 노트

① 신제품의 출시를 홍보하려고 ➡ 신제품이 아니라 신설 매장의 개점을 홍보하고 있다.
② 회사 창립 기념일에 초대하려고 ➡ 회사 창립 기념일이 아닌 개업 행사에 초대하고 있다.
③ 이전한 매장의 위치를 안내하려고 ➡ 이전한 매장이 아니라 새로 개점하는 매장이다.
⑤ 매장의 영업시간 변경을 안내하려고 ➡ 매장의 영업시간은 언급되지 않았다.

구문 해설

❷We are excited **to announce** the opening of our new Sunshine Stationery Store in Raleigh, North Carolina! ❹We are glad **to welcome** you to the Grand Opening of the Raleigh store on March 15, 2018.
to announce와 to welcome은 '~하므로', '~해서'라는 뜻으로 감정의 원인을 나타내는 to부정사의 부사적 용법이며, 앞에 감정을 나타내는 형용사가 쓰였다.
❸The Sunshine Stationery Store **has been** famous for fine quality paper products, and we **have picked** the warm and attractive city of Raleigh as a location for our next branch.
has been과 have picked는 과거 시점에 시작된 일이 현재까지 영향을 미치는 상황을 나타내는 현재완료(have[has]+과거분사)이다.

More & More

2 글의 마지막 부분에서 Raleigh 매장의 개업 행사에서 모든 상품을 보여 주고 싶다고 했으므로 ⑤는 글의 내용과 일치하지 않는다.

• 본문 018쪽

답 ④

❶To the Principal of Alamda High School,
Alamda 고등학교 교장 선생님께

❷I would like to inform you / that the 2019 Youth Soccer Tournament Series / will be held next week. ❸We know / how important an education is to the players. ❹However, / the tournament will require players / to miss two days of school. ❺Many college coaches will be attending the game / to look for new talented student athletes / for their teams. ❻So, / the games / can be a great opportunity / for young soccer players to show / what they can do as athletes. ❼We hope / that you allow the players of your school to be absent / during this event. ❽Thank you for your understanding.

(〈would like to+동사원형〉: ~하고 싶다 / 명사절 목적어(동사 inform의 직접목적어) / 〈how+형용사+주어+동사〉 / 〈require+목적어+목적격보어(to부정사)〉 / 부사적 용법(목적) / 의미상 주어 / 형용사적 용법 / 관계대명사 / ~로서(자격) / 〈allow+목적어+목적격보어(to부정사)〉)

저는 귀하께 알려드리고자 합니다 / 2019 청소년 축구 토너먼트 시리즈가 / 다음 주에 열린다는 것을 / 저희는 압니다 / 선수들에게 교육이 얼마나 중요한지를 / 그러나 / 토너먼트는 선수들로 하여금 필요케 할 것입니다 / 이틀간 학교를 빠지도록 / 많은 대학 코치들이 그 경기에 참석할 것입니다 / 새로운 재능 있는 학생 선수들을 찾으려고 / 그들의 팀을 위해 / 그래서 / 그 경기는 / 엄청난 기회가 될 수 있습니다 / 어린 축구 선수들이 보여 줄 / 그들이 운동선수로서 할 수 있는 것을 / 저희는 바랍니다 귀하가 귀하 학교 선수들이 결석하는 것을 허락해 줄 것을 / 이 대회 동안에 / 이해해 주셔서 감사합니다

❾Best regards,
마음을 담아

Jack D'Adamo, Director of the Youth Soccer Tournament Series
청소년 축구 토너먼트 시리즈 대표 Jack D'Adamo 드림

유형 해결 전략

KEY 1 글을 쓰게 된 동기 파악
I would like to inform you that ~.을 통해 글쓴이(청소년 축구 토너먼트 시리즈 대표)는 청소년 축구 대회가 임박했음을 알림 → 선수에게 교육도 중요함을 인정

KEY 2 특정 상황과 핵심 표현으로 글의 목적 파악
축구 대회로 선수들의 결석이 불가피함을 알림 → 경기에 참석할 대학 코치들은 선수들에게 중요한 기회를 제공할 것임

KEY 3 후반부 내용 흐름을 파악하여 목적 재확인
We hope that ~.을 통해 교장 선생님에게 선수들의 결석을 허락해 줄 것을 요청함

해석

❶Alamda 고등학교 교장 선생님께,
❷2019 청소년 축구 토너먼트 시리즈가 다음 주에 열린다는 것을 알려드리고자 합니다. ❸저희는 선수들에게 얼마나 교육이 중요한지를 알고 있습니다. ❹그러나, 토너먼트는 선수들로 하여금 이틀 동안 학교를 빠지게끔 할 것입니다. ❺많은 대학 코치들이 그들의 팀을 위해 새로운 재능 있는 학생 선수들을 찾으려고 그 경기에 참석할 것입니다. ❻그래서, 그 경기는 어린 축구 선수들에게 운동선수로서 자신이 잘할 수 있는 것을 보여 줄 엄청난 기회가 될 수 있습니다. ❼저희는 귀하께서 학교의 선수들이 이 대회 동안 결석하는 것을 허락해 주시길 바랍니다. ❽이해해 주셔서 감사합니다.
❾마음을 담아,
청소년 축구 토너먼트 시리즈 대표 Jack D'Adamo 드림

해설

곧 있을 축구 대회를 알려주며 참가 선수들의 수업 결석이 불가피하므로 그 허락을 요청하는 내용이다. 따라서 글의 목적으로 가장 적절한 것은 ④ '선수들의 대회 참가를 위한 결석 허락을 요청하려고'이다.

오답 노트

① 선수들의 학력 향상 프로그램을 홍보하려고 ➡ 선수들의 교육도 중요하다는 내용이 있지만 '학력 향상 프로그램'은 언급되지 않았다.
② 대학 진학 상담의 활성화 방안을 제안하려고 ➡ 청소년 대회에 대학 코치들이 올 것이라는 내용이 있지만 '대학 진학 상담 활성화 방안'은 언급되지 않았다.
③ 선수들의 훈련 장비 추가 구입을 건의하려고 ➡ '훈련 장비 추가 구입'은 무관한 내용이다.
⑤ 대회 개최를 위한 운동장 대여 가능 여부를 문의하려고 ➡ 청소년 축구 대회가 열린다는 내용이 있지만 '운동장 대여'는 언급되지 않았다.

구문 해설

❸We know **how important an education is** to the players.
동사 know의 목적어 역할을 하는 명사절이 이어지고 있으며, 〈how+형용사〉는 '얼마나 ~한지'로 해석한다. how important an education is는 〈how+형용사+주어+동사〉의 형태로 원래는 동사 뒤에 오는 형용사 important를 앞으로 보내 쓰인 것이다.

❻So, the games can be a great opportunity **for young soccer players to show what** they can do as athletes.
to show는 앞의 명사구 a great opportunity를 꾸며 주는 to부정사의 형용사적 용법으로 쓰였으며, for young soccer players는 〈for+목적격〉의 형태인 to부정사의 의미상 주어이다. what은 '~하는 것'이라는 뜻으로 선행사를 포함하는 관계대명사이며, 관계대명사절인 what they can do as athletes는 앞의 동사 show의 목적어 역할을 한다.

❼We hope **that** you **allow the players of your school to be absent during** this event.
that은 동사 hope의 목적어 역할을 하는 명사절 접속사이다. 〈allow+목적어(the players of your school)+목적격보어(to be absent)〉의 형태인 5형식으로, 목적격보어 자리에 to부정사가 쓰였다. during은 '~ 동안에'라는 뜻으로 뒤에 기간을 나타내는 명사 this event가 왔다.

More & More

2 대학 코치들이 대회에 오는 이유는 새로운 재능 있는 학생 선수들을 찾기 위한 것이므로 ④는 글의 내용과 일치하지 않는다.

4

• 본문 019쪽

답 ②

❶Dear Mr. Hane,
Hane 씨께

❷Our message to you is brief, / but (it is 생략) important: / Your subscription to *Winston Magazine* / will end soon / and we haven't heard from you / about renewing it. ❸We're sure / you won't want to miss even one upcoming issue. ❹Renew now / to make sure / that the service will continue. ❺You'll continue receiving the excellent stories and news / that make *Winston Magazine* the fastest growing magazine / in America. ❻To make it as easy as possible / for you to act now, / we've sent a reply card / for you to complete. ❼Simply send back the card today / and you'll continue to receive your monthly issue of *Winston Magazine*.

당신께 드리는 저희의 메시지는 간결합니다. 하지만 중요합니다 당신의 〈Winston Magazine〉 구독 (기간)이 곧 끝날 것입니다 그리고 저희는 당신에게서 듣지 못했습니다 그것을 갱신한다는 것에 대해 저희는 확신합니다 당신이 다가오는 한 호라도 놓치고 싶지 않을 거라고 지금 갱신하십시오 확실히 하기 위해서 서비스가 지속될 것임을 당신은 훌륭한 이야기와 뉴스를 계속 받을 것입니다 〈Winston Magazine〉을 가장 빠르게 성장하는 잡지로 만들어 주는 미국에서 가능한 한 쉽게 하기 위해서 지금 당신이 행동할 수 있도록 저희는 회신용 카드를 보냈습니다 당신이 작성할 그냥 오늘 그 카드를 보내세요 그러면 당신은 월간지 〈Winston Magazine〉을 계속해서 받을 것입니다

- but important: it is 생략
- haven't heard: 현재완료 부정문(have not(haven't)+과거분사)
- renewing: 동명사(전치사 about의 목적어)
- sure / you: 명사절 접속사 that 생략
- to make sure: 부사적 용법(목적)
- continue receiving: 〈continue+동명사〉: 계속 ~하다
- that: 주격 관계대명사
- To make: 부사적 용법(목적), it: 가목적어, to act: 진목적어
- as possible: 〈as+원급+as possible〉: 가능한 한 ~하게
- 've sent: 현재완료
- for you: 의미상 주어, to complete: 형용사적 용법
- send ... and: 〈명령문+and ~〉: ~해라, 그러면 …할 것이다
- continue to receive: 〈continue+to부정사〉: 계속 ~하다

❽Best regards,
마음을 담아

Thomas Strout
Thomas Strout 드림

유형 해결 전략

KEY 1 글을 쓰게 된 동기 파악
Your subscription ~ end soon을 통해 잡지의 구독 기간이 곧 만료될 예정임을 알림

KEY 2 특정 상황과 핵심 표현에 유의하여 목적 파악
Renew now ~ will continue.에서 잡지 구독의 갱신을 권유하는 것이 목적임을 알 수 있음

KEY 3 후반부 내용 흐름을 파악하여 목적 재확인
continue receiving the excellent stories and news, continue to receive 등의 표현을 통해 구독 갱신을 권유하려는 목적 재확인

해석

❶Hane 씨께,
❷당신께 드리는 저희의 메시지는 간결하지만, 중요합니다. 당신의 〈Winston Magazine〉 구독 기간이 곧 만료되는데, 저희는 그것의 갱신에 대해 당신으로부터 (아무것도) 듣지 못했습니다. ❸저희는 당신이 다가오는 단 한 호라도 놓치고 싶지 않을 거라고 확신합니다. ❹서비스를 확실히 지속하기 위해 지금 갱신하십시오. ❺당신은 〈Winston Magazine〉을 미국에서 가장 빠르게 성장하는 잡지로 만들어 주는 훌륭한 이야기와 뉴스를 계속해서 받을 것입니다. ❻지금 가능한 한 쉽게 당신이 행동할 수 있도록, 저희는 당신이 작성할 회신용 카드를 보냈습니다. ❼오늘 그 카드를 보내 주시기만 하면 당신은 월간지 〈Winston Magazine〉을 계속해서 받을 것입니다.
❽마음을 담아,
Thomas Strout 드림

해설

앞부분에서 잡지 구독이 곧 만료될 예정임을 알리고, 갱신 여부를 듣지 못하였다는 사실을 고지하면서 잡지의 구독 갱신을 권하는 내용이 이어지고 있다. 따라서 글의 목적으로 가장 적절한 것은 ② '잡지 구독 갱신을 권유하려고'이다.

오답 노트

① 무료 잡지를 신청하려고
③ 배송 지연에 대해 사과하려고
④ 경품에 당첨된 사실을 통보하려고
⑤ 기사에 대한 독자 의견에 감사하려고

➡ ①, ③, ④, ⑤는 본문에서 언급되지 않은 내용이다.

구문 해설

❺You'll **continue receiving** the excellent stories and news ~. ❼Simply **send** back the card today **and** you'll **continue to receive** your monthly issue of *Winston Magazine*.
동사 continue의 목적어로는 동명사(receiving)와 to부정사(to receive)가 모두 올 수 있다. 〈명령문+and ~〉는 '~해라, 그러면 ~할 것이다'라는 뜻이다.

❻To make **it as easy as possible for you to act now,** we've sent a reply card for you to complete.
To make는 목적을 나타내는 to부정사의 부사적 용법으로 쓰였다. it은 가목적어, to act ~는 진목적어이고 의미상 주어는 for you이다. 〈as+원급+as possible〉은 '가능한 한 ~하게'라는 뜻으로 〈as+원급+as+주어+can〉으로 바꿔 쓸 수 있다. (= as easy as you can) to complete는 앞의 명사구 a reply card를 꾸며 주는 to부정사의 형용사적 용법으로 쓰였으며 for you는 의미상 주어이다.

More & More

2 글의 마지막 부분에서 월간지라는 사실이 언급되므로 ⑤는 글의 내용과 일치하지 않다.

UNIT 02 글의 심경 · 분위기 파악하기

• 본문 022쪽

대표 예제

해석

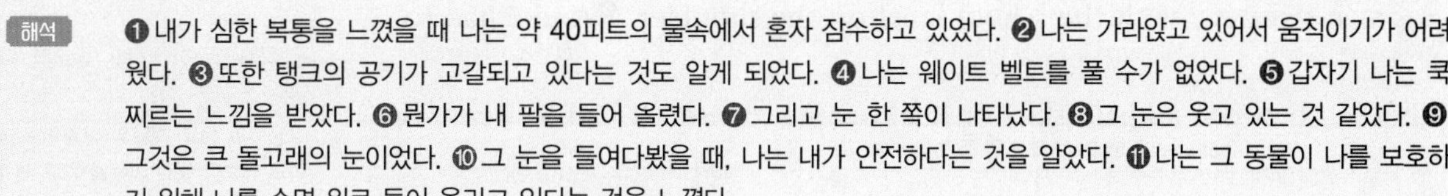

❶ 내가 심한 복통을 느꼈을 때 나는 약 40피트의 물속에서 혼자 잠수하고 있었다. ❷ 나는 가라앉고 있어서 움직이기가 어려웠다. ❸ 또한 탱크의 공기가 고갈되고 있다는 것도 알게 되었다. ❹ 나는 웨이트 벨트를 풀 수가 없었다. ❺ 갑자기 나는 쿡 찌르는 느낌을 받았다. ❻ 뭔가가 내 팔을 들어 올렸다. ❼ 그리고 눈 한 쪽이 나타났다. ❽ 그 눈은 웃고 있는 것 같았다. ❾ 그것은 큰 돌고래의 눈이었다. ❿ 그 눈을 들여다봤을 때, 나는 내가 안전하다는 것을 알았다. ⓫ 나는 그 동물이 나를 보호하기 위해 나를 수면 위로 들어 올리고 있다는 것을 느꼈다.

어휘

dive 잠수하다 **sink** 가라앉다 **run out** 다 떨어지다 **remove** 벗다, 제거하다 **weight belt** 웨이트 벨트(잠수·운동 때 무게를 더하기 위해 착용하는 벨트) **lift** 들어 올리다 **appear** 나타나다 **look into** ~의 속을 들여다 보다, 주의 깊게 살펴보다 **save** 보호하다 **toward** ~을 향해 **surface** 수면, 표면

READING 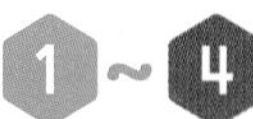

• 본문 024~027쪽

More & More

1 ②

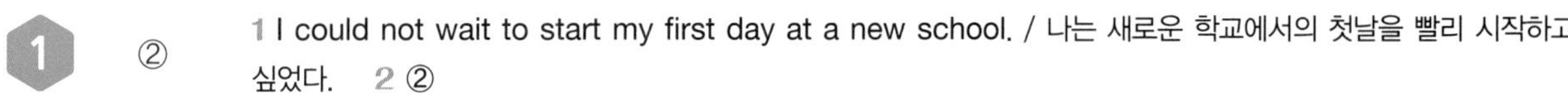

1 I could not wait to start my first day at a new school. / 나는 새로운 학교에서의 첫날을 빨리 시작하고 싶었다. 2 ②

2 ①

1 She felt all her concerns had gone away. / 그녀는 모든 걱정들이 사라졌음을 느꼈다. 2 ③

3 ⑤

1 ⑤

4 ②

1 〈초반〉 Within minutes, the plane shakes hard, and I freeze, feeling like I can't control anything. 〈후반〉 After the worst is over, I find my whole body loosening up. / 〈초반〉 몇 분 되지 않아, 비행기가 심하게 흔들리고 나는 아무것도 통제할 수 없다고 느끼며 몸이 굳는다. / 〈후반〉 최악의 고비가 끝난 후에, 나는 온몸의 긴장이 풀리고 있음을 알게 된다. 2 ③

답 ②

❶It was my first day of school / at St. Roma High School. ❷The uniforms were fancier than / in middle school. ❸As a St. Roma student, / I had to wear / a green sweater / with the school label on the shoulder. ❹And I had to choose / between a khaki skirt or khaki pants. ❺Also, / I had to wear / a white blouse and a green St. Roma tie. ❻"There's my St. Roma student," / said Mom. ❼"You're ready / for your first day?" / she asked. ❽"Yes!" I told her. ❾While she drove me to school, / I pictured myself / as a high school student. ❿*Maybe / I'll have new friends.* ⓫*Maybe / I'll be the best / in the class.* ⓬I could not wait to start / my first day at a new school.

나의 학기 첫날이었다 / St. Roma 고등학교에서의 / 교복은 더 화려했다 / 비교급 비교 / 중학교 때보다 / ~로서(자격) / St. Roma 학생으로서 / have to: ~해야 한다(의무) / 나는 입어야 했다 / 녹색 스웨터를 / 어깨에 학교 표시가 있는 / 그리고 나는 선택해야 했다 / 〈between A or B〉: A와 B 둘 중 하나 / 카키색 스커트와 카키색 바지 중 하나를 / 또한 / 나는 입어야 했다 / 흰색 블라우스와 녹색 St. Roma 넥타이를 / 〈There+be동사〉: ~이 있다 / "우리 St. Roma 학생이 있구나."라고 / 엄마가 말했다 / be ready for: ~을 준비하다 / 준비는 다 됐니? / 네 첫날을 위한 / 엄마가 물었다 / "네!"라고 나는 그녀에게 말했다 / 시간 접속사(~하는 동안, ~하면서) / 그녀가 나를 학교에 데려다 주는 동안 / 재귀 용법 / 나는 내 자신을 상상했다 / ~로서(자격) / 고등학생으로서의 / 추측 의미 / 아마도 / 나는 새로운 친구를 사귀게 될 거야 / 아마도 / 나는 최고가 될지도 몰라 / 반에서 / 〈cannot wait to+동사원형〉: 빨리 ~하고 싶다 / 나는 빨리 시작하고 싶었다 / 새로운 학교에서의 첫날을

유형 해결 전략

KEY 1 글쓴이의 상황 및 글의 배경 파악
고등학교 등교 첫날의 상황으로, 중학교 때보다 멋진 교복을 입고 새 학기 첫날이 어떻게 펼쳐질지 상상하는 글쓴이의 모습 ➡ 들뜬 심경 파악

KEY 2 심경을 드러내는 표현 확인
have new friends, be the best in the class, could not wait to start ~ a new school 등을 통해 들떠 있는 글쓴이의 심경 확인

해석

❶St. Roma 고등학교에서의 학기 첫날이었다. ❷교복은 중학교 때보다 더 화려했다. ❸St. Roma 학생으로서, 나는 어깨에 학교 표시가 있는 녹색 스웨터를 입어야 했다. ❹그리고 카키색 스커트와 카키색 바지 중 하나를 선택해야 했다. ❺또한, 흰색 블라우스와 녹색 St. Roma 넥타이를 입어야 했다. ❻"우리 St. Roma 학생이 있구나." 라고 엄마가 말했다. ❼"첫날 (등교할) 준비는 다 됐니?"라고 엄마가 물었다. ❽"네!"라고 나는 그녀에게 말했다. ❾그녀가 나를 학교에 데려다 주는 동안, 나는 고등학생으로서의 내 자신을 상상했다. ❿'아마도 새 친구를 사귀게 될 거야.' ⓫'아마도 나는 반에서 최고가 될 거야.' ⓬나는 새로운 학교에서의 첫날을 빨리 시작하고 싶었다.

해설

'I'는 고등학교에 가는 첫날 중학교 때보다 멋진 교복을 입고, 엄마와 함께 차를 타고 학교로 향한다. 학교에 가면서 새로운 친구를 사귀고 반에서 최고가 될 상상을 하면서 새로운 학교에서의 첫날을 빨리 시작하고 싶어 한다. 따라서 'I'의 심경으로 가장 적절한 것은 ② '신이 난, 들뜬'이다.

오답 노트

① 화난 ③ 질투하는 ④ 후회하는 ⑤ 실망한
➡ 등교 준비를 하며 들떠 있는 'I'의 모습이 묘사되어 있으므로 ①, ③, ④, ⑤의 부정적인 심경은 적절하지 않다.

구문 해설

❷The uniforms were **fancier than** in middle school.
'~보다 더 화려한'이라는 뜻의 비교급 fancier than 뒤에는 비교 대상인 the uniforms가 생략되어 있다. 중복되는 명사이므로 생략 가능하며, 복수 지시대명사 those로 쓸 수도 있다.

❾**While** she drove me to school, I pictured **myself** as a high school student.
while은 '~하는 동안', '~하면서'라는 뜻으로 동시동작을 나타내는 시간의 접속사로 쓰였다. (*cf.* '~인 반면에'라는 뜻의 대조의 의미를 나타내는 접속사로도 쓰인다.) myself는 동사 pictured의 목적어 역할을 하는 재귀대명사의 재귀 용법이며 생략할 수 없다.

⓬I **could not wait to start** my first day at a new school.
〈cannot wait to+동사원형〉은 '빨리 ~하고 싶다'라는 뜻으로 기대를 나타내는 표현이며, to 다음에는 동사원형이 온다.

More & More

2 'I'가 골라야 하는 것은 카키색 스커트나 바지 중 하나이고, 블라우스와 넥타이는 선택 사항이 아니므로 ②는 글의 내용과 일치하지 않는다.

2

답 ①

유형 해결 전략

❶Erda lay on her back / in a green field / as she watched sunlight shine / through the leaves / above her. ❷Like the leaves above her, / she moved with the mild breeze. ❸She also felt the warm sun feed her. ❹A slight smile was spreading / over her face. ❺She slowly turned her body over. ❻Then / she pushed her face into the grass / and smelled the scent / of the fresh flowers. ❼Erda stood up / and started to walk / between the warm trunks of the trees. ❽She felt / all her concerns had gone away.

〈지각동사 watch+목적어+목적격보어(동사원형)〉
Erda는 등을 대고 누웠다 / 초원에 / 그녀가 햇빛이 비치는 것을 보면서 / 잎들을 통해 / 그녀 위쪽의 / ~처럼 / 그녀 위쪽의 잎들처럼 / 그녀는 온화한 산들바람을 따라 움직였다
〈지각동사 feel+목적어+목적격보어(동사원형)〉
그녀는 또한 따뜻한 태양이 자신에게 자양분을 주는 것을 느꼈다 / 얇은 미소가 번지고 있었다 / 그녀의 얼굴에 / 그녀는 천천히 그녀의 몸을 돌려 엎드렸다 / turn over: 몸[자세]을 뒤집다 / 그런 다음 그녀는 그녀의 얼굴을 풀밭으로 내밀었다 / 그리고 향기를 맡았다 / 신선한 꽃들의
〈start+to부정사〉: ~하기 시작하다
Erda는 일어섰다 / 그리고 걷기 시작했다 / 나무들의 따뜻한 기둥 사이를 / 명사절 접속사 that 생략 / 과거완료(had+과거분사) / 그녀는 느꼈다 / 그녀의 모든 걱정들이 사라졌음을

KEY 1 등장인물의 상황 및 글의 배경 파악
초원에 누워 햇살을 즐기며 엷게 미소 짓는 Erda를 통해 편안한 분위기 파악

KEY 2 심경을 드러내는 표현 확인
pushed her face ~ smell the scent ~ flowers, started to walk ~ of the trees, felt all her concerns had gone away 등을 통해 Erda의 자연을 즐기는 느긋한 심경 확인

해석

❶Erda는 그녀 위쪽의 잎들을 통해 햇살이 비치는 것을 보면서 초원에 등을 대고 누웠다. ❷그녀는 그녀의 위쪽 잎들처럼, 미풍을 따라 움직였다. ❸그녀는 또한 따뜻한 태양이 자신에게 자양분을 주는 것을 느꼈다. ❹엷은 미소가 그녀의 얼굴에 번지고 있었다. ❺그녀는 천천히 그녀의 몸을 돌려 엎드렸다. ❻그런 다음 그녀는 자신의 얼굴을 풀밭으로 내밀고 신선한 꽃들의 향기를 맡았다. ❼Erda는 일어서서 나무들의 따뜻한 기둥 사이를 걷기 시작했다. ❽그녀는 모든 걱정들이 사라졌음을 느꼈다.

해설

A slight smile(엷은 미소), scent of the fresh flowers(신선한 꽃들의 향기), to walk between the warm trunks of the trees(나무들의 따뜻한 기둥 사이 걷기) 등의 표현과 모든 걱정이 사라졌음을 느낀다는 마지막 문장으로 보아 글에 드러난 Erda의 심경으로 가장 적절한 것은 ① '느긋한, 편안한'이다.

오답 노트

② 어리둥절한 ➡ 자연을 느끼며 편안히 즐기고 있기 때문에 어리둥절하다는 심경은 적절하지 않다.
③ 부러워하는 ➡ 무언가를 부러워하고 있다는 내용은 언급되지 않았다.
④ 놀란 ➡ 무언가를 보고 놀랐다는 내용은 언급되지 않았다.
⑤ 무관심한 ➡ 여러 가지 방식으로 자연을 즐겼다는 내용이므로 무관심하다는 심경은 적절하지 않다.

구문 해설

❶Erda **lay** on her back in a green field **as** she **watched sunlight shine** through the leaves above her. ❸She also **felt the warm sun feed** her.

lay는 '눕다'라는 뜻의 자동사 lie의 과거형이며 '놓다'라는 뜻의 타동사 lay와 혼동하면 안 된다. (*cf.* lie(눕다, 놓여있다)–lay–lain / lay(놓다, 두다)–laid–laid) as는 '~하면서'라는 동시동작을 나타내는 시간의 접속사로 쓰였다. watched sunlight shine과 felt the warm sun feed는 〈지각동사 watch(feel)+목적어+목적격보어〉의 형태인 5형식으로, 목적격보어로 모두 동사원형인 shine과 feed가 쓰였다.

❽She felt all her concerns **had gone away**.

동사 felt의 목적어 역할을 하는 명사절 접속사 that이 동사 뒤에 생략되었다. had gone away는 그녀가 느꼈던(felt) 것보다 더 이전의 일이므로 〈had+과거분사〉의 형태인 과거완료로 쓰였다.

More & More

2 Erda는 햇살의 온기, 꽃의 향기, 나무들 사이로 걷기 등을 통해 일상의 걱정들이 사라짐을 느끼고 있다. 따라서 글의 제목으로 가장 적절한 것은 ③ '자연에서의 재조정 시간'이다.
① 자연에 대한 경이
② 값을 매길 수 없는 나무의 가치
④ 그림 그리기를 위한 완벽한 장소
⑤ 깊은 숲에서의 가벼운 운동

3

• 본문 026쪽

답 ⑤

❶The Chief called for Little Fawn to come out, / and took her right hand and Sam's right hand / and tied them together / with a small piece of leather. ❷He told Sam very loudly, / "You're now a married man." ❸As soon as the wedding ceremony was over, / the celebration began. ❹Fawn and Sam sat on blankets / as young boys and girls began dancing / to flute music and drum beats. ❺They danced in circles / while they're making joyful sounds / and shaking their hands / with arms raised over their heads. ❻Fawn rose up / and joined them. ❼People started clapping and singing. ❽Fawn and Sam were two happy people.

call for: (큰 소리로) 부르다 / Little Fawn's right hand and Sam's right hand / 〈tie A with B: A를 B로 묶다〉 / ~하자마자 / 시간 접속사(~할 때) / 〈begin+동명사〉: ~하기 시작하다 / = Young boys and girls / 시간 접속사(~하면서) / 〈with+명사+과거분사〉 / = young boys and girls / 〈start+동명사〉: ~하기 시작하다

추장이 Little Fawn을 나오라고 불렀다 / 그리고 그녀의 오른손과 Sam의 오른손을 잡았다 / 그리고 그것들을 함께 묶었다 / 한 가닥의 작은 가죽 끈으로 / 그는 매우 큰 소리로 Sam에게 말했다 / 너는 이제 결혼한 사람이다 / 결혼식이 끝나자마자 / 축하 행사가 시작되었다 / Fawn과 Sam은 담요 위에 앉았다 / 어린 소년들과 소녀들이 춤추기 시작했을 때 / 피리 음과 북 장단에 맞춰 / 그들은 원을 이뤄 춤을 추었다 / 흥겨운 소리를 내면서 / 그리고 그들의 손을 흔들며 / 머리 위로 팔을 올린채 / Fawn은 일어섰다 / 그리고 그들과 함께했다 / 사람들은 박수를 치고 노래를 부르기 시작했다 / Fawn과 Sam은 둘 다 행복했다

유형 해결 전략

KEY 1 등장인물의 상황 및 글의 배경 파악
첫 두 문장을 통해 Little Fawn과 Sam의 결혼식 상황임을 파악

KEY 2 분위기를 묘사하는 표현 확인
the wedding ceremony, the celebration, dancing, joyful sounds, clapping and singing, happy 등의 표현을 통해 결혼식 축하 행사가 즐겁게 진행되고 있음을 확인

해석

❶추장이 Little Fawn을 나오라고 불렀고, 그녀의 오른손과 Sam의 오른손을 잡고 그 두 손을 한 가닥의 작은 가죽 끈으로 함께 묶었다. ❷그는 매우 큰 소리로 Sam에게 "너는 이제 결혼한 사람이다."라고 말했다. ❸결혼식이 끝나자마자, 축하 행사가 시작되었다. ❹어린 소년들과 소녀들이 피리 음과 북 장단에 맞춰 춤을 추기 시작했을 때 Fawn과 Sam은 담요 위에 앉았다. ❺그들은 흥겨운 소리를 내고 머리 위로 팔을 올려 손을 흔들며 원을 이뤄 춤을 추었다. ❻Fawn은 일어서서 그들과 함께했다. ❼사람들은 박수를 치고 노래를 부르기 시작했다. ❽Fawn과 Sam은 둘 다 행복했다.

해설

글의 첫 부분에서 추장이 Fawn과 Sam의 오른손을 끈으로 묶어 주며 두 사람의 결혼이 성립되었음을 선포한다. 식이 끝난 후에 소년과 소녀들이 음악에 맞춰 흥겨운 소리를 내며 춤을 추고, Fawn 또한 일어서서 그들과 함께했다고 했다. 따라서 글의 분위기로 가장 적절한 것은 ⑤ '축제의'이다.

오답 노트

① 지루한 ➡ 사람들이 결혼식 행사를 즐기는 모습이 묘사되어 있고 지루한 모습은 찾아볼 수 없다.
② 무서운 ➡ 무서운 내용은 언급되지 않았다.
③ 고요한 ➡ 흥겹게 소리를 지르며 손을 흔들면서 춤을 추는 떠들썩한 분위기이다.
④ 익살맞은 ➡ 즐거운 분위기이지만 축제를 즐기는 것이므로 익살스럽다고만 나타내기에는 적절하지 않다.

구문 해설

❹Fawn and Sam sat on blankets **as** young boys and girls **began dancing** to flute music and drum beats.
여기서 as는 '~할 때'의 뜻의 시간의 접속사로 쓰였다. begin은 동명사와 to부정사를 모두 목적어로 취하며, 의미의 차이는 없다. 여기서는 동명사 dancing이 목적어로 왔다.

❺They danced in circles **while** they're **making** joyful sounds **and shaking** their hands **with arms raised** over their heads.
while은 '~하면서'라는 뜻으로 동시동작을 나타내는 시간의 접속사로 쓰였으며, 등위접속사 and로 making과 shaking이 병렬 연결되어 있다. 〈with+명사+분사〉는 '~인 채로', '~한 상태로'의 뜻으로 이때 명사와 분사의 관계가 능동이면 현재분사를, 수동이면 과거분사를 쓴다. 여기서는 명사 arms와 분사 raised가 수동 관계이므로 과거분사 raised가 쓰였다.

❺ ~ with arms **raised** over their heads. ❻Fawn **rose** up and joined them.
raise는 '들어 올리다'라는 뜻의 타동사이고, rose는 '일어서다'라는 뜻의 자동사 rise의 과거형으로 쓰였다. 두 단어의 철자가 비슷해서 혼동하기 쉬우므로 주의해야 한다.

More & More

1 부족의 축하 행사를 자세하게 묘사한 것이 눈길을 끌긴 하지만 글의 중심 주제는 'Fawn과 Sam의 결혼식'이므로, 글의 제목으로 가장 적절한 것은 ⑤ 'Fawn과 Sam의 결혼식'이다.
① 결혼한 남자
② 추장의 지혜
③ 그들이 축하하는 방식
④ 추장의 축하 잔치

● 본문 027쪽

답 ②

❶I board the plane, / take off and climb out / into the night sky. ❷Within minutes, / the plane shakes hard, / and I freeze, / feeling like I can't control anything. ❸The left engine starts losing power / and the right engine is almost dead now. ❹Rain hits the front window / and I'm getting into heavier weather. ❺I'm having trouble / keeping up the airspeed. ❻When I report an emergency to the center, / I bump some levers / by accident. ❼The left engine / suddenly regains power. ❽So, / I push the levers to full. ❾Both engines come back on / and come to full power. ❿After the worst is over, / I find my whole body loosening up.

take off: 이륙하다 / 부 심하게 / 분사구문 / 명사절 접속사 that 생략 / = I can control nothing / ⟨start+동명사⟩: ~하기 시작하다 / 거의(= nearly) / get into: ~에 들어가다 / 비교급 / ⟨have trouble+-ing⟩: ~하는 데 어려움을 겪다 / 시간 접속사(~할 때) / = accidentally / 끝까지, 완전히 / ⟨both+복수 명사⟩: 둘 다 / (어떤 상황에) 이르다 / ⟨find+목적어+목적격보어(현재분사)⟩

나는 비행기를 탄다 / 이륙하고 올라간다 / 밤하늘로 / 몇 분 되지 않아 / 비행기가 심하게 흔들린다 / 그리고 나는 몸이 굳는다 / 내가 아무것도 통제할 수 없다는 것을 느끼며 / 왼쪽 엔진은 동력을 잃기 시작한다 / 그리고 오른쪽 엔진은 이제 거의 멈췄다 / 비가 앞부분 창에 부딪힌다 / 그리고 나는 더 악화되는 기상 속으로 들어간다 / 나는 어려움을 겪고 있다 / 풍속을 유지하는 것에 / 내가 센터에 비상 상황을 보고하려고 할 때 / 나는 레버에 부딪친다 / 우연히 / 왼쪽 엔진의 동력이 / 갑자기 되살아난다 / 그래서 / 나는 레버를 끝까지 누른다 / 두 엔진이 모두 다시 점화된다 / 그리고 최대 동력에 이르게 된다 / 최악의 고비가 끝난 후에 / 나는 온몸의 긴장이 풀리고 있음을 알게 된다

* lever: (기계차량 조작용) 레버

유형 해결 전략

KEY 1 글쓴이의 상황 및 글의 배경 파악
the plane shakes hard, I freeze, I can't control anything 등 통해 위험에 처한 상황 및 두려운 심경 파악

KEY 2 초반 심경을 드러내는 표현 확인
losing power, almost dead now, getting into heavier weather 등을 통해 점점 더 심각해지는 상황과 더욱 강해진 두려움 확인

KEY 3 상황 전환 파악
The left engine suddenly regains power.를 통해 동력이 되살아나는 상황 파악

KEY 4 후반 심경을 드러내는 표현 확인
my whole body loosening up을 통해 고비를 넘겨 긴장이 풀린 심경 확인

해석

❶나는 비행기를 타고, 이륙해서, 밤하늘로 올라간다. ❷몇 분 되지 않아, 비행기가 심하게 흔들리고 나는 아무것도 통제할 수 없다고 느끼며 몸이 굳는다. ❸왼쪽 엔진은 동력을 잃기 시작하고 오른쪽 엔진은 이제 거의 멈췄다. ❹비가 전면의 창에 부딪히고 나는 더 악화되는 기상 속으로 들어간다. ❺나는 비행 속도를 유지할 수 없다. ❻내가 센터에 비상 상황을 보고하려고 할 때, 나는 우연히 레버에 부딪친다. ❼갑자기 왼쪽 엔진의 동력이 되살아난다. ❽그래서, 나는 레버를 끝까지 누른다. ❾두 엔진이 모두 다시 점화되어 최대 동력에 이르게 된다. ❿최악의 고비가 끝난 후에, 나는 온몸의 긴장이 풀리고 있음을 알게 된다.

해설

기상 악화에 비행기가 심하게 흔들리고 'I'는 아무것도 통제할 수 없다고 느낀다. 그런 상황이 악화되자 'I'는 점점 더 두려워진다(terrified). 그러다 우연히 건드린 레버에 엔진들이 다시 작동하여 최악의 고비를 넘기고 'I'는 안도하게 된다(relieved). 따라서 'I'의 심경 변화로 가장 적절한 것은 ② '두려운 → 안도하는'이다.

오답 노트

① 부끄러운 → 기쁜 ➡ 후반부에서 문제가 해결되어 '기쁜' 심경을 느낄 수도 있으나 도입부에서 위험에 처한 'I'에게서 부끄러움은 나타나지 않았다.
③ 만족한 → 후회하는
④ 무관심한 → 신난
⑤ 희망찬 → 실망한
➡ ③, ④, ⑤의 심경은 글에서 찾아볼 수 없다.

구문 해설

❷Within minutes, the plane shakes hard, and I freeze, **feeling like** I can't control anything.
여기서 hard는 '심하게'라는 뜻으로 동사 shakes를 꾸며 주는 부사로 쓰였다. feeling은 연속 동작을 나타내는 분사구문으로, and I feel인 절로 바꿔 쓸 수 있다. feel like는 '~인 것 같은 느낌이다'라는 뜻으로, like는 전치사로 뒤에 동명사나 명사(구), that절이 오는데 여기서는 뒤에 접속사 that이 생략된 ⟨주어+동사⟩의 절이 이어졌다.

❿After the worst is over, I **find my whole body loosening up.**
⟨find+목적어+목적격보어⟩의 형태인 5형식으로, 목적어 my whole body와 목적격보어 loosening up이 능동 관계이므로 현재분사가 쓰였다.

More & More

2 기상 악화에 비행기가 심하게 흔들리는 상황에서, 우연히 건드린 레버에 엔진들이 다시 작동하여 최악의 고비를 넘기는 내용이다. 따라서 글의 제목으로 적절한 것은 ③ '비행기 사고를 막은 우연'이다.
① 항공 교통 관제탑의 역할
② 악천후에서의 비행: 안전한가?
④ 항공기 탈출을 위한 비상 지침
⑤ 엔진이 동력을 잃으면 어떤 일이 발생하는가?

도표 정보 파악하기

● 본문 030쪽

대표 예제

해석 ❶ 2015년 전 세계에서 가장 많이 사용되는 언어
❷ 위 그래프는 2015년에 전 세계에서 가장 많이 사용되는 다섯 개 언어의 총 사용자 수와 원어민의 수를 보여 준다. ❸ 영어는 15억 명의 총 사용자로 전 세계에서 가장 많이 사용되는 언어이다. ❹ 중국어는 11억 명의 총 사용자로 목록에서 2위이다. ❺ 하지만 중국어는 전 세계적으로 가장 많은 수의 원어민에 의해 사용되며, 힌두어는 중국어 다음이다. ❻ 영어 원어민의 수는 스페인어 원어민의 수보다 더 적다(→ 많다). ❼ 다섯 개 언어 중에서, 프랑스어는 가장 적은 원어민 수를 갖고 있다.

어휘 **native speaker** 원어민 **worldwide** 전 세계 **list** 목록 **follow** ~의 뒤를 잇다

READING 1 ~ 4

● 본문 032~035쪽

More & More

1	③	1 higher than → the same as 2 ⑤
2	③	1 2012 → 2013 2 ⑤
3	⑤	1 the same as → twice as large as 2 ②
4	④	1 (8행) less (than) → more (than) 2 ④

1

● 본문 032쪽

답 ③

유형 해결 전략

❶**News Video Consumption: on News Sites vs. via Social Networks**
뉴스 영상 소비: 뉴스 사이트에서 대(對) 소셜 네트워크를 통해서

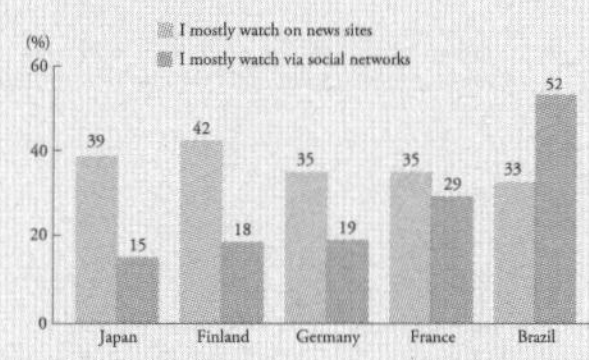

❷The above graph shows / [how people in five countries watch news videos: / on news sites versus via social networks]. ❸① Watching news videos on news sites / is more popular / than via social networks / in four countries. ❹② The percentage of people / who mostly watch news videos / on news sites / in Finland / is higher / than that in other countries. ❺③ The percentage of people / who mostly watch news videos / on news sites / in France / is higher / than that in Germany. ❻④ Japan is the country / that has the lowest percentage of people / who mostly watch news videos / via social networks. ❼⑤ Brazil shows / the highest percentage of people / who mostly watch news videos / via social networks / among the five countries.

(해설 주석) how: 간접의문문: 〈의문사+주어+동사〉 어순 / 위 그래프는 보여 준다 / 다섯 개 국가에서 사람들이 어떻게 뉴스 영상을 시청하는가를 / 뉴스 사이트에서 대(對) 소셜 네트워크를 통해서 / Watching: 동명사(주어): 단수 취급 / 뉴스 사이트에서 뉴스 영상을 시청하는 것은 / is: 단수 동사 / more popular than: 비교급 비교 / 더 인기가 있다 / 소셜 네트워크를 통한 것보다 / 네 개 국가에서 / who: 주격 관계대명사 / 사람들의 비율은 / 주로 뉴스 영상을 시청하는 / 뉴스 사이트에서 / 핀란드에서는 / higher than: 비교급 비교 / that: 지시대명사(= the percentage) / 더 높다 / 다른 국가들에서의 비율보다 / 사람들의 비율은 / 주로 뉴스 영상을 시청하는 / 뉴스 사이트에서 / 프랑스에서는 / 더 높다 / 독일에서의 비율보다 / 일본은 국가이다 / that: 주격 관계대명사 / 사람들의 가장 낮은 비율을 가진 / the lowest: 최상급 / who: 주격 관계대명사 / 주로 뉴스 영상을 시청하는 / 소셜 네트워크를 통해 / 브라질은 보여 준다 / 사람들의 가장 높은 비율을 / who: 주격 관계대명사 / 주로 뉴스 영상을 시청하는 / 소셜 네트워크를 통해 / among: (셋 이상) ~ 중에서 / 다섯 개 국가 중에서

* via: ~을 통해

KEY 1 도표 제목 확인
'뉴스 영상 소비 방식'에 대한 그래프임을 확인

KEY 2 비교 대상 및 그래프의 수치 파악
비교 대상은 다섯 개 국가에서 뉴스 사이트 대(對) 소셜 네트워크상에서 뉴스 영상을 시청하는 국가별 비율이며, 수치 단위는 퍼센트임을 파악

KEY 3 증감, 변화, 비교 표현을 확인하며 도표와 대조
① more popular than(~보다 더 인기 있는)
② higher than(~보다 더 높은)
③ higher than(~보다 더 높은)
④ the lowest percentage(가장 낮은 비율)
⑤ the highest percentage(가장 높은 비율)
➡ ③ 프랑스와 독일에서 주로 뉴스 사이트를 통해 뉴스 영상을 시청하는 비율을 비교하는 문장에서 higher than을 the same as로 바꾸어야 일치함

해석

❶뉴스 영상 소비: 뉴스 사이트에서 대(對) 소셜 네트워크를 통해서 ❷위 그래프는 다섯 개 국가에서 사람들이 어떻게 뉴스 영상을 시청하는가를 보여 주는데, 그것은 뉴스 사이트에서 (시청하는 것) 대(對) 소셜 네트워크를 통해서 (시청하는 것)이다. ❸뉴스 사이트에서 뉴스 영상을 시청하는 것은 네 개 국가에서 소셜 네트워크를 통한 것보다 더 인기가 있다. ❹핀란드에서는 주로 뉴스 사이트에서 뉴스 영상을 시청하는 사람들의 비율이 다른 국가들보다 더 높다. ❺프랑스에서는 주로 뉴스 사이트에서 주로 뉴스 영상을 시청하는 사람들의 비율이 독일에서보다 더 높다(→ 독일에서와 같다). ❻일본은 주로 소셜 네트워크를 통해 뉴스 영상을 시청하는 사람들의 비율이 가장 낮은 국가이다. ❼브라질은 다섯 개 국가 중에서 주로 소셜 네트워크를 통해 뉴스 영상을 시청하는 사람들의 가장 높은 비율을 보여 준다.

해설

도표에 의하면 프랑스에서 주로 뉴스 사이트에서 뉴스 영상을 시청하는 사람들의 비율은 35퍼센트로 독일의 비율과 같다. 따라서 ③은 도표의 내용과 일치하지 않는다.

오답 노트

① 브라질을 제외한 나머지 네 개 국가에서는 뉴스 사이트를 통해 뉴스 영상을 시청하는 비율이 더 높다.
② 뉴스 사이트로 뉴스 영상을 시청하는 비율은 핀란드가 42퍼센트로 다른 국가들보다 높다.
④ 소셜 네트워크를 통해 뉴스 영상을 시청하는 일본인의 비율은 15퍼센트로 가장 낮다.
⑤ 브라질은 소셜 네트워크를 통해 뉴스 영상을 시청하는 사람들의 비율이 52퍼센트로 가장 높다.

구문 해설

❹**The percentage** of people **who** mostly watch news videos on news sites in Finland **is higher than that** in other countries.
who는 사람 선행사인 people을 꾸며 주는 주격 관계대명사이고, 문장의 핵심 주어는 The percentage, 동사는 is이다. higher than은 〈비교급+than〉의 형태인 비교급 비교로 '~보다 더 높은'이라는 뜻을 나타내며, that은 앞에 나온 명사구 the percentage의 반복을 피하게 위해 쓰인 지시대명사이다. *cf.* 앞의 명사가 복수인 경우 복수형 지시대명사 those를 쓴다.

More & More

2 도표가 나타내는 것은 뉴스 사이트와 소셜 네트워크에서의 뉴스 영상 시청에 관한 내용이며, ⑤ 이외의 다른 뉴스 영상 시청 방식은 도표상으로 알 수 없다.

• 본문 033쪽

답 ③

❶Average Daily Internet Usage by Device
기기별 하루 평균 인터넷 사용

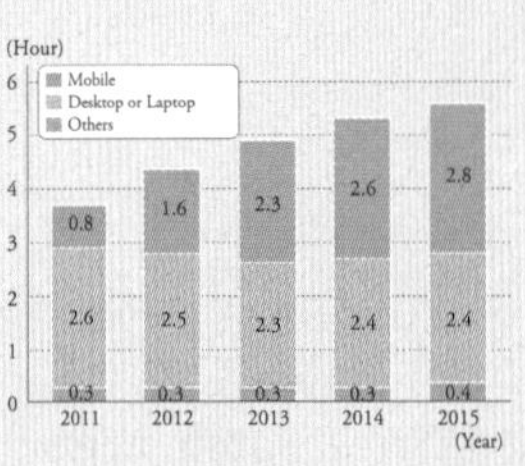

❷The above graph shows the average time / that Americans spent on the Internet / with each device daily / from 2011 to 2015. ❸① Overall, / the total Internet usage time / increased steadily from 2011 to 2015. ❹② In 2011, / Internet usage time by mobiles / was shorter / than that by desktops or laptops. ❺③ In 2012, / however, / Americans spent the same hours on mobiles / as they did on desktops or laptops. ❻④ In 2014, / Internet usage time by mobiles / was longer / than that by desktops or laptops. ❼⑤ In 2015, / Americans spent an average of 5.6 hours a day / on the Internet.

(위 그래프는 평균 시간을 보여 준다 / 목적격 관계대명사 / 미국인들이 인터넷에 사용한 / 하루에 각 기기로 / 〈from A to B〉: A부터 B까지 / 2011년에서 2015년까지 / 전반적으로 / 전체 인터넷 사용 시간은 / 2011년에서 2015년까지 꾸준히 증가했다 / 연도 앞에 전치사 in을 씀 / 2011년에 / 휴대 전화로 인터넷을 사용한 시간은 / 비교급 비교 / 더 짧았다 / = Internet usage time / 데스크톱이나 노트북으로 사용한 시간보다 / 2012년에 / 그러나 / 미국인들은 휴대 전화에서 동일한 시간을 사용했다 / 대동사(= spent) / 그들이 데스크톱이나 노트북에서 사용한 것과 / 2014년에 / 휴대 전화로 인터넷을 사용한 시간은 / 비교급 비교 / 더 길었다 / = Internet usage time / 데스크톱이나 노트북에서 사용한 것보다 / 2015년에 / 미국인들은 하루 평균 5.6시간을 사용했다 / 인터넷에)

유형 해결 전략

KEY 1 도표 제목 확인
'기기별 하루 평균 인터넷 사용 시간'을 비교한 비율을 나타내는 그래프임을 확인

KEY 2 비교 대상 및 그래프의 수치 파악
2011년에서 2015년까지 미국인의 인터넷 사용 기기와 기기별 사용 시간을 비교

KEY 3 증감, 변화, 비교 표현을 확인하며 도표와 대조
① increased steadily(꾸준히 증가했다)
② shorter than(~보다 더 짧은)
③ the same ~ as ...(…와 동일한 ~)
④ longer than(~보다 더 긴)
⑤ spent an average of ~ hours on ...(…에 평균 ~시간을 썼다)
➡ ③ 휴대 전화와 컴퓨터의 사용 시간을 비교한 문장에서 2012년을 2013년으로 바꾸어야 일치함

해석

❶기기별 하루 평균 인터넷 사용
❷위 그래프는 2011년에서 2015년까지 기기별로 미국인들이 하루에 인터넷에 사용한 평균 시간을 보여 준다. ❸전반적으로, 전체 인터넷 사용 시간은 2011년부터 2015년까지 꾸준히 증가했다. ❹2011년에, 휴대 전화로 인터넷을 사용한 시간은 데스크톱이나 노트북으로 사용한 시간보다 더 짧았다. ❺그러나 2012년(→ 2013년)에 미국인들은 데스크톱이나 노트북에서 (인터넷에) 소비한 시간과 동일한 시간을 휴대 전화에서 소비했다. ❻2014년에, 휴대 전화로 인터넷을 사용한 시간은 데스크톱이나 노트북으로 사용한 시간보다 더 길었다. ❼2015년에, 미국인들은 인터넷에 하루 평균 5.6시간을 소비했다.

해설

2012년에 휴대 전화로 인터넷을 사용한 시간은 1.6시간이었지만 데스크톱이나 노트북으로 사용한 시간은 2.5시간이었다. 휴대 전화로 인터넷을 사용한 시간과 데스크톱이나 노트북으로 사용 시간이 2.3시간으로 동일한 해는 2013년이었다. 따라서 ③은 도표의 내용과 일치하지 않는다.

오답 노트

① 전반적으로 총 인터넷 사용 시간은 2011년에서 2015년까지 꾸준히 증가했다.
② 2011년에 휴대 전화에서 인터넷을 사용한 시간은 0.8시간이고, 데스크톱이나 노트북에서 사용한 시간은 2.6시간이다.
④ 2014년에 휴대 전화를 사용한 시간은 2.6시간이고, 데스크톱이나 노트북을 사용한 시간은 2.4시간이다.
⑤ 2015년에 미국인들은 휴대 전화로 2.8시간, 데스크톱이나 노트북으로 2.4시간, 기타 기기로 0.4시간씩, 하루 평균 총 5.6시간을 인터넷을 하는 데 사용했다.

구문 해설

❷The above graph shows the average time **that** Americans spent on the Internet with each device daily from 2011 to 2015.
that은 선행사 the average time을 꾸며 주는 목적격 관계대명사로 생략할 수 있다.

❺In 2012, however, Americans spent the same hours on mobiles as they **did** on desktops or laptops.
did는 앞에 나온 동사 spent를 대신하는 대동사로, 앞에 나온 동사가 과거형이므로 do의 과거형 did가 쓰였다. *cf.* 앞에 나온 동사가 be동사이면 대동사는 be동사로 쓴다.

More & More

2 ⑤ 2015년에 휴대 전화로 인터넷 사용을 가장 많이 했던 시간대가 언제인지는 도표에 언급되지 않았다.
① 위의 조사는 어느 나라들에서 시행되었는가?
② 2011년에 인터넷 사용에 가장 많이 쓰인 기기는 무엇인가?
③ 휴대 전화에서의 인터넷 사용 시간이 가장 길었던 것은 몇 년도인가?
④ 휴대 전화에 의한 인터넷 사용은 증가했는가 또는 감소했는가?

3

● 본문 034쪽

답 ⑤

①Weekly time spent on watching TV and using smartphones for children aged 2-5 in 2018

2018년 2~5세 아이들의 TV 시청 및 스마트폰 주간 사용 시간

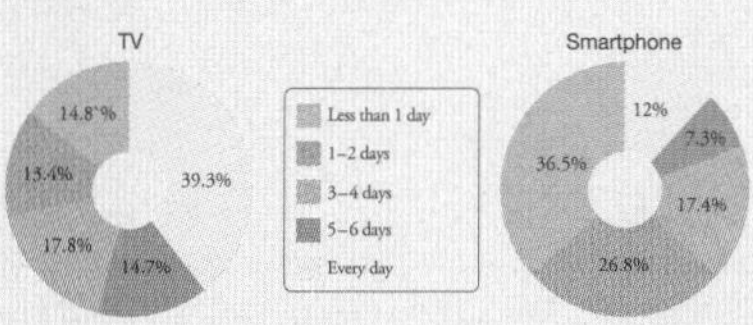

②The graphs above show / the time per week / spent on watching TV and using smartphones / for children aged between 2 and 5 / in 2018. ③① 39.3% of children / watch TV every day, / which is the highest percentage of all. ④② For smartphones, / the highest percentage of children, / accounting for 36.5%, / use smartphones less than 1 day. ⑤③ The percentage of children / who spend 3-4 days watching TV / is 17.8%, / while that of children / using smartphones for 3-4 days / is 17.4%. ⑥④ The percentage of children / who spend 1-2 days using smartphones / is twice as large as that of children / who spend 1-2 days watching TV. ⑦⑤ The percentage of children / who watch TV for 5-6 days / is the same as that of children / who use smartphones for 5-6 days.

(주석: week ← 과거분사 spent; 동명사(전치사 on의 목적어) watching, using; children ← 과거분사 aged; 〈between A and B〉: A와 B 사이에; which: 계속적 용법의 관계대명사; For: ~에 대해서는; The percentage: 핵심 주어; children: 선행사; who: 주격 관계대명사; while: 접속사(~인 반면에); that = the percentage; children ← 현재분사 using; is: 단수 동사; 〈배수사+as+형용사[부사]의 원급+as〉: ~보다 몇 배 …한[하게]; that = the percentage)

위의 그래프는 보여 준다 / 주당 시간을 / TV 시청 및 스마트폰을 사용하는 데 소비된 / 2세에서 5세 사이의 아이들에서 / 2018년에 / 39.3퍼센트의 아이들이 / 매일 TV를 본다 / 그것은 전체 중에서 가장 높은 비율이다 / 스마트폰에 대해서는 / 아이들의 가장 높은 비율인 / 36.5퍼센트를 차지하는 / 1일보다 적게 스마트폰을 사용한다 / 아이들의 비율은 / TV 시청에 3-4일을 소비하는 / 17.8퍼센트이다 / 한편, 아이들의 그것(비율)은 / 3-4일 동안 스마트폰을 사용하는 / 17.4 퍼센트이다 / 아이들의 비율은 / 스마트폰 사용에 1-2일을 소비하는 / 아이들 비율의 두 배 만큼 많다 / TV 시청에 1-2일을 소비하는 / 아이들의 비율은 / 5-6일 동안 TV를 보는 / 아이들의 그것과 같다 / 5-6일 동안 스마트폰을 사용하는

유형 해결 전략

KEY 1 도표 제목 확인
'2018년 2-5세 아이들의 TV 시청 및 스마트폰 주간 사용 시간'을 나타내는 그래프임을 확인

KEY 2 비교 대상 및 그래프의 수치 파악
2018년 2-5세의 아이들이 TV 시청과 스마트폰 사용에 소비하는 주 당 시간을 비교함

KEY 3 증감, 변화, 비교 표현을 확인하며 도표와 대조
① the highest percentage of (~의 가장 높은 비율)
② less than(~보다 더 적은)
③ while ~ (~인 반면에)
④ twice as large as that of(~의 그것보다 두 배만큼 많은)
⑤ the same as(~와 동일한)
➡ ⑤ 5-6일 동안 TV를 시청하는 아이들의 비율과 스마트폰을 사용하는 아이들의 비율을 비교하는 문장에서 the same as를 twice as large as로 바꾸어야 일치함

해석

❶ 2018년 2-5세 아이들의 TV 시청 및 스마트폰 주간 사용 시간
❷ 위의 그래프는 2018년 2세에서 5세 사이의 아이들에서 TV 시청 및 스마트폰 사용에 소비된 주당 시간을 보여 준다. ❸ 39.3퍼센트의 아이들은 매일 TV를 시청하는데, 그 비율은 전체에서 가장 높은 비율이다. ❹ 스마트폰에 대해서는, 36.5퍼센트를 차지하는 가장 높은 비율의 아이들이 1일 미만으로 스마트폰을 사용한다. ❺ TV 시청에 3-4일을 보내는 아이들의 비율은 17.8퍼센트인 반면, 3-4일 동안 스마트폰을 사용하는 아이들의 비율은 17.4퍼센트이다. ❻ 스마트폰을 사용하는 데 1-2일을 보내는 아이들의 비율은 TV 시청에 1-2일을 보내는 아이들 비율의 두 배 만큼 많다. ❼ 5-6일 동안 TV를 시청하는 아이들의 비율은 5-6일 동안 스마트폰을 사용하는 아이들의 비율과 같다(비율보다 두 배 만큼 많다).

해설

5-6일 동안 TV를 시청하는 아이들의 비율은 14.7퍼센트이고, 스마트폰을 사용하는 아이들의 비율은 7.3퍼센트로 TV 시청 비율이 스마트폰 사용 비율의 두 배 만큼 많다. 따라서 ⑤는 도표의 내용과 일치하지 않는다.

오답 노트

① 매일 TV를 시청하는 아이들의 비율이 39.3퍼센트로 가장 높다.
② 스마트폰에서 가장 높은 비율인 36.5퍼센트는 아이들의 1일 미만 사용 비율이다.
③ 3-4일 동안 TV를 시청하는 아이들의 비율은 17.8퍼센트이고, 스마트폰을 사용하는 아이들의 비율은 17.4퍼센트이다.
④ 1-2일 동안 스마트폰을 사용하는 아이들의 비율은 26.8퍼센트로, TV를 시청하는 아이들의 비율인 13.4퍼센트의 두 배이다.

구문 해설

❷ ~ the time per week **spent** on watching TV and using smartphones for children **aged** ~.
spent와 aged는 과거분사로, 각각 앞의 명사 week와 children을 꾸며 준다.

❸ 39.3% of children watch TV every day**, which** is the highest percentage of all.
which는 앞의 문장을 부연 설명하는 계속적 용법의 관계대명사로 쓰였으며 〈접속사+대명사〉인 and it으로 바꿔 쓸 수 있다.

❻ The percentage of children ~ is **twice as large as** ~.
twice as large as는 〈배수사+as+형용사[부사]의 원급+as〉의 형태인 배수사를 이용한 원급 비교 구문으로 '~보다 두 배 만큼 많은(많게)'이라는 뜻을 나타낸다. 또한 〈배수사+비교급+than〉인 twice larger than으로 바꿔 쓸 수 있다.

More & More

2 39.3퍼센트의 아이들이 '매일' TV를 시청하며, 36.5퍼센트(약 3분의 1)의 아이들이 스마트폰을 주 당 1일 '미만'으로 사용한다.

4

● 본문 035쪽

답 ④

❶Invention Interests of Young Adults Aged 16~25 in 2011
2011년 16세부터 25세까지 청년들의 발명 (분야) 흥미

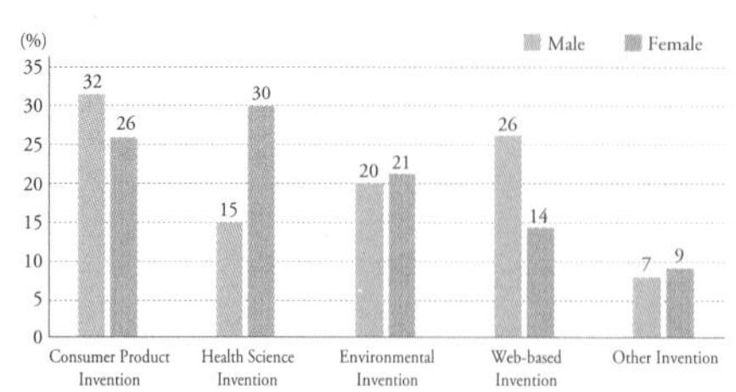

❷The graph above shows the results of a survey / on invention interests / in young adults aged 16 to 25 / in 2011.
(위 그래프는 조사의 결과를 보여 준다 / on: ~에 관한(대상) 발명 흥미에 관한 / 16세부터 25세까지의 청년들의 / 2011년에 (실시한))

❸① Among the five invention categories, / the highest percentage of male respondents / showed interest in / inventing consumer products.
(다섯 개 범주의 발명 (분야) 중에서 / the highest: 최상급, 가장 높은 비율의 남성 응답자가 / interest in: ~에 대한 흥미, ~에 대해 흥미를 나타냈다 / inventing: 동명사(전치사 in의 목적어), 소비재를 발명하는)

❹② For health science invention, / the percentage of female respondents / was twice as high as / that of male respondents.
(건강 과학 발명에서 / 여성 응답자의 비율은 / 〈배수사+as+형용사[부사]의 원급+as〉: ~보다 몇 배 …한[하게], 두 배만큼 높았다 / that = the percentage, 남성 응답자의 비율보다)

❺③ The percentage point gap between males and females was the smallest / in environmental invention.
(〈between A and B〉: A와 B 사이에, 남성과 여성 간 퍼센트 포인트의 차이가 가장 작았다 / the smallest: 최상급 / 환경 관련 발명에서)

❻④ For web-based invention, / the percentage of female respondents was less than / half that of male respondents.
(웹 기반 발명에서 / 여성 응답자의 비율은 더 적었다 / 남성 응답자의 비율의 절반보다)

❼⑤ In the category of other invention, / the percentage of respondents / from each gender group was / less than 10 percent.
(기타 발명 범주에서 / 응답자의 비율은 / 각 성별 집단의 / 10퍼센트보다 더 적었다)

유형 해결 전략

KEY 1 도표 제목 확인
'2011년의 16세부터 25세까지의 청년들의 발명 (분야) 흥미'에 관한 그래프임을 확인

KEY 2 비교 대상 및 그래프의 수치 파악
2011년에 실시한 16세부터 25세까지의 청년들의 다섯 개 범주의 발명 (분야) 흥미에 관한 조사 결과를 비교함

KEY 3 증감, 변화, 비교 표현을 확인하며 도표와 대조
① the highest percentage of ~ (가장 높은 비율의 ~)
② twice as high as that of ~(~의 비율보다 두 배 만큼 더 높은)
③ the smallest(가장 작은)
④ less than half that of ~(~의 비율의 절반보다 더 적은)
⑤ less than(~보다 적은)
➡ ④ 웹 기반 발명에서의 여성 응답자와 남성 응답자의 비율을 비교하는 문장에서 less than을 more than으로 바꾸어야 일치함

해석

❶2011년 16세부터 25세까지의 청년들의 발명 (분야) 흥미
❷위 그래프는 2011년의 16세부터 25세까지의 청년들의 발명 흥미에 관한 조사의 결과를 보여 준다. ❸다섯 개 범주의 발명 (분야) 중에서, 가장 높은 비율의 남성 응답자가 소비재를 발명하는 것에 대해 흥미를 나타냈다. ❹건강 과학 발명에서는, 여성 응답자의 비율이 남성 응답자의 비율보다 두 배만큼 높았다. ❺환경 관련 발명에서는 남성과 여성 간 퍼센트 포인트의 차이가 가장 작았다. ❻웹 기반 발명에서, 여성 응답자의 비율은 남성 응답자의 비율의 절반보다 더 적었다(→ 많았다). ❼기타 발명 범주에서, 각 성별 집단의 응답자 비율은 10퍼센트보다 더 적었다.

해설

웹 기반 발명에서 남성 응답자의 비율은 26퍼센트이고 여성 응답자의 비율은 14퍼센트이므로 비율의 절반인 13퍼센트보다 많다. 따라서 ④는 도표의 내용과 일치하지 않는다.

오답 노트

① 남성 응답자는 소비재 발명에 가장 높은 비율인 32퍼센트의 흥미를 나타냈다.
② 건강 과학 발명에는 여성이 30퍼센트, 남성이 15퍼센트의 흥미를 나타냈다.
③ 환경 발명 분야에서 남성과 여성 응답자의 차이는 1퍼센트로 차이가 가장 작다.
⑤ 기타 발명에는 여성이 7퍼센트, 남성이 9퍼센트의 흥미를 나타냈다.

구문 해설

❺ ~, was **the smallest in environmental invention**.
〈the+최상급+in+단수 명사〉는 최상급 비교 구문으로 '~에서 가장 …한[하게]'라는 뜻이다.

❻ ~, the percentage of female respondents was **less than** half that of male respondents.
less than은 〈little의 불규칙 비교급+than〉의 형태로 '~보다 더 적은'이라는 뜻이다.

More & More

2 ④ 기타 발명에 각각의 성별 그룹이 왜 10퍼센트 미만의 흥미를 보였는지는 언급되지 않았다.
① 남성들에게 가장 흥미로운 범주는 무엇으로 보이는가?
② 건강 과학 발명에는 어느 성별이 더 관심을 보였는가?
③ 남성과 여성 사이의 비율 차이가 가장 적은 발명은 무엇이었나?
⑤ 얼마나 많은 발명에서 여성 비율이 남성 비율의 절반 이상이었나?

세부 정보 파악하기

● 본문 038쪽

대표 예제

해석 ❶Ellen Church는 1904년에 Iowa에서 태어났다. ❷Cresco 고등학교를 졸업한 후, 그녀는 간호학을 공부했고 San Francisco에서 간호사로 일했다. ❸그녀는 대부분의 사람들이 비행을 무서워하기 때문에 간호사가 비행 중에 승객을 돌봐야 한다고 제안했다. ❹1930년에 그녀는 미국 최초의 여성 비행기 승무원이 되었다. ❺불행하게도, 자동차 사고 부상으로 그녀는 겨우 18개월 후에 일을 그만두어야 했다. ❻Church는 간호 교육학 학위를 받으며 Minnesota 대학을 졸업한 후 병원에서 다시 간호사 일을 시작했다. ❼제2차 세계대전 중, 간호장교로 복무했고 항공 훈장을 받았다. ❽그녀의 고향인 Cresco에 있는 Ellen Church Field 공항은 그녀의 이름을 따서 붙였다.

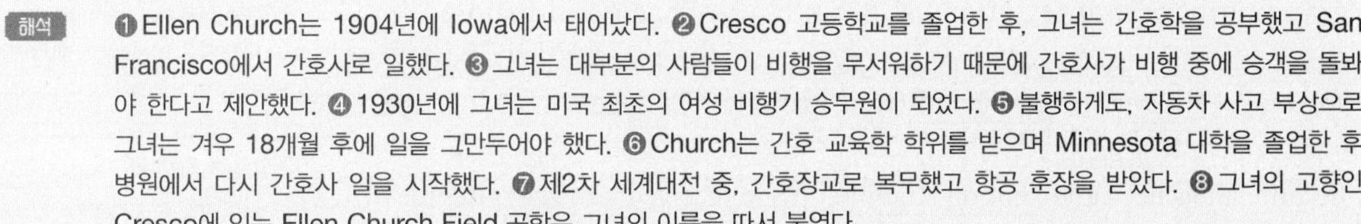

어휘 **graduate from** ~을 졸업하다 **nursing** 간호(학) **passenger** 승객 **flight** 비행 **flying** 비행 **flight attendant** 비행기 승무원 **unfortunately** 불행하게도 **injury** 부상 **career** 직업; 경력 **degree** 학위 **name after** ~을 따서 이름 짓다

READING 1 ~ 4

● 본문 040~043쪽

More & More

1 ⑤ **1** Shirley Chisholm was against the American involvement in the Vietnam War (and the expansion of weapon developments). / Shirley Chisholm은 미국의 베트남 전쟁 개입(과 무기 개발의 확대)에 반대했다. **2** ④

2 ④ **1** As the males grow older, these brown lines disappear and the body color becomes lighter; the tail becomes almost white. / 수컷은 나이가 들면서 이 갈색 선들이 사라지고, 몸통 색깔은 더 밝아지는데, 꼬리는 거의 흰색이 된다. **2** ④

3 ③ **1** Heart rate in warm-blooded animals does not depend on the temperature of the surroundings. / 온혈동물의 심박 수는 주변 온도에 의존하지 않는다. **2** ③

4 ④ **1** Though she never had children of her own, she loved children and painted portraits of the children of her friends and family. / 비록 그녀는 자기 자녀는 없었지만, 아이들을 사랑했고 그녀의 친구들과 가족의 자녀의 초상화를 그렸다. **2** ②

1

답 ⑤

❶Shirley Chisholm was born in Brooklyn, New York / in 1924.
be born in: ~에서 태어나다
Shirley Chisholm은 New York 주 Brooklyn에서 태어났다 1924년에

❷Chisholm spent part of her childhood / in Barbados / with her grandmother.
Chisholm은 어린 시절의 일부를 지냈다 Barbados에서 그녀의 할머니와 함께

❸Shirley attended Brooklyn College / and majored in sociology.
major in: ~을 전공하다
Shirley는 Brooklyn에서 대학을 다녔다 그리고 사회학을 전공했다

❹After she graduated from Brooklyn College / in 1946, / she became a teacher / and kept on studying.
시간 접속사(~ 후에) graduate from: ~을 졸업하다 〈keep on+-ing〉: 계속해서 ~하다
그녀가 Brooklyn 대학을 졸업한 후에 1946년에 그녀는 교사가 되었다 그리고 공부를 계속해서 했다

❺She received a master's degree / in elementary education / from Columbia University.
석사 학위
그녀는 석사 학위를 받았다 초등 교육에서 Columbia 대학교에서

❻In 1968, / Shirley Chisholm became the United States' first African-American congresswoman.
1968년에 Shirley Chisholm은 미국 최초의 아프리카계 미국인 여성 하원 의원이 되었다

❼She spoke out / for civil rights, women's rights, and poor people.
speak out: 목소리를 내다 ~을 지지하여 시민권 = the poor
그녀는 목소리를 냈다 시민권, 여성의 권리, 그리고 가난한 사람들을 지지하는

❽Shirley Chisholm was against / the American involvement in the Vietnam War / and the expansion of weapon developments.
~을 반대하여 against의 목적어$_1$ against의 목적어$_2$
Shirley Chisholm은 반대했다 미국의 베트남 전쟁에 그리고 무기 개발의 확대에

유형 해결 전략

KEY 1 선택지 먼저 읽고 글의 내용 유추

KEY 2 선택지와 글의 내용 대조
① 어린 시절 할머니와 함께 지낸 적이 있다. ➡ 일치 (❷)
② Brooklyn 대학에서 사회학을 전공했다. ➡ 일치 (❸)
③ 대학 졸업 후 교사로 일하기 시작했다. ➡ 일치 (❹)
④ 미국 최초의 아프리카계 미국인 여성 하원 의원이었다. ➡ 일치 (❻)
⑤ 미국의 베트남 전쟁 개입을 지지했다. ➡ 불일치 (❽)

해석

❶Shirley Chisholm은 1924년 New York 주 Brooklyn에서 태어났다. ❷Chisholm은 Barbados에서 어린 시절의 일부를 할머니와 함께 지냈다. ❸Shirley는 Brooklyn 대학에 다니면서 사회학을 전공했다. ❹1946년에 Brooklyn 대학을 졸업한 후, 그녀는 교사가 되었고 계속해서 공부를 했다. ❺그녀는 Columbia 대학교에서 초등 교육 석사 학위를 취득했다. ❻1968년에, Shirley Chisholm은 미국 최초의 아프리카계 미국인 여성 하원 의원이 되었다. ❼그녀는 시민권, 여성의 권리 그리고 빈민들을 지지하는 목소리를 냈다. ❽Shirley Chisholm은 미국의 베트남 전쟁 개입과 무기 개발의 확대에 반대했다.

해설

마지막 문장에서 Shirley Chisholm은 미국의 베트남 전쟁 개입에 반대했다(Shirley Chisholm was against the American involvement in the Vietnam War ~.)고 언급되어 있다. 따라서 글의 내용과 일치하지 않는 것은 ⑤이다.

구문 해설

❶Shirley Chisholm was born in **Brooklyn, New York** in 1924.
Brooklyn, New York처럼 장소를 나타낼 때는 〈작은 장소+큰 장소〉의 어순으로 쓴다.

❹**After** she **graduated** from Brooklyn College in 1946, she **became** a teacher and **kept** on studying.
after나 before 등과 같이 시간의 전·후 관계를 명확히 나타내는 접속사가 쓰였을 때는 완료시제를 굳이 사용하지 않고 동일한 시제를 적용시킬 수 있으므로 모두 과거시제인 became, kept로 나타냈다.

❽Shirley Chisholm was **against** the American involvement in the Vietnam War **and** the expansion of weapon developments.
the American involvement in the Vietnam War와 the expansion of weapon developments는 against의 목적어로 등위접속사 and에 의해 병렬 연결되어 있다.

More & More

2 여성 하원 의원으로서, Shirley Chisholm은 시민권과 여성의 권리는 지지하였지만, 무기 개발의 확대는 반대했다고 했다. 따라서 '~에 지지하는'의 뜻인 전치사 for와, '~에 반대하여'의 뜻인 전치사 against가 알맞다.

답 ④

❶Chuckwallas are fat lizards, / usually 20–25cm long, / though they may grow up to 45cm. ❷They weigh about 1.5kg / when they are mature. ❸Most chuckwallas / are mainly brown or black. ❹Every year, / just after they molt, / their skin is shiny. ❺Lines of dark brown run / along the back / and continue down the tail. ❻As the males grow older, / these brown lines disappear / and the body color becomes lighter; / the tail becomes almost white. ❼It is not easy / to distinguish between male and female chuckwallas, / because young males look like females / and the largest females resemble males.

(though: 양보 접속사(비록 ~이긴 하지만) / up to: ~까지 / about: 약, 대략 / when: 시간 접속사(~할 때) / just after: ~ 직후에 / As: ~함에 따라(비례) / grow older: 〈grow+비교급〉: 점점 더 ~해지다 / becomes lighter: 〈become+비교급〉: 점점 더 ~해지다 / It: 가주어 / to distinguish ~: 진주어 / 〈distinguish between A and B〉: A와 B를 구별하다 / because: 이유 접속사(~ 때문에) / 〈look like+명사〉: ~처럼 보이다)

Chuckwalla는 통통한 도마뱀이다 / 대개 20~25센티미터 길이의 / 비록 그들이 45센티미터까지 자랄 수 있지만 / 그들은 약 1.5킬로그램의 무게가 나간다 / 그들이 다 자랐을 때 / 대부분의 chuckwalla는 / 주로 갈색이거나 검은색이다 / 해마다 / 그들이 탈피한 직후에 / 그들의 가죽은 빛난다 / 짙은 갈색 선들이 이어진다 / 등을 따라 / 그리고 꼬리까지 계속된다 / 수컷들이 나이가 들면서 / 이러한 갈색 선들은 사라진다 / 그리고 몸 색깔은 더 밝아진다 / 꼬리는 거의 흰색이 된다 / 쉽지 않다 / 암컷과 수컷 chuckwalla를 구별하는 것은 / 왜냐하면 어린 수컷들은 암컷과 비슷하게 생겼기 때문에 / 그리고 가장 큰 암컷들은 수컷과 닮았기 때문에

* molt: 탈피하다

유형 해결 전략

KEY 1 선택지 먼저 읽고 글의 내용 유추

KEY 2 선택지와 글의 내용 대조

① 길이가 45cm까지 자랄 수 있다. ➡ 일치 (❶)

② 대부분 갈색이거나 검은색이다. ➡ 일치 (❸)

③ 등을 따라 꼬리까지 짙은 갈색 선들이 나 있다. ➡ 일치 (❺)

④ 수컷의 몸통 색깔은 나이가 들수록 짙어진다. ➡ 불일치 (❻)

⑤ 어린 수컷의 생김새는 암컷과 비슷하다. ➡ 일치 (❼)

해석

❶chuckwalla는 45센티미터까지 자랄 수도 있지만 대개 길이가 20~25센티미터인 통통한 도마뱀이다. ❷다 자랐을 때, 그들의 무게는 1.5킬로그램 가량 나간다. ❸대부분의 chuckwalla는 주로 갈색이거나 검은색이다. ❹해마다 그들이 탈피한 직후에는, 그들의 가죽은 윤기가 난다. ❺짙은 갈색 선들이 등을 따라 나서 꼬리까지 이어진다. ❻수컷은 나이가 들면서 이러한 갈색 선들이 사라지고, 몸통 색깔은 더 밝아지는데, 꼬리는 거의 흰색이 된다. ❼어린 수컷의 생김새는 암컷과 비슷하고 가장 커다란 암컷은 수컷을 닮았기 때문에 수컷과 암컷 chuckwalla를 구별하기는 쉽지 않다.

해설

수컷은 나이가 들면서 몸통 색깔이 더 밝아진다(As the males grow older, these brown lines disappear and the body color becomes lighter)고 했다. 따라서 글의 내용과 일치하지 않는 것은 ④이다.

구문 해설

❶Chuckwallas are fat lizards, usually 20–25cm long, **though** they **may** grow up to 45cm.

though는 '비록 ~이긴 하지만'이라는 뜻인 양보의 접속사로서 even though, even if, although와 바꿔 쓸 수 있다. may는 '~일지 모른다'라는 뜻의 추측을 나타내는 조동사이다.

❻**As** the males **grow older**, these brown lines disappear and the body color **becomes lighter**; the tail becomes almost white.

여기서 접속사 as는 '~함에 따라'라는 뜻으로 비례의 의미를 나타낸다. 〈grow[become]+비교급〉은 '점점 더 ~해지다'라는 뜻을 나타내며, 이때 동사 grow, become 대신에 get으로도 쓸 수 있다.

❼**It** is not easy **to distinguish** between male and female chuckwallas, because young males **look like** females and the largest females resemble males.

It은 가주어이고 to distinguish 이하는 진주어이다. look like는 '~처럼 보이다', '~와 비슷하다'라는 뜻으로 뒤에는 명사가 와야 하므로 females가 쓰였다. *cf.* '~처럼 보이다'라는 뜻의 look 뒤에는 형용사가 온다.

look like *vs.* be like: look like는 '(보기에) ~처럼 보이다', '~와 비슷하다'라는 뜻으로 물리적인 외형에 대한 인상을, be like는 '(전반적인 상태)가 ~와 비슷하다', '같다'라는 뜻으로 성격이나 전반적인 특성에 대한 상태를 의미한다.

More & More

2 ④ 수컷들이 나이가 들면서 갈색 선들이 사라지고 몸 색깔도 밝아진다고 했지만, 정확히 몇 살에 그런 현상이 일어나는지는 언급되지 않았다.

① chuckwalla는 길이가 얼마나 자랄 수 있는가?

② 다 자란 chuckwalla는 무게가 얼마인가?

③ chuckwalla는 얼마나 자주 탈피를 하는가?

⑤ 왜 수컷과 암컷 chuckwalla를 구별하기 어려운가?

3

답 ③

❶Warm-blooded animals / have gone through changes / in their body and behavior / that help regulate body temperature. ❷They generate heat / by turning food into energy. ❸So / they have to take in enough food / to keep their body temperature even. ❹Warm-blooded animals / keep heat from escaping / by covering themselves / with hair, feathers, or layers of fat. ❺In extreme cold, / they also shiver. ❻They do this / to produce extra heat. ❼Heart rate / in warm-blooded animals / does not depend / on the temperature of the surroundings. ❽For this reason, / they can be as active / on a cold winter night / as they are during a summer day. ❾This advantage / enables warm-blooded animals / to actively look for food year round.

현재완료 / go through: 겪다
온혈동물은 / 변화를 겪어왔다 / 그들의 몸과 행동에
주격 관계대명사
체온을 조절하는 데 도움이 되는 / 그들은 열을 발생시킨다
〈by+-ing〉: ~함으로써 〈turn A into B〉: A를 B로 바꾸다 ~해야 한다(= must) ~을 섭취하다
음식을 에너지로 바꿈으로써 / 그래서 그들은 충분한 음식을 섭취해야 한다
부사적 용법(목적) 〈keep+목적어+목적격보어(형용사)〉 〈keep+목적어+from-ing〉:
그들의 체온을 일정하게 유지하기 위해 / 온혈동물은 / 열이 빠져나가지
목적어가 ~하는 것을 막다 / 재귀 용법
못하게 한다 / 그들 스스로를 가림으로써 / 털, 깃털 혹은 지방층으로
= shivering(몸을 떠는 것) 부사적 용법(목적)
극심한 추위에서는 / 그들은 또한 (몸을) 떤다 / 그들은 이것을 한다 / 여분의 열을 생산하기 위해서
~에 의존하다(= rely on)
심박 수는 / 온혈동물의 / 의존하지 않는다 / 주변 온도에
이런 이유로 / 그들은 활동적일 수 있다
〈as+형용사[부사]의 원급+as〉: ~만큼 …한
추운 겨울밤에 / 그들이 여름 낮에 그러한 것만큼 / 이러한 이점은
〈enable+목적어+목적격보어(to부정사)〉 ~을 찾다 일 년 내내
온혈동물로 하여금 가능하게 한다 / 일 년 내내 적극적으로 먹이를 찾는 것을

* shiver: (몸을) 떨다

유형 해결 전략

KEY 1 선택지 먼저 읽고 글의 내용 유추

KEY 2 선택지와 글의 내용 대조

① 먹이로 공급받은 에너지는 체온 유지에 쓰인다. ➡ 일치 (❷❸)

② 털이나 지방이 열이 빠져나가는 것을 막아준다. ➡ 일치 (❹)

③ 주변 환경에 맞추어 심박 수가 조절된다. ➡ 불일치 (❼)

④ 추운 겨울밤에도 활동할 수 있다. ➡ 일치 (❽)

⑤ 일 년 내내 먹이 활동을 한다. ➡ 일치 (❾)

해석

❶온혈동물은 체온을 조절하는 데 도움이 되는 몸과 행동에서의 변화를 겪어왔다. ❷그들은 음식을 에너지로 바꿈으로써 열을 발생시킨다. ❸그래서 그들은 체온을 일정하게 유지하기 위해서 충분한 음식을 섭취해야 한다. ❹온혈동물은 털, 깃털, 지방층으로 자신들의 몸을 가림으로써 열이 빠져나가지 못하게 한다. ❺또한 그들은 극심한 추위 속에서 몸을 떤다. ❻그들은 여분의 열을 생산하기 위해 몸을 떠는 행동을 한다. ❼온혈동물의 심박 수는 주변 온도에 의존하지 않는다. ❽이런 이유로, 그들은 여름 낮에 그런 것과 같이 추운 겨울밤에 활동적일 수 있다. ❾이러한 이점은 온혈동물이 일 년 내내 적극적으로 먹이를 찾을 수 있게 해 준다.

해설

온혈동물의 심박 수는 주변 온도에 의존하지 않는다(Heart rate in warm-blooded animals does not depend on the temperature of the surroundings.)고 했다. 따라서 글의 내용과 일치하지 않는 것은 ③이다.

구문 해설

❶Warm-blooded animals **have gone** through changes in their body and behavior **that** help regulate body temperature.

have gone은 과거의 어느 시점부터 시작되어 현재까지 쭉 영향을 계속해서 미치는 것이므로 계속 용법의 현재완료로 쓰였다. that은 바로 앞의 their body and behavior가 아닌, changes를 선행사로 받는 주격 관계대명사이다.

❽For this reason, they can be **as active** on a cold winter night **as** they are during a summer day.

as active ~ as는 〈as+형용사[부사]의 원급+as〉의 형태인 원급 비교로 '…만큼 활동적인'이라는 뜻이다.

❾This advantage **enables warm-blooded animals to actively look for** food year round.

〈enable+목적어+목적격보어〉의 형태인 5형식으로 '~가 …을 가능하게 하다'로 해석하며, enable의 목적격보어로 to부정사인 to look for가 왔다. to와 look for 사이에 들어간 부사 actively는 동사 look for의 의미를 강조하기 위해 쓰였다.

More & More

2 온혈동물이 극심한 추위 속에서 몸을 떠는 이유는 ③ '여분의 열을 발생시키기' 위해서이다.

① 음식을 찾다

② 신체를 변화시키다

④ 음식을 에너지로 바꾸다

⑤ 겨울을 위해 충분한 먹이를 섭취하다

● 본문 043쪽

답 ④

❶Born in Pennsylvania, Mary Cassatt / was the fourth of five children / in her well-to-do family. ❷Mary Cassatt and her family traveled / throughout Europe / in her childhood. ❸Her family did not approve / when she decided / to become an artist, / but her desire was strong / enough for her to take the steps / to make art her career. ❹She studied first / in Philadelphia / and then went to Paris / to study painting. ❺She admired the work of Edgar Degas / and was able to meet him / in Paris, / which was a great inspiration. ❻Though she never had children / of her own, / she loved children / and painted portraits / of the children of her friends and family.

❼Cassatt lost her sight / at the age of seventy, / and, sadly, / was not able to paint / in her later years.

(동격; 부유한, 잘 사는; 도처에; 시간 접속사(~할 때); 명사적 용법(목적어); 〈형용사+enough+의미상 주어+to부정사〉: ~할 만큼 충분히 …한; 형용사적 용법; 부사적 용법(목적); 작품; be able to: ~할 수 있다; 계속적 용법의 관계대명사; 양보 접속사(비록 ~이긴 하지만); lose one's sight: 시력을 잃다; ~의 나이에; = could not)

Pennsylvania에서 태어난 Mary Cassatt은 / 다섯 아이들 중 넷째였다 / 부유한 가정의 / Mary Cassatt과 그녀의 가족은 여행했다 / 유럽 전역을 / 그녀의 유년 시절에 / 그녀의 가족은 찬성하지 않았다 / 그녀가 결심했을 때 / 화가가 되려고 / 그러나 그녀의 열망은 강했다 / 과정을 밟아나갈 만큼 충분히 / 예술을 그녀의 직업으로 만들기 위한 / 그녀는 우선 공부했고 / Philadelphia에서 / 그러고 나서 파리로 갔다 / 그림을 공부하기 위해 / 그녀는 Edgar Degas의 작품에 감탄했다 / 그리고 그를 만날 수 있었다 / 파리에서 / 그리고 그것은 큰 영감이 되었다 / 비록 그녀는 자녀는 없었지만 / 그녀 자신의 / 그녀는 아이들을 사랑했다 / 그리고 초상화를 그렸다 / 그녀의 친구들과 가족의 자녀의 / Cassatt은 시력을 잃었다 / 70세에 / 그리고 슬프게도 / 그림을 그릴 수 없었다 / 노년에는

* portrait: 초상화

유형 해결 전략

KEY 1 선택지 먼저 읽고 글의 내용 유추

KEY 2 선택지와 글의 내용 대조
① 유년 시절에 유럽 전역을 여행했다. ➡ 일치 (❷)
② 화가가 되는 것을 가족이 찬성하지 않았다. ➡ 일치 (❸)
③ Edgar Degas를 파리에서 만났다. ➡ 일치 (❺)
④ 자기 자녀의 초상화를 그렸다. ➡ 불일치 (❻)
⑤ 70세에 시력을 잃었다. ➡ 일치 (❼)

해석

❶Pennsylvania에서 태어난 Mary Cassatt은 부유한 가정의 다섯 아이들 중 넷째였다. ❷Mary Cassatt과 그녀의 가족은 그녀의 유년 시절에 유럽 전역을 여행했다. ❸그녀가 화가가 되려고 결심했을 때 그녀의 가족은 찬성하지 않았지만, 그녀의 열망은 예술을 그녀의 직업으로 만들기 위한 과정을 밟을 만큼 충분히 강했다. ❹그녀는 우선 Philadelphia에서 공부했고 그러고 나서 그림을 공부하기 위해 파리로 갔다. ❺그녀는 Edgar Degas의 작품에 감탄했고 파리에서 그를 만날 수 있었는데, 그것은 큰 영감이 되었다. ❻비록 그녀는 자기 자녀는 없었지만, 아이들을 사랑했고 그녀의 친구들과 가족의 자녀의 초상화를 그렸다. ❼Cassatt은 70세에 시력을 잃었고, 슬프게도, 노년에는 그림을 그릴 수 없었다.

해설

Cassatt은 자기 자녀가 없었지만 친구들과 가족의 자녀의 초상화를 그렸다(Though she never had children of her own, she loved children and painted portraits of the children of her friends and family.)고 했다. 따라서 글의 내용과 일치하지 않는 것은 ④이다.

구문 해설

❸Her family did not approve when she **decided to become** an artist, but her desire was **strong enough for her to take** the steps **to make** art her career.

동사 decide는 목적어로 to부정사만을 취하므로 뒤에 〈to+동사원형〉인 to become이 쓰였다. strong enough for her to take는 〈형용사+enough+의미상 주어+to부정사〉의 형태로 '(과정을) 밟아나갈 만큼 충분히 강한'이라는 뜻이며, 여기서는 문장의 주어(her desire)와 to부정사의 주어가 다르므로 to부정사 앞에 의미상 주어 for her가 쓰였다. to make는 앞의 명사구 the steps를 꾸며 주는 to부정사의 형용사적 용법으로 쓰였다.

❺She admired the work of Edgar Degas and was able to meet him in Paris, **which** was a great inspiration.

, which는 〈콤마+관계대명사 which〉의 형태로 선행사인 앞의 문장 전체를 부연 설명하는 관계대명사의 계속적 용법으로 쓰였다. 여기서 관계대명사 which는 〈접속사+대명사〉인 and it으로 바꿔 쓸 수 있다.

More & More

2 ② Mary Cassatt이 유년 시절 유럽 전역을 여행한 이유는 언급되지 않았다.

실용문 정보 파악하기

● 본문 046쪽

대표 예제

해석 ❶ 과학 셀카 사진 대회
❷ 과학상을 받을 기회를 얻으려면, 그저 학교 밖에서 과학을 즐기는 셀카 사진을 저희에게 보내세요!
❸ 마감 기한: 2020년 3월 20일 금요일 오후 6시
❹ 세부 사항:
❺ • 셀카 사진에는 과학 박물관 방문이나 집에서 하는 과학 활동이 포함되어야 합니다.
❻ • 마음껏 창의력을 발휘하여 셀카 사진에 관한 짧은 문장 하나를 써 주세요.
❼ • 1인당 한 장의 출품작만!
❽ • 셀카 사진을 이름 및 소속 학급과 함께 mclara@oldfold.edu로 이메일로 보내 주세요.
❾ 수상자는 2020년 3월 27일에 발표될 것입니다.
❿ 대회에 대해 자세히 알아보려면 www.oldfold.edu를 방문해 주세요.

어휘 **selfie** 셀카 사진 **competition** 대회 **prize** 상 **deadline** 마감 기한 **detail** 세부 사항 **include** 포함하다 **creative** 창의적인 **entry** 출품작 **winner** 수상자 **announce** 발표하다

READING  ~ 

● 본문 048~051쪽

More & More

 ③

1 Ticket Price: $30 per person (including a photo album) / 티켓 가격: 1인당 30달러(포토 앨범 포함)
2 ④

 ⑤

1 Make sure the battery level of your watch has at least two bars, in order to avoid an upgrading error. / 업그레이드 오류를 피하기 위하여, 반드시 시계의 배터리 잔량 표시가 최소 두 칸은 되도록 하십시오.
2 ④

 ④

1 All applicants should sing two songs: – 1st song: *Oh Happy Day!* – 2nd song: You choose your own. / 모든 지원자는 두 곡의 노래를 불러야 합니다. – 첫 번째 곡: 〈Oh Happy Day!〉 – 두 번째 곡: 여러분이 자신의 노래를 선택하세요. **2** ⑤

 ⑤

1 The winners will receive two T-shirts with their design printed on them. / 수상자들은 자신의 디자인이 인쇄된 티셔츠 두 장을 받을 것입니다. **2** ③

1

답 ③

❶Photography Walks Program

Photography Walks 프로그램

❷Have you ever wanted to learn / how to take photographs / using your smartphone or tablet? ❸Then come and join us / on our exciting Photography Walks Program. ❹All ages and skill levels are welcome!

현재완료(경험 용법) 명사적 용법(목적어) 〈의문사 how+to부정사〉: ~하는 방법 분사구문 all 생략

여러분은 배우고 싶은 적이 있나요 사진을 찍는 방법을 자신의 스마트폰이나 태블릿을 사용하여 그러면 오셔서 저희와 함께 하세요 저희의 흥미로운 Photography Walks 프로그램에 모든 연령과 기술 수준의 사람들을 환영합니다!

❺◈ **Date:** From September 21 to September 23
〈from A to B〉: A부터 B까지
날짜: 9월 21일부터 9월 23일까지

❻◈ **Time:** 2 p.m. ~ 5 p.m.
시간: 오후 2시 ~ 오후 5시

❼◈ **Place:** Evergreen State Park
장소: Evergreen State 공원

❽◈ **Ticket Price:** $30 per person / (including a photo album)
~당, ~마다 ~을 포함하여
티켓 가격: 1인당 30달러 (포토 앨범을 포함하여)

❾◈ **Notice:**
공지

❿• Wear comfortable clothes and walking shoes.
명령문 wear 생략
편안한 옷과 걷기 편한 신발을 착용하세요.

⓫• Water and snacks are provided / for free.
수동태 무료로
물과 간식은 제공됩니다 무료로

⓬Registration should be made / at least 2 days / before the program begins.
조동사가 포함된 수동태 적어도 시간 접속사(~ 전에)
등록이 되어야 합니다 적어도 2일까지 프로그램이 시작되는 전에

⓭Please visit our website / for more information.
저희 웹사이트를 방문하세요 더 많은 정보를 위해서는

유형 해결 전략

KEY 1 제목과 소개말을 통해 실용문의 종류와 주제 파악
사진 찍기와 걷기 활동이 결합된 프로그램에 대한 안내문임을 파악

KEY 2 선택지와 글의 내용 대조
① 연령에 관계없이 참여할 수 있다. ➡ 일치 (❹)
② 9월에 3일 동안 진행된다. ➡ 일치 (❺)
③ 포토 앨범은 티켓 가격에 포함되지 않는다. ➡ 불일치 (❽)
④ 물과 간식이 무료로 제공된다. ➡ 일치 (⓫)
⑤ 등록은 프로그램 시작 2일 전까지 해야 한다. ➡ 일치 (⓬)

해석

❶Photography Walks 프로그램
❷여러분은 자신의 스마트폰이나 태블릿을 사용하여 사진을 찍는 방법을 배우고 싶은 적이 있나요? ❸그러면 오셔서 저희의 흥미로운 Photography Walks 프로그램에 참가하세요. ❹모든 연령과 모든 기술 수준의 사람들을 환영합니다!
❺◈ 날짜: 9월 21일부터 9월 23일까지
❻◈ 시간: 오후 2시~오후 5시
❼◈ 장소: Evergreen State 공원
❽◈ 티켓 가격: 1인당 30달러 (포토 앨범을 포함하여)
❾◈ 공지:
❿ • 편안한 옷과 걷기 편한 신발을 착용하세요.
⓫ • 물과 간식이 무료로 제공됩니다.
⓬등록은 프로그램 시작 최소 2일 전까지 이루어져야 합니다. ⓭더 많은 정보를 원하시면 저희 웹사이트를 방문하세요.

해설

티켓 가격은 1인당 30달러이며 이것은 포토 앨범비를 포함한 가격(Ticket Price: $30 per person (including a photo album))이라고 했다. 따라서 안내문의 내용과 일치하지 않는 것은 ③이다.

구문 해설

❷**Have you ever wanted** to learn **how to take** photographs using your smartphone or tablet?

Have you ever wanted ~?는 '~을 하고 싶은 적이 있나요?'라는 뜻으로 과거부터 현재 시점까지의 경험을 묻는 것이므로 현재완료시제를 썼다. how to take는 〈의문사 how+to부정사〉의 형태로 '찍는 방법'이라는 뜻을 나타내며 〈의문사 how+주어+should+동사원형〉의 절인 how you should take로 바꿔 쓸 수 있다.

⓬Registration **should be made** at least 2 days before the program begins.

should be made는 '~해야 한다'라는 뜻의 조동사 should가 포함된 〈should be+과거분사〉의 형태인 수동태이다.

More & More

2 ④ 포토 앨범을 포함한 티켓 가격이 1인당 30달러라고 했을 뿐 포토 앨범 가격에 대해서는 언급되지 않았다.
① 무엇에 관한 프로그램인가?
② 프로그램에는 어떤 기기를 사용하는가?
③ 프로그램은 어디서 열릴 것인가?
⑤ 프로그램을 위한 복장 규정은 무엇인가?

● 본문 049쪽

답 ⑤

❶L-19 Smart Watch

L-19 Smart Watch

User Guide

사용 설명서

❷**KEY FUNCTIONS**

주요 기능

❸[A] Short press to confirm; / long press to enter the sports mode.

부사적 용법(목적)

설정값을 확정하기 위해서 짧게 누르시오 스포츠 모드로 들어가기 위해서 길게 누르시오

❹[B] Short press / to return to the 'home' menu; / long press / to send SOS location.

부사적 용법(목적)

짧게 누르시오 '홈' 메뉴로 돌아가기 위해서 길게 누르시오 구조 요청 위치 (정보)를 보내기 위해서

❺[C] Short press / to turn on or off the background light; / long press / to turn on or off your watch.

turn on(off): ~을 켜다(끄다)

짧게 누르시오 배경 화면의 불빛을 켜거나 끄기 위해서 길게 누르시오 시계를 켜거나 끄기 위해서

❻[D] Press to go up. ❼(In time, date or other settings, / press the key to increase the value.)

(설정값을) 올리기 위해서 누르시오 시간, 날짜 또는 다른 설정에서 (설정)값을 올리기 위해서 키를 누르시오

❽[E] Press to go down. ❾(In time, date or other settings, / press the key to decrease the value.)

(설정값을) 내리기 위해서 누르시오 시간, 날짜 또는 다른 설정에서 (설정)값을 내리기 위해서 키를 누르시오

❿**CAUTION**

주의 사항

⓫Make sure / the battery level of your watch / has at least two bars, / in order to avoid an upgrading error.

반드시 ~해라 / 최소한 / ~하기 위해서(목적)

반드시 ~하십시오 시계의 배터리 잔량 표시가 최소 두 칸은 되도록 업그레이드로 오류를 피하기 위해서

* confirm: 설정값을 확정하다

유형 해결 전략

KEY 1 제목을 통해 실용문의 종류와 주제 파악

제품명 L-19이라는 스마트 시계에 대한 사용 설명서임을 파악

KEY 2 선택지와 글의 내용 대조

① [A]를 짧게 누르면 스포츠 모드로 들어간다. ➡ 불일치 (❸)

② [B]를 길게 누르면 '홈' 메뉴로 돌아간다. ➡ 불일치 (❹)

③ [C]를 길게 누르면 배경 화면의 불빛이 켜지거나 꺼진다. ➡ 불일치 (❺)

④ [D]를 누르면 설정값이 내려간다. ➡ 불일치 (❻)

⑤ 업그레이드 오류를 피하려면 배터리 잔량 표시가 최소 두 칸은 되어야 한다. ➡ 일치 (⓫)

해석

❶L-19 Smart Watch 사용 설명서 ❷주요 기능
❸[A] 설정값을 확정하려면 짧게 누르시오. 스포츠 모드로 들어가려면 길게 누르시오.
❹[B] '홈' 메뉴로 돌아가려면 짧게 누르시오. 구조 요청 위치 정보를 보내려면 길게 누르시오.
❺[C] 배경 화면의 불빛을 켜거나 끄려면 짧게 누르시오. 시계를 켜거나 끄려면 길게 누르시오.
❻[D] (설정값을) 올리려면 누르시오. ❼(시간, 날짜, 혹은 다른 설정에서 값을 올리려면 키를 누르시오.)
❽[E] (설정값을) 내리려면 누르시오. ❾(시간, 날짜, 혹은 다른 설정에서 값을 내리려면 키를 누르시오.)
❿주의 사항
⓫업그레이드 오류를 피하기 위하여, 반드시 시계의 배터리 잔량 표시가 최소 두 칸은 되도록 하십시오.

해설

업그레이드 오류를 피하기 위해서 시계의 배터리 잔량 표시가 반드시 최소 두 칸은 되도록 하라(Make sure the battery level of your watch has at least two bars, in order to avoid an upgrading error.)고 했다. 따라서 안내문의 내용과 일치하는 것은 ⑤이다.

구문 해설

❸Short press **to confirm**; long press **to enter** the sports mode.

to confirm과 to enter는 '~하기 위해서'라는 뜻으로 목적의 의미를 나타내는 to부정사의 부사적 용법이다.

⓫**Make sure** the battery level of your watch has at least two bars, **in order to** avoid an upgrading error.

Make sure ~는 〈Make sure (that)+주어+동사 ~〉의 형태로 '반드시 ~하도록 해라'라는 당부의 표현이다. 〈in order to+동사원형〉은 '~하기 위해서'라는 목적의 의미를 나타내며, 〈so as to+동사원형〉이나 부사적 용법의 to부정사로 바꿔 쓸 수 있다.

More & More

2 ④ 알람을 설정하려면 어느 버튼을 눌러야 하는지에 대해서는 언급되지 않았다.

3

답 ④

유형 해결 전략

❶2017 Happy Voice Choir Audition
2017 Happy Voice 합창단 오디션

❷Do you love to sing? ❸Happy Voice, / one of the most famous school clubs, / is holding an audition for you. ❹Come and join us / for some very exciting performances!
└동격┘〈one of the+최상급+복수 명사〉: 가장 ~한 … 중 하나
여러분은 노래 부르는 것을 좋아하십니까? Happy Voice가 가장 유명한 학교 동아리 중 하나인 여러분을 위하여 오디션을 개최합니다 와서 우리와 함께 하세요 아주 신나는 공연들을 위하여

❺■ Who: Any freshman
대상: 신입생 누구나

❻■ When: Friday, March 24, 3 p.m.
일시: 3월 24일 금요일 오후 3시

❼■ Where: Auditorium
장소: 강당

❽All applicants should sing two songs:
~해야 한다
모든 지원자는 두 곡의 노래를 불러야 합니다

❾– 1st song: *Oh Happy Day!*
첫 번째 곡: 〈Oh Happy Day!〉

❿– 2nd song: You choose your own.
두 번째 곡: 여러분이 자신의 노래를 선택하세요

⓫If you want to participate in the audition, / please email us at hvaudition@qmail.com.
조건 접속사(만약 ~라면) ~에 참가하다
만약 여러분이 오디션에 참가하기를 원한다면 hvaudition@qmail.com으로 저희에게 이메일을 보내주세요

⓬For more information, / visit the school website.
더 많은 정보를 위해서는 학교 웹사이트를 방문하세요

KEY 1 제목과 소개말을 통해 실용문의 종류와 주제 파악
합창단 오디션'의 안내문임을 파악

KEY 2 선택지와 글의 내용 대조
① 학교 동아리가 개최한다. ➡ 일치 (❸)
② 신입생이면 누구나 참가할 수 있다. ➡ 일치 (❺)
③ 3월 24일에 강당에서 열린다. ➡ 일치 (❻, ❼)
④ 지원자는 자신이 선택한 두 곡을 불러야 한다. ➡ 불일치 (❽–❿)
⑤ 참가하려면 이메일을 보내야 한다. ➡ 일치 (⓫)

해석
❶2017 Happy Voice 합창단 오디션
❷노래 부르기를 좋아하세요? ❸가장 유명한 학교 동아리 중 하나인 Happy Voice가 여러분을 위해 오디션을 개최합니다. ❹아주 신나는 공연을 위해 와서 우리와 함께 하세요!
❺ ■ 대상: 신입생 누구나
❻ ■ 일시: 3월 24일 금요일 오후 3시
❼ ■ 장소: 강당
❽모든 지원자는 두 곡의 노래를 불러야 합니다.
❾– 첫 번째 곡: 〈Oh Happy Day!〉
❿– 두 번째 곡: 여러분이 자신의 노래를 선택하세요.
⓫만약 오디션에 참가하길 원한다면, hvaudition@qmail.com으로 저희에게 이메일을 보내주세요.
⓬더 많은 정보를 원하시면, 학교 웹사이트를 방문하세요.

해설
참가자들은 두 곡의 노래를 불러야 하지만, 실제로 선택하여 부르는 노래는 한 곡(All applicants should sing two songs: — 1st song: *Oh Happy Day!* — 2nd song: You choose your own.)이라고 했다. 따라서 안내문의 내용과 일치하지 않는 것은 ④이다.

구문 해설
❸Happy Voice, one of the most famous school clubs, is holding an audition for you.
Happy Voice와 one of the ~ clubs는 콤마로 연결된 동격 관계이다. 〈one of the+최상급+복수 명사〉는 '가장 ~한 … 중 하나'라는 뜻이며, 주어로 쓰일 경우 단수 취급하므로 여기서는 단수 동사 is가 쓰였다. is holding은 현재진행(be동사+-ing)시제로서 앞으로 예정된 미래의 의미를 나타낸다.

More & More
2 만약 합창단 오디션에 관해 더 많은 정보를 알고 싶으면 ⑤ '학교 웹사이트를 방문하라'고 했다.
① 이메일을 보내다
② 두 곡의 노래를 고르다
③ 친구들에게 물어보다
④ 강당으로 가다

● 본문 051쪽

답 ⑤

유형 해결 전략

❶T-shirt Design Contest

티셔츠 디자인 대회

❷We are looking for T-shirt designs / for the Radio Music Festival. ❸The Radio Music Festival team / will select the top five designs. ❹The one grand prize winner / will be chosen by online voting.

look for: ~을 찾다 / ~을 위한(목적) / ~할 것이다(의지) / 미래수동태(will+be+과거분사)

저희는 티셔츠 디자인을 찾고 있습니다 / Radio Music Festival을 위한 / Radio Music Festival 팀이 / 상위 다섯 개의 디자인을 선택할 것입니다 / 대상 수상자 한 명은 / 온라인 투표를 통해 선택될 것입니다

❺Details

세부 사항

❻■ Deadline for submission: May 15, 2018

제출 마감일: 2018년 5월 15일

❼■ A participant can submit up to three works.

~할 수 있다(가능) / ~까지

참가자는 세 개의 작품까지 제출할 수 있습니다

❽■ Designs will be printed / on white T-shirts.

미래수동태 / ~에(접촉)

디자인은 인쇄될 것입니다 / 흰색 티셔츠에

❾■ An entry can include / up to three colors.

출품작은 세 가지 색상까지 포함할 수 있습니다.

❿■ You can use the Radio Music Festival logo, / but you should not change its colors.

= the logo's

여러분은 Radio Music Festival 로고를 사용할 수 있습니다 / 하지만 여러분은 그것의 색상을 바꿔서는 안 됩니다

⓫The winners will receive / two T-shirts with their design printed on them.

〈with+명사+과거분사〉: ~가 …한 상태로 / = two T-shirts

수상자들은 받을 것입니다 / 자신의 디자인이 인쇄된 두 장의 티셔츠를

⓬For more information, / please visit our website at www.rmfestival.org.

더 많은 정보를 위해서는 / 저희 웹사이트 www.rmfestival.org를 방문하세요

KEY 1 제목과 소개말을 통해 실용문의 종류와 주제 파악
티셔츠 디자인 대회와 관련된 안내문임을 파악

KEY 2 선택지와 글의 내용 대조
① 온라인 투표를 통해 상위 다섯 개의 디자인을 선택한다. ➡ 불일치 (❸, ❹)
② 참가자 한 명당 한 개의 작품만 출품할 수 있다. ➡ 불일치 (❼)
③ 출품작에 사용되는 색상의 수에는 제한이 없다. ➡ 불일치 (❾)
④ Radio Music Festival 로고의 색상을 바꿔서 사용할 수 있다. ➡ 불일치 (❿)
⑤ 수상자는 자신의 디자인이 인쇄된 티셔츠를 받는다. ➡ 일치 (⓫)

해석

❶ 티셔츠 디자인 대회
❷ 저희는 Radio Music Festival을 위한 티셔츠 디자인을 찾고 있습니다. ❸ Radio Music Festival 팀이 상위 다섯 개의 디자인을 선택할 것입니다. ❹ 대상 수상자 한 명은 온라인 투표를 통해 선택될 것입니다.
❺ 세부 사항
❻ ■ 제출 마감일: 2018년 5월 15일
❼ ■ 참가자는 세 개의 작품까지 제출할 수 있습니다.
❽ ■ 디자인은 흰색 티셔츠에 인쇄될 것입니다.
❾ ■ 출품작은 세 가지 색상까지 포함할 수 있습니다.
❿ ■ Radio Music Festival 로고를 사용할 수 있지만, 그것의 색상을 바꾸면 안 됩니다.
⓫ 수상자들은 자신의 디자인이 인쇄된 티셔츠 두 장을 받을 것입니다.
⓬ 더 많은 정보를 원하시면, 저희 웹사이트 www. rmfestival.org를 방문하세요.

해설

수상자는 자신의 디자인이 인쇄된 티셔츠를 두 장 받는다(The winners will receive two T-shirts with their design printed on them.)고 했다. 따라서 안내문의 내용과 일치하는 것은 ⑤이다.

오답 노트

① 상위 다섯 개의 디자인은 Radio Music Festival 팀이 선택하고, 온라인 투표로는 대상 수상자 한 명만 선택한다.
② 참가자 한 명 당 세 개의 작품까지 출품할 수 있다.
③ 출품작은 세 가지 색상까지 포함할 수 있다.
④ Radio Music Festival 로고의 색상은 바꾸면 안 된다.

구문 해설

❹The one grand prize winner **will be chosen** by online voting.
주어인 winner는 '선택되는' 것이며 미래시제여야 하므로 〈will be+과거분사〉의 형태인 미래시제 수동태 will be chosen이 쓰였다.

⓫The winners will receive two T-shirts **with their design printed** on them.
〈with+명사+분사〉는 '~가 …한 상태로', '…한 채로'라는 뜻이다. 여기서는 '디자인이 인쇄되는'이라는 뜻으로 명사와 분사가 수동 관계이므로 과거분사 printed가 쓰였다.

More & More

2 안내문 첫 부분에서 Radio 'Music Festival'을 위한 티셔츠 디자인을 공모한다고 했고, 세부 사항 세 번째 항목에서 디자인은 '흰색' 티셔츠에 인쇄될 것이라고 했다.

글의 주제·제목 찾기

● 본문 054쪽

대표 예제

해석 ❶ 비록 모두가 다른 취향을 가지고 있지만, 촉감은 많은 제품의 중요한 측면이다. ❷ 물건을 고르기 위해, 소비자들은 손가락으로 만지거나 피부로 느끼는 것에 의존한다. ❸ 또한, 그들은 몇몇 제품들을 그것들의 감촉 때문에 좋아한다. ❹ 일부 소비자들은 피부에 진정 효과를 주기 위해 스킨 크림과 유아용품을 구입한다. ❺ 실제로, 촉감에 대한 욕구가 많은 소비자들은 이런 기회를 제공하는 제품을 좋아하는 경향이 있다. ❻ 소비자들은 의류나 카펫과 같은 천 소재의 제품을 고려할 때, 온라인이나 카탈로그에서만 보고 읽는 것보다 매장에서 물건을 만지는 것을 선호한다.

어휘 **aspect** 측면, 양상 **feel** 감촉 **soothing** 진정하는 **opportunity** 기회 **consider** 고려하다 **material** 천, 직물

READING 1 ~ 4

● 본문 056~059쪽

More & More

1 ③ 1 (get) smaller and smaller 2 ④

2 ② 1 삶에서 과도한 것들은 이롭지 않으며, 당신을 죽음에 이르게 할 수 있다는 것 2 ③

3 ④ 1 dramatic context 2 ⑤

4 ② 1 Asking 2 ④

1

● 본문 056쪽

답 ③

❶While some sand is formed in oceans / from things like shells and rocks, / most sand is made up of tiny bits of rock / that came all the way from the mountains! ❷But that trip / can take thousands of years. ❸Glaciers, wind, and flowing water / help move the rocky bits. ❹Along the way, / the tiny travelers get smaller and smaller. ❺If they're lucky, / a river may give them a lift / all the way to the coast. ❻There, / they can spend the rest of their years / on the beach as sand.

(While: 대조 접속사(~이긴 하지만) / like: ~와 같은 / 어떤 모래는 바다에서 만들어지기도 하지만 / 조개껍데기나 암초와 같은 것들로부터 / be made up of: ~(으)로 구성되다 / that: 주격 관계대명사 / come all the way: 먼 길을 오다 / 대부분의 모래는 암석의 작은 조각들로 구성되어 있다 / 산맥에서 먼 길을 온 / take: (시간이) 걸리다, 소요되다 / 그런데 그 여정은 / 수천 년이 걸릴 수 있다 / 〈help+(to+)동사원형〉: ~하는 것을 돕다 / along: ~을 따라서 / 빙하, 바람 그리고 흐르는 물은 / 암석 조각들을 옮기는 것을 돕는다 / 그 길을 따라서 / 〈get+비교급+and+비교급〉: 점점 더 ~해지다 / 그 작은 여행자들(암석 조각들)은 점점 더 작아진다 / 만약 운이 좋다면 / 강물이 / them = rocky bits / all the way: 내내 / they = rocky bits / 그것들을 실어다 줄지도 모른다 / 해안까지 내내 / 거기서 / 그것들은 그들의 여생을 보낼 수 있다 / 〈the rest of+복수 명사〉 / as: ~로서(자격) / 해변의 모래로서)

유형 해결 전략

KEY 1 글의 중심 소재 파악
모래를 이루는 것들과 모래 형성의 긴 여정

KEY 2 시간 순서에 따라 제시된 부연 설명을 통해 글의 핵심 내용 파악하여 주제 추측
암석 조각이 이동하면서 모래가 되는 과정을 시간의 순서로 나열함
➡ 작아진 암석 조각들이 해안까지 이동하여 해변의 모래가 형성됨

해석

❶어떤 모래는 조개껍데기나 암초와 같은 것들로부터 바다에서 만들어지기도 하지만, 대부분의 모래는 멀리 산맥에서 온 암석의 작은 조각들로 이루어져 있다! ❷그런데 그 여정은 수천 년이 걸릴 수 있다. ❸빙하, 바람 그리고 흐르는 물은 이 암석 조각들을 운반하는 데 도움이 된다. ❹그 길을 따라서 (이동하면서), 그 작은 여행자들(암석 조각들)은 점점 더 작아진다. ❺만약 운이 좋다면, 강물이 그것들을 해안까지 내내 실어다 줄지도 모른다. ❻거기서, 그것들은 해변의 모래가 되어 여생을 보낼 수 있다.

해설

작은 암석 조각들이 빙하, 바람, 흐르는 물 등에 의해 이동하면서 점점 작아져서 결국 해변까지 흘러가 그곳의 모래로 여생을 보낸다고 했다. 따라서 글의 주제로 가장 적절한 것은 ③ '대부분의 해변 모래가 형성되는 방법'이다.

오답 노트

① 물의 이동을 유발하는 것들 ➡ 암석의 이동에 대한 내용일 뿐 물의 이동에 관련된 내용은 없다.
② 모래의 크기를 결정하는 요인 ➡ 모래의 크기를 결정하는 요인에 대해서는 언급되지 않았다.
④ 다양한 산업에서의 모래의 많은 용도 ➡ 모래가 산업에서 사용되는 용도에 대해서는 언급되지 않았다.
⑤ 해변에서 모래가 사라지고 있는 이유 ➡ 작은 암석 조각들이 해변의 모래가 되는 과정을 제외하면 해변의 모래에 대해서는 언급되지 않았다.

구문 해설

❶**While** some sand is formed in oceans from things like shells and rocks, most sand is made up of tiny bits of rock **that** came all the way from the mountains!
여기서 while은 문장 앞에 쓰여 '~이긴 하지만'이라는 뜻의 대조의 의미를 나타내는 접속사로 주절보다 앞에 위치한 종속절(~ rocks)을 이끌고 있다. that은 tiny bits of rock을 선행사로 받는 주격 관계대명사이다.

❹Along the way, the tiny travelers **get smaller and smaller**.
get smaller and smaller는 〈get+비교급+and+비교급〉의 형태로 '점점 더 작아진다'라는 뜻을 나타낸다.

❺**If** they're lucky, a river may give them a lift all the way to the coast.
if는 '만약 ~라면'이라는 뜻으로 조건을 나타내는 접속사이다.

More & More

1 암석 조각들은 빙하, 바람, 흐르는 물로 인해 점점 더 작아져서 해변의 모래로 바뀐다.
2 대부분의 모래는 산에서 이동해 온 암석의 작은 조각들이고, 빙하, 바람, 흐르는 물이 그들의 이동을 돕는다고 했으므로 ④는 글의 내용과 일치하지 않는다.

2

답 ②

❶In life, / too much of anything / is not good for you. ❷In fact, / too much of certain things / in life / can kill you. ❸For example, / water has no enemy / because water is essential / to all life. ❹But if you take in / too much water, / like one / who is drowning, / it could kill you. ❺Education is the exception / to this rule. ❻You can never have / too much education or knowledge. ❼Most people / will never have enough education / in their lifetime. ❽I haven't yet seen anyone / hurt in life / by too much education. ❾Rather, / we see lots of people / suffer from the lack of education / every day, worldwide. ❿Education is a long-term investment / of time, money, and effort / into humans.

삶에서 / 과도한 것은 / 당신에게 이롭지 않다 / 실제로 / 과도한 어떤 것은 / 삶에서 / 당신을 죽일 수 있다 / 예를 들어 / 물에는 적이 없다 / 물은 필수적이기 때문에 / 모든 생명체에게 / 하지만 만약 당신이 마신다면 / 너무 많은 물을 / 사람처럼 / 물에 빠진 / 그것이 당신을 죽일 수도 있다 / 교육은 예외다 / 이 규칙에서 / 당신은 결코 가질 수 없다 / 너무 많은 교육이나 지식을 / 대부분의 사람들은 / 충분한 교육을 결코 받지 못할 것이다 / 평생 / 나는 아직 어떤 사람들을 본 적이 없다 / 삶에서 상처 입은 / 너무 많은 교육에 의해 / 오히려 / 우리는 많은 사람들을 본다 / 교육 부족으로 고통 받는 / 매일, / 전 세계에서 / 교육은 장기적인 투자이다 / 시간과 돈, 그리고 노력의 / 인간에게

(if: 조건 접속사(만약 ~라면) / take in: ~을 섭취하다 / like: ~처럼 / who: 주격 관계대명사 / enough education: ⟨enough+명사⟩ / haven't yet seen: 현재완료 부정문 / hurt in life: 과거분사구 / see lots of people suffer: ⟨지각동사 see+목적어+목적격보어(동사원형)⟩ / suffer from: ~로부터 고통 받다)

유형 해결 전략

KEY 1 글의 중심 소재 파악
과도한 것은 어떤 것이든 좋지 않지만, 교육은 예외임

KEY 2 반복되는 표현을 통해 글의 핵심 내용 파악
너무 많은 교육이나 지식을 가질 수는 없으며, 대부분의 사람들은 평생 충분한 교육조차 받기 어려움

KEY 3 핵심 내용을 종합하여 제목 추론
교육으로 인한 피해보다는 교육 부족으로 많은 사람들이 고통 받는 것을 목격 ➡ 교육은 인간에게 장기적으로 시간, 돈 그리고 노력을 투자하는 것임

해석

❶삶에 있어서, 과도한 것은 당신에게 이롭지 않다. ❷실제로, 삶에서 어떤 것은 과도하면 당신을 죽일 수 있다. ❸예를 들어, 물은 모든 생명체에게 필수적이기 때문에 물에게는 적이 없다. ❹하지만 만약 물에 빠진 사람처럼 물을 너무 많이 마시면, 죽을 수도 있다. ❺교육은 이 규칙에서 예외다. ❻당신은 결코 너무 많은 교육이나 지식을 가질 수 없다. ❼대부분의 사람들은 평생 충분한 교육을 받지 못할 것이다. ❽나는 너무 많은 교육으로 인해 삶에서 피해를 본 사람을 아직 본 적이 없다. ❾오히려, 우리는 매일, 전 세계에서 많은 사람들이 교육 부족으로 고통 받는 것을 본다. ❿교육은 인간에게 시간과 돈, 그리고 노력을 장기적으로 투자하는 것이다.

해설

삶에서 과도한 것은 이로울 게 없지만, 교육은 예외이며, 너무 많은 교육이 문제가 된 적은 없지만 교육 부족으로 인해 고통 받는 경우는 흔히 볼 수 있다고 했다. 따라서 글의 제목으로 가장 적절한 것은 ② '아무리 교육을 많이 받아도 해롭지 않을 것이다'이다.

오답 노트

① 놀기만 하고 공부하지 않으면 똑똑해진다 ➡ 교육의 중요성을 강조하고 있으므로 반대되는 내용이다.
③ 두 머리를 맞대는 것이 하나의 머리보다 더 좋지 않다 ➡ 글의 내용과 무관하다.
④ 행동하기 전에 두 번 생각하지 마라 ➡ 글의 내용과 무관하다.
⑤ 과거로부터가 아니라 미래로부터 배워라 ➡ 글에 언급되지 않았다.

구문 해설

❽I **haven't yet seen** anyone **hurt** in life by too much education.
haven't yet seen은 ⟨haven't+과거분사⟩의 형태인 현재완료 부정문으로 부사 yet이 haven't와 과거분사 seen 사이에 쓰였다. yet은 '아직도'라는 뜻의 부사로 부정문에 쓰인다. 과거분사 hurt는 수식어구와 함께 쓰여 명사 anyone을 뒤에서 꾸며 주고 있다.

❾Rather, we **see lots of people suffer** from the lack of education every day, worldwide.
see lots of people suffer는 ⟨지각동사 see+목적어+목적격보어(동사원형)⟩의 형태인 5형식이며 지각동사의 목적격보어로는 현재분사도 쓸 수 있다.

More & More

1 교육은 this rule(이 규칙)에서 예외라는 점을 보아, 삶에서 과한 교육이란 존재하지 않으며, 사람을 해하지 않는다는 내용과 반대되는 규칙임을 알 수 있다. 따라서 this rule이 의미하는 것은 첫 번째 문장에서 말한 '삶에서 과도한 것들은 이롭지 않고, 당신을 죽음에 이르게 할 수도 있다는 것'이다.
2 너무 많은 교육으로 삶에서 피해를 본 사람을 아직 본 적이 없다고 했으므로 ③은 글의 내용과 일치하지 않는다.

3

• 본문 058쪽

답 ④

유형 해결 전략

❶Storyteller Syd Lieberman suggests / that it is the story in history / that provides the nail to hang facts on. ❷Students remember / historical facts / when they are tied to a story. ❸According to a report, / a high school is currently experimenting / with a study of presentation of historical material. ❹Storytellers present material / in dramatic context / to the students, / and group discussion follows. ❺Students are encouraged / to read further. ❻In contrast, / another group of students / is involved / in traditional research/report techniques. ❼The study indicates / that the material presented by the storytellers / is much more interesting and impressive / than the material gained through the traditional method.

명사절 접속사(동사 suggests의 목적어) / 〈It ~ that〉 강조 구문 / 형용사적 용법 / be tied to: ~에 결부되다 / ~에 따르면 / 〈encourage+목적어+목적격보어(to부정사)〉의 5형식 수동태 / 대조적으로 / be involved in: ~와 관련되어 있다 / 명사절 접속사(동사 indicates의 목적어) / 과거분사구 / 비교급 강조(훨씬) / 비교급 비교 / 과거분사구

스토리텔러인 Syd Lieberman은 말한다 / 바로 역사 속의 이야기라고 / 사실을 걸어 둘 못을 제공하는 것은 / 학생들은 기억한다 / 역사적 사실을 / 그것들이 이야기에 결부되어 있을 때 / 한 보고서에 따르면 / 한 고등학교가 현재 실험하고 있다 / 역사 자료의 발표에 관한 연구를 / 스토리텔러들은 자료를 제시한다 / 극적인 맥락에서 / 학생들에게 / 그리고 그룹 토의가 이어진다 / 학생들은 권장된다 / 더 읽도록 / 대조적으로 / 또 다른 그룹의 학생들은 / 관련되어 있다 / 전통적인 조사/보고 기법에 / 그 연구는 보여 준다 / 스토리텔러들에 의해 제시되는 그 자료가 / 훨씬 더 흥미롭고 인상적이다 / 전통적인 방법을 통해 얻은 자료보다

KEY 1 글의 중심 소재 파악
학생들의 역사적 사실을 기억하는 것에 스토리텔링이 미치는 영향이 중심 소재임을 파악

KEY 2 사례로 제시된 실험 내용을 통해 글의 핵심 내용 파악
한 고등학교에서 역사 학습에서의 극적인 맥락의 활용과 전통적인 조사/보고 기법의 효과에 대한 대조 실험이 진행되었음

KEY 3 부연 설명을 종합하여 주제 추측
실험 결과, 스토리텔링이 활용된 역사 학습법이 전통적인 방법보다 더 효과적임을 확인 ➡ '역사 교육에서의 스토리텔링의 이점'이 주제임을 추측

해석

❶스토리텔러인 Syd Lieberman은 사실을 걸 수 있는 못을 제공하는 것은 바로 역사 속의 이야기라고 말한다. ❷학생들은 역사적 사실이 이야기와 결부되어 있을 때 그것을 기억한다. ❸한 보고서에 따르면, 한 고등학교가 현재 역사 자료 발표 연구를 실험하고 있다. ❹스토리텔러들은 자료를 극적인 맥락에 넣어 학생들에게 제시하고, 그룹 토의가 이어진다. ❺학생들은 (자료를) 더 많이 읽도록 장려된다. ❻이와는 대조적으로, 또 다른 그룹의 학생들은 전통적인 조사/보고 기법에 참여한다. ❼이 연구는 스토리텔러들에 의해 제시된 자료가 전통적인 방법을 통해 얻은 자료보다 훨씬 더 흥미롭고 인상적이라는 것을 보여 준다.

해설

역사적 사실을 스토리텔링 요소와 결합했을 때 학생들은 이를 더 잘 기억하며, 스토리텔링을 활용한 자료가 학생들에게 훨씬 더 흥미롭고 인상적이라고 했다. 따라서 글의 주제로 가장 적절한 것은 ④ '역사를 가르칠 때 스토리텔링의 이점'이다.

오답 노트

① 왜 학생들이 역사를 배워야 하는가 ➡ 역사를 배워야 하는 이유는 언급되지 않았다.
② 역사극의 필수 요소 ➡ 역사를 배우는 데 있어서 극적인 요소가 필요하다는 내용은 유추할 수 있지만 역사극과는 무관하다.
③ 전통적인 교수법의 장점 ➡ 전통적인 교수법보다 스토리텔링을 활용한 교수법이 더욱 효과적이라고 했다.
⑤ 역사에 대한 균형 잡힌 시각을 가지는 것의 중요성 ➡ 역사에 대한 시각은 언급되지 않았다.

구문 해설

❶ ~ **it** is the story in history **that** provides the nail to hang facts on.
it is the story in history that은 〈It ~ that〉 강조 구문으로 강조하는 어구인 the story in history가 it is와 that 사이에 와서 '~한 것은 바로 역사 속 이야기이다'로 해석한다.

❺ Students **are encouraged to read** further.
〈encourage+목적어+목적격보어(to부정사)〉인 5형식 능동태 문장 Storytellers encourage students to read further.를 수동태로 쓴 형태로 능동태의 목적어는 주어로, 목적격보어인 to부정사는 원래 형태로 쓴 것이다.

❼ The study indicates that **the material presented by the storytellers is much** more interesting and impressive than ~.
과거분사구 presented by the storytellers에 수식어구가 함께 쓰여 명사 the material을 뒤에서 꾸며 준다. that절의 주어는 과거분사구의 꾸밈을 받는 the material이고, 동사는 is이다. much는 비교급 앞에 쓰여 '훨씬'이라는 뜻으로 비교급(more interesting and impressive)을 강조한다. *cf.* 비교급을 강조하는 부사로는 a lot, far, still 등이 있다.

More & More

1 역사는 전통적인 조사/보고 기법에서는 '극적인 맥락' 안에서 가르쳐지지 않는다.
2 스토리텔링을 활용한 자료는 전통적인 방법을 통해 얻은 자료보다 흥미롭고 인상적이라고 했다. 따라서 글의 제목으로 가장 적절한 것은 ⑤ '스토리텔링: 역사 자료 제시를 위한 인상적인 방법'이다.
① 역사 가르치기의 어려움들
② 왜 학생들은 역사적 사실들을 배우는가?
③ 다양한 관점의 역사 학습 필요성
④ 효과적인 교구 개발의 핵심 요소들

• 본문 059쪽

답 ②

❶Benjamin Franklin once suggested / that a newcomer ask / a new neighbor to do him or her a favor. ❷He cited an old saying: / He that has once done you a kindness / will be more ready to do you another / than he whom you yourself have obliged. ❸In Franklin's opinion, / asking someone for something / was the most useful and immediate invitation / to social interaction. ❹Such asking on the part of the newcomer / provided the neighbor with an opportunity to / show himself or herself / as a good person, / at first encounter. ❺In return, / the neighbor could now ask the newcomer for a favor. ❻This response increased / the familiarity and trust. ❼In that manner, / both parties could overcome / their natural hesitancy and mutual fear of the stranger.

should 생략 / 명사절 접속사(동사 suggested의 목적어) / ‹ask+목적어+목적격보어(to부정사)› / 주격 관계대명사 / 현재완료 / └~할 준비가 되어 있다┘ / 목적격 관계대명사 / 강조 용법 / 현재완료 / 동명사(주어) / 단수 동사 / 최상급 / ‹provide A with B›: A에게 B를 제공하다 / 형용사적 용법 / 재귀 용법 / ~로서(자격) / ask ~ for a favor: ~에게 부탁하다

Benjamin Franklin은 예전에 제안했다 / 새로 온 사람은 요청할 것을 / 새 이웃에게 / 그나 그녀를 도와주도록 / 그는 옛 속담 하나를 인용했다 / 너에게 / 친절을 행한 적이 있는 사람은 / 너에게 또 다른 친절을 행할 준비가 더 되어 있을 것이다 / 네가 / (직접) 친절을 베풀었던 사람보다도 / Franklin의 의견으로는 / 누군가에게 / 무언가를 부탁하는 것은 / 가장 유용하고 즉각적인 초대였다 / 사회적 상호 작용을 위한 / 새로 온 사람쪽에서의 그러한 요청은 / 이웃에게 / 기회를 제공했다 / 자신을 보여 줄 / 좋은 사람으로서 / 첫 만남에서 / 반대로 / 이웃은 이제 새로 온 사람에게 부탁을 할 수 있었다 / 이러한 반응은 증가시켰다 / 친근감과 신뢰를 / 그러한 방식으로 / 양쪽은 극복할 수 있었다 / 당연한 머뭇거림과 낯선 사람에 / 대한 상호 두려움을

* oblige: ~에게 친절을 베풀다

유형 해결 전략

KEY 1 글의 중심 소재 파악
동네에 새로 온 사람은 이웃에게 도움을 요청해야 한다는 내용으로 보아 '요청하기'에 대한 내용이 이어질 것임을 파악

KEY 2 반복되는 표현을 통해 글의 핵심 내용 파악
누군가에게 무언가를 부탁하는 것이 사회적 상호 작용을 위한 가장 유용하고 즉각적인 초대 방법이 될 수 있음

KEY 3 핵심 내용을 종합하여 제목 추측
어떤 것을 요구함으로써 서로간의 친밀감과 신뢰를 쌓을 수 있다는 내용이 제목임을 추측

해석

❶Benjamin Franklin은 예전에 새로 온 사람은 새 이웃에게 도움을 요청해야 한다고 제안했다. ❷그는 '너에게 친절을 행한 적이 있는 사람은 네가 친절을 베풀었던 사람보다도 너에게 또 다른 친절을 행할 준비가 더 되어 있을 것이다.'라는 옛 격언을 인용했다. ❸Franklin의 의견으로는, 누군가에게 무언가를 부탁하는 것은 사회적 상호 작용을 위한 가장 유용하고 즉각적인 초대였다. ❹새로 온 사람쪽에서의 그러한 요청은 이웃에게 자신을 좋은 사람으로 보여 줄 수 있는 기회를 첫 만남에서 제공했던 것이다. ❺반대로, 이웃은 이제 새로 온 사람에게 부탁을 할 수 있었다. ❻이러한 반응은 친근감과 신뢰를 증가시켰다. ❼그러한 방식으로, 양쪽은 당연한 머뭇거림과 낯선 사람에 대한 상호 두려움을 극복할 수 있었다.

해설

이웃에게 어떤 것을 요구하는 것은 그 사람에게 자기 자신을 좋은 사람으로 보여 줄 기회를 주는 것이며, 이것은 친밀함과 신뢰를 증가시킬 수 있다고 했다. 따라서 글의 제목으로 가장 적절한 것은 ② '관계를 여는 것: 요청하기'이다.

오답 노트

① 타인에게 자신의 강점을 제시하는 법 ➡ 글의 내용과 무관하다.
③ 우리는 왜 낯선 사람을 돕는 것을 주저하는가? ➡ 낯선 사람 돕기를 주저하는 것은 언급되지 않았다.
④ 당신이 요청하는 것이 당신의 모습을 보여 준다. ➡ 이웃에게 요청하라는 내용은 있었지만 그것이 스스로의 모습을 보여 준다는 내용은 언급되지 않았다.
⑤ 이웃을 초대하는 공손한 방법 ➡ 요청하는 것이 상호 작용을 위한 초대라고 했을 뿐 이웃 초대의 공손한 방법은 언급되지 않았다.

구문 해설

❷ ~ **He** that has once done you a kindness will be more ready to do you another than he **whom** you **yourself** have obliged.
여기서 He는 일반적인 사람을 의미하며 that은 He를 선행사로 받는 주격 관계대명사이고, whom은 he를 선행사로 받는 목적격 관계대명사이다. yourself는 주어 you를 강조하는 재귀대명사의 강조 용법으로 쓰였으며 생략할 수 있다.
❸ In Franklin's opinion, **asking** someone for something **was** the most useful ~.
주어로 쓰인 동명사는 단수 취급하므로 동사는 단수형 was가 쓰였다.
❹ ~ the neighbor with an opportunity **to show himself** or **herself** ~.
to show는 앞의 명사구 an opportunity를 꾸며 주는 to부정사의 형용사적 용법으로 쓰였다. himself, herself는 동사 show의 목적어 역할을 하는 재귀대명사의 재귀 용법으로 쓰였으며 생략할 수 없다.

More & More

1 사회적 상호 작용에 대한 가장 유용한 초대는 누군가에게 무엇을 '부탁'하는 것이다.
2 새로운 이웃에게 부탁하는 것은 친근감과 신뢰를 증가시킨다고 했다. 따라서 글의 주제로 가장 적절한 것은 ④ '새로운 이웃에게 먼저 도움을 요청하는 것의 긍정적인 효과'이다.
① 타인들을 이용하는 사람들의 유형
② 새로 온 사람과 관계를 형성하는 절차
③ 면대면 소통에서의 감정적인 연결
⑤ 부탁을 소통의 기회로 간주하는 것의 어려움

UNIT 07 글의 주장 · 요지 찾기

● 본문 062쪽

대표 예제

해석 ❶ 좋은 아이디어를 머릿속에 계속 떠돌게 하는 것은 그것이 이루어지지 않도록 확실히 하는 데 훌륭한 방법이다. ❷ 여기 작가들의 조언이 있다. ❸ 생명력을 얻는 유일한 좋은 아이디어는 (여러분이) 적어두는 아이디어들이다. ❹ 종이 한 장을 꺼내 언젠가 하고 싶은 모든 것을 기록하고, 꿈이 100개에 이르는 것을 목표로 해라. ❺ 여러분은 여러분을 부르고 있는 그러한 것들을 시작하도록 상기시켜주고 동기를 부여하는 것을 갖게 될 것이고, 또한 여러분이 생각하는 모든 아이디어들을 기억해야 하는 부담도 갖지 않을 것이다. ❻ 여러분이 자신의 꿈을 글로 적을 때, 여러분은 그것을 실행하기 시작하는 것이다.

어휘 **float around** (생각·소문 등이) 떠돌다 **ensure** 반드시 ~하게 하다; 보장하다 **record** 기록하다 **aim** 목표로 하다 **hit** (특정 수량·수준에) 이르다 **reminder** 상기시키는 것, 생각나게 하는 것 **motivator** 동기를 부여하는 것 **burden** 부담, 짐

READING 1 ~ 4

● 본문 064~067쪽

		More & More
1	⑤	1 harder → easier 2 ⑤
2	③	1 joy 2 ④
3	①	1 social network, benefit 2 ⑤
4	②	1 positive, mindset 2 ⑤

1

답 ⑤

❶Recent studies show / some interesting findings / about habit formation. ❷In these studies, / students who successfully acquired one positive habit / reported / less stress; / less impulsive spending; / better eating habits; / decreased caffeine consumption; / fewer hours spent watching TV; / and even fewer dirty dishes. ❸Keep working on one habit long enough, / and not only the habit but other things as well / will become easier. ❹It's why those people / with the right habits / seem to do better than others. ❺They're doing the most important thing regularly / and, as a result, / everything else is easier.

명사절 접속사 that 생략 / 주격 관계대명사 / 과거분사 / 과거분사 / 비교급 강조 / 〈keep+-ing〉: 계속해서 ~하다 / 〈형용사+enough〉 어순 / 〈not only A but (also) B〉: A뿐만 아니라 B도 / 또한(= also) / 〈It's[That's] why+결과〉: 그것이 ~한 이유이다 / 〈seem+to부정사〉: ~처럼 보이다 / 최상급 / 결과적으로 / 단수 취급 / 단수 동사

최근 연구들은 보여 준다 / 몇 가지 흥미로운 발견을 / 습관 형성에 관한 / 이러한 연구에서 / 하나의 긍정적인 습관을 성공적으로 익힌 학생들은 / 보고했다 / 더 적은 스트레스 / 더 적은 충동적 소비 / 더 나은 식습관 / 줄어든 카페인 섭취 / 더 적은 TV 시청 시간 / 그리고 훨씬 더 적은 더러운 접시들을(설거지 거리들을) / 계속하여 하나의 습관을 충분히 오래 들이려고 노력하라 / 그러면 그 습관뿐만 아니라 다른 일들 또한 / 더 쉬워질 것이다 / 이것이 그러한 사람들이 ~하는 이유이다 / 올바른 습관을 가진 / 다른 사람들보다 더 뛰어나 보이는 / 그들은 가장 중요한 일을 규칙적으로 하고 있다 / 그리고 / 결과적으로 / 그 밖의 모든 일이 더 수월하다

유형 해결 전략

KEY 1 도입부에서 핵심 소재 파악
하나의 긍정적인 습관 형성은 다양한 긍정적인 효과를 이끌어냈다는 것이 핵심 소재

KEY 2 반복·강조되는 표현을 통해 글쓴이의 관점 파악
하나의 좋은 습관을 들이기 위해 충분히 오래 노력하면 다른 일들 또한 더 쉬워짐

KEY 3 후반부 내용을 종합하여 요지 재확인
올바른 습관을 가진 사람들이 다른 사람들보다 뛰어나 보이며, 가장 중요한 일을 규칙적으로 하면 결과적으로 그 밖의 모든 일이 더 수월함

해석

❶최근 연구들은 습관 형성에 관한 몇 가지 흥미로운 발견을 보여 준다. ❷이러한 연구에서, 하나의 긍정적인 습관을 성공적으로 익힌 학생들은 더 적은 스트레스, 더 적은 충동적 소비, 더 나은 식습관, 줄어든 카페인 섭취, 더 적은 TV 시청 시간, 심지어는 더 적은 더러운 접시를 (설거지를 제때 한다는 것을) 보고했다. ❸계속하여 하나의 습관을 충분히 오래 들이려고 노력하라, 그러면 그 습관뿐만 아니라 다른 일들 또한 더 쉬워질 것이다. ❹이것이 올바른 습관을 가진 사람들이 다른 사람들보다 더 뛰어나 보이는 이유이다. ❺그들은 가장 중요한 일을 규칙적으로 하고 있고, 결과적으로 그 밖의 모든 일이 더 수월하다.

해설

하나의 긍정적인 습관을 성공적으로 익힌 학생들은 다양한 영역에서 긍정적인 결과를 보였다는 연구들을 통해, 계속해서 하나의 습관을 충분히 들이면 그 습관이 더 쉬워질 뿐만 아니라 다른 일들 또한 더 쉬워진다고 말하고 있다. 따라서 글의 요지로 가장 적절한 것은 ⑤ '하나의 좋은 습관 형성은 생활 전반에 긍정적 효과가 있다.'이다.

오답 노트

① 참을성이 많을수록 성공할 가능성이 커진다. ➡ 좋은 습관의 긍정적인 효과에 대한 글이지 참을성에 대한 언급은 없다.
② 한 번 들인 나쁜 습관은 쉽게 고쳐지지 않는다. ➡ 좋은 습관 형성의 중요성에 대해서 얘기할 뿐, 나쁜 습관에 대한 언급은 없다.
③ 나이가 들어갈수록 좋은 습관을 형성하기 힘들다. ➡ 나이와 습관의 상관관계는 언급되지 않았다.
④ 무리한 목표를 세우면 달성하지 못할 가능성이 크다. ➡ 무리한 목표와 관련된 내용은 언급되지 않았다.

구문 해설

❷In these studies, students who successfully acquired one positive habit reported less stress; less impulsive spending; better eating habits; **decreased** caffeine consumption; fewer hours **spent** watching TV; and **even** fewer dirty dishes.
decreased는 단독으로 쓰인 과거분사로 뒤의 명사 caffeine consumption을 꾸며 주며, spent는 뒤의 수식어구 watching TV와 함께 쓰인 과거분사로 앞의 명사 hours를 꾸며 주고 있다. even은 '훨씬'이라는 뜻으로 비교급 fewer를 강조하는 부사로 쓰였다.

❸**Keep** working on one habit long enough, **and not only** the habit **but** other things as well will become easier.
Keep ~, and ...는 〈명령문, and …〉의 형태로 '…해라, 그러면 ~할 것이다'라는 뜻으로 접속사 if를 이용하여 바꿔 쓸 수 있다. (= If you keep ~) 〈not only A but (also) B〉 구문은 'A뿐만 아니라 B'라는 뜻으로 A와 B에는 동일한 형태가 와야 하며 〈B as well as A〉로 바꿔 쓸 수 있다.

More & More

1 올바른 습관을 가진 사람들에게 있어 TV 시청 시간을 줄이는 것은 '더 쉽다'고 했다.
2 가장 중요한 일을 규칙적으로 할 때 그 밖의 모든 일도 더 쉬워진다는 것이므로 ⑤는 글의 내용과 일치하지 않는다.

● 본문 065쪽

답 ③

❶You can buy conditions for happiness, / but you can't buy happiness.
여러분은 행복의 조건을 살 수 있다 그러나 행복은 살 수 없다

❷It's like playing tennis. ❸You can't buy / the joy of playing tennis / at a store. ❹You can buy the ball and the racket, / but you can't buy the joy of playing. ❺To experience the joy of tennis, / you have to learn, to train yourself to play. ❻It's the same with writing calligraphy. ❼You can buy tools for it, / but you can't really do calligraphy / without cultivating the art of calligraphy. ❽So calligraphy requires practice, / and you have to train yourself. ❾You are happy / as a calligrapher / only when you have the capacity / to do calligraphy. ❿Happiness is also like that. ⓫You have to cultivate happiness; / you cannot buy it at a store.

(like: ~와 같은 / playing: 동명사(전치사 like의 목적어) / playing: 동명사(전치사 of의 목적어) / To experience: 부사적 용법(목적) / have to: ~해야 한다(의무) / yourself: 재귀 용법 / it = writing calligraphy / cultivating: 동명사(전치사 without의 목적어) / yourself: 재귀 용법 / as: ~로서(자격) / only when: ~할 때에만 / to do: 형용사적 용법 / it = happiness)

그것은 테니스를 치는 것과 같다 / 여러분은 살 수 없다 / 테니스를 치는 즐거움을 / 가게에서 / 여러분은 공과 라켓을 살 수 있다 / 그러나 경기를 하는 즐거움을 살 수는 없다 / 테니스의 즐거움을 경험하기 위해서는 / 여러분은 (테니스) 치는 법을 배우고 스스로 연습해야 한다 / 그것은 서예 쓰기도 마찬가지이다 / 여러분은 그것을 위한 도구를 살 수는 있다 / 그러나 여러분은 진정으로 서예를 할 수는 없다 / 서예의 기술을 함양하지 않고서는 / 그래서 서예는 연습을 필요로 한다 / 그리고 여러분은 스스로 연습해야 한다 / 여러분은 행복하다 / 서예가로서 / 오직 능력을 갖추고 있을 때만 / 서예를 할 / 행복도 역시 그것과 마찬가지이다 / 여러분은 행복을 길러가야만 한다 / 여러분은 그것을 가게에서 살 수 없다

* calligraphy: 서예

유형 해결 전략

KEY 1 도입부에서 주제 파악
'행복의 조건은 살 수 있지만 행복은 살 수 없다'는 것이 주제

KEY 2 예시를 통해 필자의 관점 파악
테니스와 서예를 예로 들어 그것들을 즐기려면 연습을 통해서만 기술을 늘릴 수 있다고 언급하며 연습에 대한 긍정적인 관점 제시

KEY 3 후반부 내용을 종합하여 주장 재확인
앞선 예시와 마찬가지로 행복도 노력을 해서 길러가야 함을 주장

해석

❶여러분은 행복의 조건을 살 수 있지만, 행복은 살 수 없다. ❷그것은 테니스를 치는 것과 같다. ❸여러분은 가게에서 테니스를 치는 즐거움을 살 수는 없다. ❹여러분은 공과 라켓을 살 수 있지만, 경기를 하는 즐거움을 살 수는 없다. ❺테니스의 즐거움을 경험하기 위해서는, 여러분은 (테니스를) 치는 법을 배우고, 스스로 연습해야만 한다. ❻서예 쓰기도 마찬가지이다. ❼여러분은 그것을 위한 도구를 살 수는 있지만, 서예의 기술을 함양하지 않고서는 서예를 진정으로 할 수 없다. ❽그래서 서예는 연습을 필요로 하고, 여러분은 스스로 연습해야만 한다. ❾여러분은 서예를 할 능력이 있을 때만 서예가로서 행복하다. ❿행복도 역시 그러하다. ⓫여러분은 행복을 길러가야만 하며, 여러분은 그것을 가게에서 살 수 없다.

해설

행복의 조건은 살 수 있지만 행복은 살 수 없다고 말하면서, 테니스, 서예 등을 즐기려면 연습을 통해 기술을 함양시켜야 하는 것과 같이 행복도 역시 노력으로 길러가야 한다고 말하고 있다. 따라서 필자가 주장하는 바로 가장 적절한 것은 ③ '행복은 노력을 통해 길러가야 한다.'이다.

오답 노트

① 자기 계발에 도움이 되는 취미를 가져야 한다. ➡ 테니스와 서예는 필자의 주장을 뒷받침하는 예시로 제시된 취미일 뿐, 자기 계발과는 상관이 없다.
② 경기 시작 전 규칙을 정확히 숙지해야 한다. ➡ 경기 규칙에 대한 내용은 언급되지 않았다.
④ 성공하려면 목표부터 명확히 설정해야 한다. ➡ 행복하기 위해 노력해야 한다는 내용일 뿐, 성공이나 목표 설정과 관련된 글이 아니다.
⑤ 글씨를 예쁘게 쓰려면 연습을 반복해야 한다. ➡ 서예를 잘하기 위해 연습을 해야 한다는 내용은 주장을 뒷받침하기 위한 예시로 쓰였고, 글씨를 예쁘게 쓰는 것과는 관련이 없다.

구문 해설

❷It's **like playing** tennis.
like는 '~와 같은'이라는 뜻의 전치사로 쓰였다. 따라서 playing은 전치사 like의 목적어로 쓰인 동명사이다.

❺**To experience** the joy of tennis, you have to learn, to train **yourself** to play.
To experience는 '경험하기 위하여'라는 뜻으로, 목적을 나타내는 to부정사의 부사적 용법으로 쓰였다. yourself는 동사 train의 목적어 역할을 하는 재귀대명사의 재귀 용법으로 쓰였으며 생략할 수 없다.

More & More

1 여러분은 공과 라켓을 구입하는 데서 테니스를 치는 '즐거움'을 얻지는 못할 것이다.
2 서예를 할 능력을 갖추고 있을 때에만 서예가로서 행복하다고 했으므로 ④는 글의 내용과 일치하지 않는다.

3

답 ①

❶There is one sure way / for lonely patients to make a friend / — to join
〈There is+단수 명사〉: ~가 있다 의미상 주어 형용사적 용법 부연 설명
한 가지 확실한 방법이 있다 외로운 환자들이 친구를 사귀는 집단에

a group / that has a shared purpose. ❷This may be difficult for people /
주격 관계대명사 추측 의미
가입하는 것 공통된 목적을 가진 이것은 사람들에게 어려울지도 모른다

who are lonely, / but becoming a member of a group / with a common
주격 관계대명사 동명사(주어)
외로운 그러나 집단의 일원이 되는 것은 공통의 목적을 가진

purpose / can help. ❸People who are engaged in service to others, / such as
주격 관계대명사 be engaged in: ~에 관여하다 ~와 같은
도움이 될 수 있다 다른 사람들에게 도움이 되는 일에 관여하는 사람들은 자원봉사와

volunteering, / tend to be happier. ❹Volunteers are satisfied / with
~하는 경향이 있다 happy의 비교급 be satisfied with: ~에 만족하다
같은 더 행복해하는 경향이 있다 자원봉사자들은 만족한다 그들의

enriching their social network / in the service of others. ❺Volunteering
동명사(전치사 with의 목적어) 동명사(주어)
소셜 네트워크를 풍부하게 하는 것에 다른 사람들을 도와주면서 자원봉사는 외로움을

helps to reduce loneliness / in two ways. ❻First, / someone who is lonely /
단수 동사 주격 관계대명사
줄이는 데 도움이 된다 두 가지 방식으로 첫째 외로운 사람은

might benefit / from helping others. ❼Also, / through a voluntary program /
~로부터 혜택을 받다 동명사(전치사 from의 목적어)
혜택을 받을지도 모른다 다른 사람들을 돕는 것으로부터 또한 자발적인 프로그램을 통해서

they will receive support / and help to build their own social network.
그들은 지원을 받을 것이다 그리고 그들만의 소셜 네트워크를 형성하는 것을 도울 것이다

유형 해결 전략

KEY 1 도입부에서 핵심 소재 파악
'외로운 환자들이 친구를 사귈 수 있는 방법'이 핵심 소재

KEY 2 부연 설명을 통해 글쓴이의 관점 파악
자원봉사를 하며 만족감과 행복감을 얻는다는 예시를 통해 자원봉사에 대한 글쓴이의 긍정적인 관점 파악

KEY 3 후반부 내용을 종합하여 요지 재확인
'자원봉사가 두 가지 측면에서 외로움을 감소시키는 혜택이 있다'는 요지 재확인

해석

❶외로운 환자들이 친구를 사귈 한 가지 확실한 방법이 있는데, 그것은 공통된 목적을 가진 집단에 가입하는 것이다. ❷이것은 외로운 사람들에게 어려울 수도 있지만, 공통의 목적을 가진 집단의 일원이 되는 것은 도움이 될 수 있다. ❸자원봉사와 같이 다른 사람들에게 도움이 되는 일에 관여하는 사람들은 더 행복해하는 경향이 있다. ❹자원봉사자들은 다른 사람들을 위해 일하면서 그들의 소셜 네트워크를 풍부하게 하는 데에 만족한다. ❺자원봉사는 두 가지 방식으로 외로움을 줄이는 데 도움이 된다. ❻첫째, 외로운 사람은 다른 사람들을 돕는 것으로부터 혜택을 받을지도 모른다. ❼또한, 자발적인 프로그램을 통해서 그들은 지원을 받고 자신들만의 소셜 네트워크를 형성하는 것을 도울 것이다.

해설

글쓴이는 외로운 사람들이 자원봉사와 같은 공동의 목적을 가진 집단에 가입하여 소셜 네트워크를 풍부하게 함으로써 외로움을 감소시키고 그것을 극복하는 데 도움을 얻을 수 있다고 말하고 있다. 따라서 글의 요지로 가장 적절한 것은 ① '외로움을 극복하는 데는 봉사 활동이 유익하다.'이다.

오답 노트

② 한 가지 봉사 활동을 지속적으로 하는 것이 좋다. ➡ 봉사 활동을 지속적으로 하라는 것은 언급되지 않았다.
③ 봉사 활동은 진로를 탐색할 수 있는 기회를 제공한다. ➡ 진로 탐색에 관한 이야기는 언급되지 않았다.
④ 행복한 삶을 위해서는 혼자만의 시간이 필요하다. ➡ 혼자만의 외로움을 극복하기 위한 방법을 제시하고 있다.
⑤ 먼저 자신을 이해해야 남을 위해 봉사할 수 있다. ➡ 외로움을 극복할 수단으로 봉사 활동을 제시했을 뿐 자신을 이해해야 한다는 말은 언급되지 않았다.

구문 해설

❶**There is** one sure way **for lonely patients to make** a friend — to join a group **that** has a shared purpose.
There is는 〈There is(are)+단수(복수) 명사 ~〉의 형태로 '~가(들이) 있다'라는 뜻을 나타내는 유도부사 구문으로 쓰였다. to make는 앞의 명사구 one sure way를 꾸며 주는 to부정사의 형용사적 용법으로 쓰였으며, for lonely patients는 의미상 주어이다. that은 a group을 선행사로 받는 주격 관계대명사로 which로 바꿔 쓸 수 있다.

❺**Volunteering helps** to reduce loneliness in two ways.
Volunteering은 동명사이므로 단수 취급한다. 따라서 단수 동사 helps가 쓰였다.

❼Also, through a voluntary program they **will receive** support **and help** to build their own social network.
등위접속사 and로 will receive와 will help가 병렬 연결된 형태에서, 중복되는 조동사 will이 help 앞에 생략되어 있다.

More & More

1 자원봉사는 외로운 사람들의 '소셜 네트워크'를 풍부하게 해 주고, 그들이 다른 사람들을 도움으로써 '혜택도 받게 해 준다.'
2 자발적인 프로그램에서 얻을 수 있는 이점들 중 금전적인 지원은 언급되지 않았으므로 ⑤는 글의 내용과 일치하지 않는다.

4

● 본문 067쪽

답 ②

❶Attaining the life that a person wants / is simple. ❷However, / most people settle for less / than their best / because they fail to start the day off right. ❸If a person starts the day / with a positive mindset, / that person is more likely to have a positive day. ❹Moreover, / how a person approaches the day / impacts everything else / in that person's life. ❺Beginning a day / in a good mood / leads to working happily / and often makes a person more productive / in the office. ❻This increased productivity / unsurprisingly / results in better work rewards, / such as promotions or raises. ❼Consequently, / if people want to live the life / of their dreams, / they need to realize / that [how they start their day] / not only impacts that day, / but every aspect of their lives.

- Attaining the life: 동명사구(선행사): 주어 / that: 목적격 관계대명사 / is: 단수 동사
- 사람이 원하는 삶을 얻는 것은 / 간단하다 / 하지만 / 대부분의
- settle for: ~에 안주하다 / fail to start: 〈fail+to부정사〉: ~하지 못하다
- 사람들은 덜한 것에 안주한다 / 그들의 최선보다 / 왜냐하면 그들은 하루를 제대로 시작하지 못하기 때문이다
- right: 부 제대로 / If: 조건 접속사(만약 ~라면) / with: ~으로, ~을 갖고(소유) / that: 지시형용사
- 만약 어떤 사람이 하루를 시작한다면 / 긍정적인 사고방식으로 / 그 사람은 긍정적인
- likely to have: 〈be likely to+동사원형〉: ~할 가능성이 있다 / how a person approaches: 간접의문문: 〈의문사+주어+동사〉 어순
- 하루를 보낼 가능성이 더 높다 / 게다가 / 그가 하루를 어떻게 접근하는가는
- the day: 부 제대로 / that: 지시형용사 / Beginning a day: 동명사구(주어)
- 다른 모든 부분에 영향을 끼친다 / 그 사람의 삶에 있어서 / 하루를 시작하는 것은
- leads: 동사₁ / working: 동명사(전치사 to의 목적어) / makes: 동사₂
- 좋은 기분으로 / 행복하게 일하는 것으로 이어진다 / 그리고 종종 사람을 더 생산적으로 만든다
- more productive: 비교급 / increased: 과거분사(향상된)
- 사무실에서 / 이러한 향상된 생산성은
- results in: ~의 결과를 초래하다 / such as: ~와 같은(= like)
- 놀랍지 않게도 / 더 나은 업무 보상이란 결과를 초래한다 / 승진이나 임금 인상과 같은
- Consequently: = As a result / to live: 명사적 용법(목적어)
- 결과적으로 / 만약 사람들이 삶을 살기 원한다면 / 자신이 꿈꾸는 / that절 동사
- that: 명사절 접속사(동사 realize의 목적어) / how they start their day: that절 주어 / not only ~ but: 〈not only A but (also) B〉: A뿐만 아니라 B도
- 그들은 깨달을 필요가 있다 / 그들이 어떻게 하루를 시작하는지가 / 그날에 영향을 끼칠 뿐만 아니라
- but every: also impacts 생략
- 그들의 삶의 모든 측면에도 영향을 끼친다는 것을

유형 해결 전략

KEY 1 도입부에서 핵심 소재 파악
'원하는 삶을 얻는 것'이 핵심 소재

KEY 2 부연 설명과 반복되는 표현을 통해 글쓴이의 관점 파악
긍정적인 사고방식으로 하루를 시작한다면 긍정적인 하루를 보낼 가능성이 높아지고, 삶의 다른 모든 부분에도 좋은 영향을 끼침

KEY 3 후반부 내용을 종합하여 요지 재확인
어떻게 하루를 시작하는지가 그날뿐만 아니라 삶의 모든 측면에도 영향을 끼친다는 것을 깨우쳐야 함

해석

❶사람이 원하는 삶을 얻는 것은 간단하다. ❷하지만, 대부분의 사람들은 그들이 하루를 제대로 시작하는 것에 실패하기 때문에 그들의 최선보다 덜한 것에 안주한다. ❸만약 어떤 사람이 하루를 긍정적인 사고방식으로 시작한다면, 그는 긍정적인 하루를 보낼 가능성이 더 높다. ❹게다가, 그가 하루를 어떻게 접근하는가는 그의 삶의 다른 모든 부분에 영향을 끼친다. ❺좋은 기분으로 하루를 시작하는 것은 행복하게 일하는 것으로 이어지고, 종종 사무실에서 사람을 더 생산적으로 만든다. ❻이러한 향상된 생산성은 놀랍지 않게도 승진이나 임금 인상과 같이 더 나은 업무 보상이란 결과를 낳는다. ❼결과적으로, 만약 사람들이 자신이 꿈꾸는 삶을 살기 원한다면, 그들은 어떻게 하루를 시작하는지가 그날뿐만 아니라 그들의 삶의 모든 측면에도 영향을 끼친다는 것을 깨달을 필요가 있다.

해설

만약 어떤 사람이 하루를 긍정적인 사고방식으로 시작한다면, 그는 긍정적인 하루를 보낼 가능성이 더 높으며 그것이 그의 삶의 다른 모든 부분에 영향을 끼친다고 말하고 있다. 따라서 글의 요지로 가장 적절한 것은 ② '긍정적인 하루의 시작이 삶에 좋은 영향을 끼친다.'이다.

오답 노트

① 업무 생산성 향상을 위해 적절한 보상이 필요하다. ➡ 긍정적인 하루의 시작이 업무를 생산적으로 만들고 그것이 업무 보상으로 이어지는 것이지, 보상이 먼저 필요한 것은 아니다.
③ 매일 해야 할 일의 우선순위를 정하는 것이 좋다. ➡ 우선순위에 대해서는 언급되지 않았다.
④ 규칙적인 생활 습관이 목표 달성에 도움이 된다. ➡ 하루를 긍정적으로 시작하는 마음가짐에 대한 내용일 뿐 규칙적인 생활 습관은 언급되지 않았다.
⑤ 원만한 대인 관계를 위해 감정 조절이 중요하다. ➡ 대인 관계는 언급되지 않았다.

구문 해설

❹Moreover, **how a person approaches the day** impacts everything else in **that** person's life.
how a person approaches the day는 〈의문사+주어+동사〉의 어순으로 쓰인 간접의문문이며, 이 문장에서 주어 역할을 한다.

❺Beginning a day in a good mood leads to **working** happily and often **makes a person more productive** in the office.
working은 전치사 to의 목적어로 쓰인 동명사이다. makes a person more productive는 〈make+목적어+목적격보어(형용사)〉의 형태인 5형식이며, 여기서 형용사는 비교급으로 쓰였다.

More & More

1 긍정적인 '사고방식'으로 여러분의 하루를 시작한다면 '긍정적인' 하루를 보낼 수 있다고 했다.
2 하루를 어떻게 시작하는지가 그날뿐만 아니라 자기 삶의 모든 측면에도 영향을 끼친다는 것이지 다른 사람들의 삶에 영향을 끼친다는 것은 아니므로 ⑤는 글의 내용과 일치하지 않는다.

밑줄 친 부분 의미 파악하기

● 본문 070쪽

대표 예제

해석 ❶ 많은 논쟁에서 (사람들은) 화를 쉽게 낸다. ❷ 침착함을 유지하라고 말하는 것은 쉽지만, 어떻게 침착함을 유지할까? ❸ 요점은 때로는 논쟁에서 상대방은 여러분을 화나게 하려고 한다는 것이다. ❹ 그들은 의도적으로 화나게 하는 말을 하고 있을지도 모른다. ❺ 그들은 만약 자신들이 여러분의 침착함을 잃게 한다면 여러분이 어리석은 말을 할 것이라는 것을 알고 있다. ❻ 즉 여러분은 그저 화를 낼 것이고 그러면 여러분이 그 논쟁에서 이기는 것은 불가능할 것이다. ❼ 그러니 이런 함정에 빠지지 마라. ❽ 분노를 유발하는 발언에 대응할 때는 그 문제에 대한 침착한 답변이 가장 효과적일 것 같다. ❾ 정말로, 주의 깊은 청자라면 누구라도 여러분이 '미끼를 물지' 않았다는 사실에 감탄할 것이다.

어휘 **temper** 화 **argument** 논쟁 **cool** 침착한 **annoy** 화나게 하다 **respond** 대응하다 **remark** 발언 **effective** 효과적인 **indeed** 정말로 **attentive** 주의 깊은

READING 1 ~ 4

● 본문 072~075쪽

		More & More
1	④	1 balance 2 ④
2	⑤	1 passion 2 ③
3	④	1 social bonds 2 ③
4	⑤	1 success 2 ⑤

1

● 본문 072쪽

답 ④

❶For almost all things in life, / there can be too much of a good thing.
〈there+be동사+주어〉: ~이 있다
인생의 거의 모든 것에는 좋은 것에도 지나침이 있을 수 있다
❷Even the best things in life / aren't so great / in excess. ❸This concept has been discussed / since the time of Aristotle. ❹He argued / that being virtuous means finding a balance. ❺For example, / people should trust others, / but if someone trusts other people too much / they are considered easily deceived. ❻For this trait, / it is best to avoid / both deficiency and excess. ❼The best way is to live / at the "sweet spot" that maximizes well-being. ❽Aristotle's suggestion is / that virtue is the midpoint, / where someone is neither too generous nor too cheap, / neither too afraid nor extremely brave.

심지어 인생에서 최상의 것들도 / 그리 좋지 않다 / 지나치면 / 이 개념은 논의되어 왔다
현재완료 수동태(have(has) been+과거분사) / 아리스토텔레스 시대부터 / 명사절 접속사(동사 argued의 목적어) / 동명사(주어) / 그는 주장했다 / 미덕이 있다는
단수 동사 / 것은 균형을 찾는 것을 의미한다고 / 예를 들어 / 사람들은 타인을 신뢰해야 한다
수동태 / 그러나 만약 어떤 사람이 타인을 너무 신뢰한다면 / 그들은 쉽게 속아 넘어간다고
가주어 / 진주어 / 〈both A and B〉: A와 B 둘 다 / 여겨진다 / 이러한 특성에 있어 / 피하는 것이 최상이다 / 부족과 과잉 둘 다를
명사적 용법(보어) / 주격 관계대명사 / 최상의 방법은 사는 것이다 / 행복을 극대화하는 'sweet spot'에
명사절 접속사(동사 is의 보어) / 계속적 용법의 관계부사 / 아리스토텔레스의 제안은 ~이다 / 미덕이 중간 지점이라는 것이다 / 이는
〈neither A nor B〉: A도 B도 아닌 / 누군가가 너무 관대하지도 너무 인색하지도 않고 / 너무 두려워하지도 극단적으로
용감하지도 않은

* deficiency: 부족[결핍] ** excess: 과잉

유형 해결 전략

KEY 1 밑줄 친 부분의 의미 파악
행복을 극대화 하는 것이 sweet spot에서 사는 방법임을 파악

KEY 2 전체 문맥을 통해 글의 핵심 내용 파악
인생에 있어 지나친 것은 무엇이든 좋지 않음 ➡ 아리스토텔레스는 부족과 과잉 사이의 균형을 찾는 것이 미덕이라고 말함

KEY 3 결론을 통해 요지 재확인
미덕은 부족과 과잉의 중간 지점에 있음

해석

❶인생의 거의 모든 것에는, 좋은 것에도 지나침이 있을 수 있다. ❷심지어 인생에서 최상의 것도 지나치면 그리 좋지 않다. ❸이 개념은 아리스토텔레스 시대부터 논의되어 왔다. ❹그는 미덕이 있다는 것은 균형을 찾는 것을 의미한다고 주장했다. ❺예를 들어, 사람들은 타인을 신뢰해야 하지만, 만약 어떤 사람이 타인을 너무 신뢰한다면 그들은 잘 속아 넘어가는 사람으로 여겨진다. ❻이러한 특성에 있어, 부족과 과잉 둘 다를 피하는 것이 최상이다. ❼최상의 방법은 행복을 극대화하는 'sweet spot'에 사는 것이다. ❽아리스토텔레스의 제안은 미덕이 중간 지점이라는 것인데, 이는 누군가가 너무 관대하지도, 너무 인색하지도, 너무 두려워하지도, 극단적으로 용감하지도 않은 지점이다.

해설

세상의 모든 것들, 심지어 아주 좋은 것조차도 지나치면 좋지 않으며, 아리스토텔레스에 의하면 과잉과 부족함의 중간 지점에 미덕이 있다고 말하고 있다. 밑줄 친 부분의 'sweet spot'은 행복을 극대화하는 지점이라고 했으므로 이것이 바로 과잉과 부족이라는 두 개의 극단의 중간을 가리키는 것이다. 따라서 밑줄 친 부분이 의미하는 바로 가장 적절한 것은 ④ '두 개의 극단적인 것의 중간에서'이다.

오답 노트

① 편향된 결정을 하는 시기에
② 물질적으로 풍요로운 지역에
③ 사회적 압박에서 벗어나서
⑤ 즉각적인 즐거움의 순간에
➡ ①, ②, ③, ⑤는 모두 '과잉과 부족 사이의 지점'과는 관련이 없는 내용이다.

구문 해설

❻For this trait, **it** is best **to avoid both** deficiency **and** excess.
it이 가주어, to avoid는 진주어이고, 상관접속사 〈both A and B〉는 'A와 B 둘 다'라는 뜻으로 A와 B는 동일한 형태를 쓰므로 명사 deficiency와 excess가 왔다.

❽Aristotle's suggestion is **that** virtue is the midpoint**, where** someone is neither too generous nor too cheap, ~.
that은 동사 is의 주격보어 역할을 하는 명사절 접속사이다. where는 〈콤마+관계부사〉의 형태인 계속적 용법의 관계부사로 선행사인 the midpoint를 부연 설명하며, 〈접속사+부사〉의 형태인 and there로 바꿔 쓸 수 있다.

More & More

1 미덕이 있으려면 '균형'을 찾아야 한다.
2 부족과 과잉 사이의 균형을 찾는 중간 지점이 행복을 극대화하며, 그것이 곧 미덕이라고 말하고 있다. 따라서 글의 주제로 가장 적절한 것은 ④ '행복을 극대화하는 중도의 미덕'이다.

답 ⑤

❶Since a great deal of everyday academic work is boring repetition, / you need to be well motivated / to keep doing it. ❷A mathematician sharpens her pencils, / works on a proof, / and tries a few approaches. ❸But she gets nowhere / and finishes for the day. ❹A writer work at his desk / and writes a few sentences. ❺But / he is unsatisfied / and throws them away. ❻To produce something valuable / may require years of such fruitless labor. ❼A biologist said / that about four-fifths of his time in science was wasted, / adding sadly / that "nearly all scientific research leads nowhere." ❽What kept all of these people going / when things were going badly / was their passion / for their subject. ❾Without such passion, / they would have achieved nothing.

- 이유 접속사(~ 때문에): Since
- 〈a great deal of+셀 수 없는 명사〉: 상당히 많은 ~(단수 취급)
- 단수 동사: is
- 〈keep+-ing〉: 계속해서 ~하다
- 〈be motivated to+동사원형〉: ~하도록 동기를 부여 받다
- 동사₁: sharpens / 동사₂: works on / 동사₃: tries
- 명사적 용법(주어): To produce
- 〈-thing+형용사〉 어순: something valuable
- 약, 대략: about
- 명사절 접속사(동사 said의 목적어): that
- 수동태: was wasted
- 분사구문(연속 동작): adding sadly
- 거의(= almost): nearly
- 관계대명사: What
- 〈keep+목적어(A)+-ing〉: A를 계속하게 하다
- Without 가정법: Without ~ would have

일상의 많은 학업은 지루한 반복이기 때문에 여러분은 / 동기 부여가 잘 되어 있어야 한다 / 그것을 계속할 수 있도록 / 어느 수학자는 연필을 깎고 / 어떤 증명을 해내려고 애쓰고 / 그리고 몇 가지 접근법을 시도한다 / 그러나 그녀는 아무런 성과를 내지 못한다 / 그리고 그 날을 끝낸다 / 어느 작가는 책상에서 일한다 / 그리고 몇 문장을 쓴다 / 하지만 / 그는 만족하지 못한다 / 그리고 그것들을 버린다 / 가치 있는 것을 만들어 내는 것은 / 여러 해 동안의 그런 결실 없는 노동을 필요로 할지도 모른다 / 한 생물학자는 말했다 / 과학에 들인 자기의 시간 중 약 5분의 4 정도가 헛되었다고 / 애석해하며 덧붙여 말했다 / "거의 모든 과학적 연구가 성과를 내지 못한다."고 / 이 모든 사람들을 계속하게 했던 것은 / 상황이 악화되고 있었을 때 / 그들의 열정이었다 / 그들의 주제에 대한 / 만약 그러한 열정이 없었다면 / 그들은 아무것도 이루지 못했을 것이다

* proof: (수학) 증명 ** get[lead] nowhere: 아무런 성과를 내지 못하다

유형 해결 전략

KEY 1 밑줄 친 부분의 의미 파악
가치 있는 무언가를 만들기 위해 요구되는 노력과 시간이 "such fruitless labor"라는 것을 파악

KEY 2 전체 문맥을 통해 글의 핵심 내용 파악
많은 학업은 지루하고 반복적이며, 이를 수학자, 작가, 생물학자의 예를 통해 설명하고 있음 ➡ 당장은 투자한 만큼의 결실을 얻지 못하더라도 그 일을 지속할 열정이 있다면 가치 있는 것을 만들어 냄

KEY 3 글의 핵심 내용을 종합해 밑줄 친 부분의 의미 확인
전체 내용을 통해 such fruitless labor의 의미가 '하나의 좋은 결과를 위해 아무런 성과 없이 반복적으로 하는 것'임을 확인

해석

❶일상의 많은 학업은 지루한 반복이기 때문에, 여러분은 그것을 계속할 수 있도록 동기 부여가 잘 되어 있어야 한다. ❷어느 수학자는 연필을 깎고, 어떤 증명을 해내려고 애쓰고, 그리고 몇 가지 접근법을 시도한다. ❸그러나 그녀는 아무런 성과를 내지 못하고 그 날을 끝낸다. ❹어느 작가는 책상에서 일하고 몇 문장들을 쓴다. ❺하지만 그는 만족스럽지 않아 그것들을 버린다. ❻가치 있는 것을 만들어 내는 것은 여러 해 동안의 그런 결실 없는 노동을 필요로 할지도 모른다. ❼한 생물학자는 과학에 들인 자기의 시간 중 약 5분의 4 정도가 헛되었다고 말하면서, "거의 모든 과학적 연구가 성과를 내지 못한다."고 애석해하며 덧붙여 말했다. ❽상황이 악화되고 있었을 때 이 모든 사람들을 계속하게 했던 것은 자신들의 주제에 대한 그들의 열정이었다. ❾만약 그러한 열정이 없었다면, 그들은 아무것도 이루지 못했을 것이다.

해설

수학자, 작가, 생물학자의 사례를 통해 가치 있는 것을 만들어 내기까지 그들이 여러 해 동안 겪은 성과 없는 시간들에 대해 말하고 있으며, 그것이 곧 '그런 결실 없는 노동'을 가리킨다. 따라서 밑줄 친 부분이 의미하는 바로 가장 적절한 것은 ⑤ '하나의 좋은 결과를 위해 아무런 성과 없이 반복적으로 하는 것'이다.

오답 노트

①, ②, ③, ④ ➡ such fruitless labor는 가치 있는 무언가를 만들기 위해 아무런 성과 없이 반복하는 것을 의미하는데, ①, ②, ③, ④는 모두 이와 관련이 없는 내용이다.

구문 해설

❼ ~ **adding** sadly that "nearly all scientific research leads nowhere."
adding은 연속 동작을 나타내는 분사구문으로, 〈접속사+주어+동사〉의 형태인 and he added로 바꿔 쓸 수 있다.

❽ **What** kept all of these people going when things were going badly **was** their passion for their subject.
What은 '~하는 것'이라는 뜻으로 선행사를 포함하는 관계대명사이며, 여기서는 문장의 주어 역할을 한다. 따라서 문장의 주어부는 시간의 부사절 when things were going badly가 포함된 주격 관계대명사절인 What ~ badly이고, 동사는 was이다.

❾ **Without** such passion, they **would have achieved** nothing.
〈Without ~, 주어+조동사의 과거형(would[could])+have+과거분사 …〉의 형태인 Without 가정법 과거완료는 '~가 없었다면 …이었을[…했을 수 있을] 것이다'라는 뜻이며 이때 Without는 If it had not been for ~로 바꿔 쓸 수 있다. (= If it had not been for such passion, they would have achieved nothing.)

More & More

1 학문적 영역의 작업자들이 가치 있는 것을 만들도록 도운 것은 자신들의 주제에 대한 '열정'이었다.
2 학업에서 무언가를 달성하기 위해서는 아무런 성과 없는 시간을 견디게 해 줄 열정이 있어야 한다고 했다. 따라서 글의 주제로 가장 적절한 것은 ③ '학업의 지속에 필요한 열정의 중요성'이다.

● 본문 074쪽

답 ④

❶In metaphor studies, / the social impact of metaphor has been recognized.
은유 연구에서는 / 은유의 사회적 영향이 인정되어 왔다 (현재완료 수동태)

❷Cooper focused on the social function / to explain / why a speaker or writer might choose / to employ metaphor.
focus on: ~에 초점을 맞추다 / 부사적 용법(목적) / 명사적 용법(목적어)
Cooper는 사회적 기능에 초점을 맞췄다 / 설명하기 위해 / 화자나 작가가 왜 선택할 수 있는지 / 은유를 사용하는 것을

❸He developed Cohen's idea / that an important role of metaphor is / to create social bonds.
동격의 that(= Cohen's idea) / 명사적 용법(보어)
그는 발전시켰다 / Cohen의 생각을 / 은유의 중요한 역할은 ~이라는 / 사회적 유대를 만드는 것

❹Such emotional effects can be both taken for granted / and enhanced by using metaphor.
take for granted: 당연시하다 / 〈both A and B〉: A와 B 둘 다 / 〈by+-ing〉: ~함으로써
그러한 감정적 효과는 당연시될 수 있다 / 그리고 은유를 사용함으로써 강화될 수 있다

❺Metaphor use brings attitudes to the topic / that are assumed to be shared, / or are then able to be shared, / between discourse participants.
bring A to B: A를 B에 가져가다 / 주격 관계대명사 / be able to: ~할 수 있다(= can)
은유적 사용은 주제로 태도를 가져간다 / 공유된다고 가정되는 / 또는 공유될 수 있다고 하는 / 담화 참여자들 간에

❻This idea leads to sub-groups in society / using metaphor / to establish their own language and identity.
현재분사구 / 부사적 용법(목적)
이 생각은 사회의 하위 집단으로 이어진다 / 은유를 사용하는 / 그들 자신의 언어와 정체성을 확립하기 위해

❼Individuals can make use of shared lists of metaphor / to obtain membership themselves / and to exclude others.
~을 이용하다 / 과거분사 / 부사적 용법(목적) / 재귀 용법
개인들은 공유된 은유의 목록을 사용할 수 있다 / 회원 자격을 스스로 얻기 위해 / 그리고 다른 사람들을 배제하기 위해

❽In contrast, / they may deliberately move away from shared patterns / to express personality.
과거분사 / 부사적 용법(목적)
이와는 대조적으로 / 그들은 의도적으로 공유된 패턴에서 멀어질 수도 있다 / 개성을 표현하기 위해

* metaphor: 은유

유형 해결 전략

KEY 1 밑줄 친 부분의 의미 파악
This idea를 파악하기 위해 바로 앞 문장을 함께 살펴야 함 ➡ 은유적 사용이 담화 참여자들 간에 공유된다는 이 생각이 은유를 사용하여 그들 자신의 언어와 정체성을 확립하려는 사회의 하위 집단으로 이어짐

KEY 2 전체 문맥을 통해 글의 핵심 내용 파악
은유의 사회적 영향에 대한 답을 찾기 위해 은유의 중요한 역할은 사회적 유대를 만드는 기능이라는 Cohen의 생각을 Cooper가 확장함

KEY 3 결론을 통해 요지 재확인
집단에 포함된 개인들은 그 집단에 대한 소속감을 얻고 타인을 배제하려는 목적으로 공유된 은유를 사용하거나, 개성을 표현하기 위해 공유된 패턴에서 멀어질 수도 있음

해석

❶은유 연구에서는, 은유의 사회적 영향이 인정되어 왔다. ❷Cooper는 화자나 작가가 왜 은유를 사용하는 것을 선택할 수 있는지를 설명하기 위해 사회적 기능에 초점을 맞췄다. ❸그는 은유의 중요한 역할은 사회적 유대를 만드는 것이라는 Cohen의 생각을 발전시켰다. ❹그러한 감정적 효과는 당연시될 수 있고, 은유의 사용을 통해 강화될 수 있다. ❺은유적 사용은 담화 참여자들 간에 공유될 수 있거나 공유된다고 가정되는 주제로 (참가자들의) 태도를 가져간다. ❻이 생각은 그들 자신의 언어와 정체성을 확립하기 위해 은유를 사용하는 사회의 하위 집단으로 이어진다. ❼개인들은 회원 자격을 스스로 얻고 다른 사람들을 배제하기 위해서 공유된 은유 목록을 사용할 수 있다. ❽이와는 대조적으로, 그들은 개성을 표현하기 위해 공유된 패턴에서 의도적으로 멀어질 수도 있다.

해설

This idea 앞의 문장들에서 은유의 중요한 역할은 사회적 유대를 만드는 것이라는 Cohen의 생각이 나오고, 그것을 확장한 Cooper의 부연 설명이 이어지고 있다. 따라서 밑줄 친 부분이 의미하는 바로 가장 적절한 것은 ④ '은유 사용이 친밀감 증진에 중요한 역할을 한다는 것'이다.

오답 노트

①, ②, ③, ⑤ ➡ 모두 '은유가 사회적인 친밀감을 증진하는 데 중요하다'는 내용과는 무관하다.

구문 해설

❸He developed Cohen's idea **that** an important role of metaphor is **to create** social bonds.
that은 앞의 명사 Cohen's idea를 보충 설명하는 동격의 접속사이고 to create는 동사 is의 주격보어 역할을 하는 to부정사의 명사적 용법으로 쓰였다.

❼Individuals can make use of shared lists of metaphor **to obtain** membership **themselves and to exclude** others.
목적을 나타내는 부사적 용법의 to부정사구(to obtain ~, to exclued ~)가 등위접속사 and로 병렬 연결되어 있다. themselves는 동사 obtain의 목적어 역할을 하는 재귀대명사의 재귀 용법으로 쓰였으며 생략할 수 없다.

More & More

1 은유의 중요한 역할은 '사회적 유대'를 만드는 것이다.
2 은유의 사용이 친밀감 내지는 사회적 유대를 형성하는 역할을 한다는 내용이므로 글의 제목으로 가장 적절한 것은 ③ '우리를 가깝게 만드는 은유'이다.
① 은유의 사용을 배우라
② 우리가 언어를 쓰는 이유
④ 언어의 중요성
⑤ 좋은 회원권을 얻는 방법

4

• 본문 075쪽

답 ⑤

❶I believe / that the second decade of this new century / is already very different. ❷Still millions of people / associate money and power with success. ❸They are determined to never get off that treadmill / at the expense of their well-being, relationships, and happiness. ❹Still millions believe / that the next promotion / or the next million dollar payday / will satisfy their longing / to feel better about themselves, / or silence their dissatisfaction. ❺But both in the West and in emerging economies, / there are more people every day / who recognize that these are all dead ends / — that they are chasing a broken dream. ❻We cannot find the answer / in our current definition of success alone / because / — as Gertrude Stein once said of Oakland — / "There is no there there".

(명사절 접속사(동사 believe의 목적어) / 주어 / 동사 / 주격보어 / 〈associate A with B〉: A를 B와 연관 짓다 / to부정사의 부정 / ~을 희생하면서 / 명사절 접속사(동사 believe의 목적어) / 동사₁ / 형용사적 용법 / 재귀 용법(전치사 about의 목적어) / 동사₂ / 선행사 / 주격 관계대명사 / 명사절 접속사(동사 recognize의 목적어) / 앞의 절을 부연 설명 / 과거분사 / 양태 접속사(~했듯이))

나는 믿는다 / 이 새로운 세기의 두 번째 십 년은 / 이미 매우 다르다고 / 여전히 수백만의 사람들이 / 돈과 권력을 성공과 연관 짓는다 / 그들은 결코 쳇바퀴에서 내리지 않을 작정이다 / 자신의 웰빙, 관계, 그리고 행복을 희생시키면서 / 여전히 수백만 명이 믿는다 / 다음 번 승진 / 또는 다음 번 고액 월급을 받는 날이 / 그들의 바람을 충족시켜 줄 것이라고 / 자신들에 대해 더 좋게 느끼려는 / 또는 그들의 불만족감을 잠재워 줄 것이라고 / 하지만 서구와 신흥 경제 국가 모두에서 / 매일 더 많은 사람들이 있다 / 이러한 것들은 모두 막다른 골목이라는 것을 인식하는 / 즉 부서진 꿈을 좇는 것임을 / 우리는 정답을 찾을 수 없다 / 성공에 대한 현재의 정의만으로는 / 왜냐하면 / 언젠가 Gertrude Stein이 Oakland에 대해 말했듯이 / '그곳에는 그곳이 없기' 때문이다

* emerging economies: 신흥 경제 국가

유형 해결 전략

KEY 1 밑줄 친 부분의 의미 파악
"There is no there there."는 직역하면 '그곳에는 그곳이 없다.'는 의미임

KEY 2 전체 문맥을 통해 글의 핵심 내용 파악
수백만의 사람들이 돈과 권력을 성공과 연관 짓고 있음 ➡ 그러나 돈과 권력을 좇는 것이 헛된 것임을 깨닫는 사람들이 늘고 있음

KEY 3 글의 핵심 내용을 종합해 밑줄 친 부분의 의미 확인
'그곳에는 그곳이 없다.'라는 말은 돈과 권력이 성공을 보장한다는 믿음이 허상임을 비유적으로 표현한 것임을 파악

해석

❶나는 이 새로운 세기의 두 번째 십 년은 이미 매우 다르다고 믿는다. ❷여전히 수백만의 사람들이 돈과 권력을 성공과 연관 짓는다. ❸그들은 자신의 웰빙, 관계, 그리고 행복을 희생시키면서 결코 쳇바퀴에서 내리지 않을 작정이다. ❹여전히 수백만 명이 다음 번 승진이나 다음 번 고액 월급을 받는 날이 스스로에 대해 더 좋게 느끼고자 하는 그들의 바람을 충족시켜 주거나 그들의 불만족을 잠재워 줄 것이라고 믿는다. ❺하지만 서구와 신흥 경제 국가 모두에서 이러한 것들은 모두 막다른 골목이라는 것, 즉 부서진 꿈을 좇는 것임을 인식하는 사람들이 매일 늘어나고 있다. ❻우리는 성공에 대한 현재의 정의만으로는 정답을 찾을 수 없는데, 왜냐하면 언젠가 Gertrude Stein이 Oakland에 대해 말했듯이, '그곳에는 그곳이 없기' 때문이다.

해설

수많은 사람들이 여전히 돈과 권력을 성공과 연관 짓고 있지만, 이미 서구와 신흥 경제 국가 모두에서 그것은 부서진 꿈을 좇는 것임을 깨닫는 사람이 많아진다고 말하고 있다. 따라서 밑줄 친 부분이 의미하는 바로 가장 적절한 것은 ⑤ '돈과 권력은 여러분을 성공으로 이끄는 데 필수적이지 않다.'이다.

오답 노트

① 사람들은 자신에 대한 자신감을 잃고 있다.
② 꿈이 없으면 성장의 기회도 없다.
③ 우리는 다른 사람의 기대에 따라 살아서는 안 된다.
④ 어려운 상황에서 우리의 잠재력을 깨닫기란 어렵다.
➡ "There is no there there."는 돈과 권력이 성공으로 이어진다는 믿음이 헛된 것임을 비유한 표현인데, ①, ②, ③, ④는 모두 이와 관련이 없는 내용이다.

구문 해설

❸They are determined **to never get off** that treadmill at the expense of their well-being, ~.
to부정사의 부정은 to와 동사원형 사이에 not이나 never를 쓴다.

❹Still millions believe **that** the next promotion or the next million dollar payday **will satisfy** their longing **to feel** better about themselves, **or silence** their dissatisfaction.
that은 동사 believe의 목적어 역할을 하는 명사절 접속사이며, that절의 주어는 the next promotion ~ payday이고 동사는 will satisfy와 silence로 등위접속사 or로 인해 병렬 연결되어 있다. to feel은 앞의 명사구 their longing을 꾸며 주는 to부정사의 형용사적 용법으로 쓰였다.

More & More

1 '성공'에 대한 현재의 정의는 우리가 답을 찾도록 도울 수가 없다고 했다.
2 점점 더 많은 사람들이 돈과 권력이 곧 성공이 아님을 깨닫고 있다는 내용이다. 따라서 글의 제목으로 가장 적절한 것은 ⑤ '돈과 권력은 정말로 성공의 비결인가?'이다.
① 새로운 세기의 두 번째 십 년
② 승진과 급여일의 중요성
③ 성공을 향한 부서진 꿈을 추구하는 법
④ 행복 찾기에서의 경제학의 역할

가리키는 대상 찾기

● 본문 078쪽

대표 예제

해석 ❶ Moinee라는 신이 별에서의 끔찍한 전투에서 Dromerdeener라는 경쟁 상대인 신에게 패배했다. ❷ Moinee는 별에서 Tasmania로 떨어져 죽었다. ❸ 그가 죽기 전에 그는 최후의 안식처에 마지막 축복으로서 인간을 창조하기로 결심했다. ❹ 그러나 그는 너무 서둘러서 그들에게 무릎을 주는 것을 잊었다. ❺ 대신, 그는 그들에게 캥거루처럼 큰 꼬리를 주었는데 그것은 그들이 앉을 수 없다는 것을 의미했다. ❻ 그러고 나서 그는 죽었다. ❼ 그러나 사람들은 캥거루 꼬리가 있고 무릎이 없는 것을 불평했다. ❽ Dromerdeener는 그들의 불평을 듣고 Tasmania로 내려왔다. ❾ 그는 그들을 불쌍히 여겨서 그들에게 구부릴 수 있는 무릎을 주었고, 그들의 캥거루 같은 꼬리를 제거해서, 그들은 마침내 앉을 수 있었다.

어휘 **defeat** 패배하다 **rival** 경쟁하는 **create** 창조하다 **blessing** 축복 **resting place** 안식처 **complaint** 불평 **bendable** 구부릴 수 있는 **get rid of** ~을 제거하다

READING 1~4

● 본문 080~083쪽

		More & More
1	④	1 ①, ②, ③, ⑤: Wilhemina / ④: Amy 2 ④
2	③	1 ①, ②, ④, ⑤: Serene / ③: Serene's mother 2 ①
3	③	1 ①, ②, ④, ⑤: Gandhi / ③: Gandhi's father 2 ④
4	③	1 ①, ②, ④, ⑤: 십 대 (소년) / ③: 'I'(글쓴이)의 남편 2 ⑤

1

답 ④

유형 해결 전략

❶"Wanna work together?" / a cheerful voice spoke / on Amy's first day / at a new school. ❷It was Wilhemina. ❸Amy was too surprised to do / anything but nod. ❹The big black girl / put ①her notebook down / beside Amy's. ❺After she dropped the notebook, / ②she lifted herself up onto the stool / beside Amy. ❻"I'm Wilhemina Smiths, / Smiths with an s at both ends," / ③she said with a friendly smile. ❼"My friends call me Mina. ❽You're Amy Tillerman." ❾Amy nodded / and stared. ❿As the only new kid in the school, / ④she was pleased / to have a lab partner. ⓫But Amy wondered / if Mina chose her / because ⑤she had felt sorry for the new kid.

(Wanna = Want to / 같이 할래? / 어떤 활기찬 목소리가 말했다 / Amy의 첫날에 / 새 학교에서 / Wilhemina였다 / Amy는 너무 놀라서 할 수 없었다 / 〈too ~ to부정사〉: 너무 ~해서 …할 수 없다 / 고개를 끄덕이는 것 말고는 아무것도 / 몸집이 큰 그 흑인 소녀는 / 그녀의 공책을 내려놓았다 / 이어동사 어순: 〈put+명사+down〉 / 〈put down+명사〉 / Amy의 (것) 앞에 / 공책을 내려놓은 후 / 그녀는 의자에 올라앉았다 / herself: 재귀 용법 / Amy 옆의 / 나는 Wilhemina Smiths야 / 양 끝에 's'가 있는 Smiths 말이야 / 그녀가 친근하게 웃으며 말했다 / "내 친구들은 나를 Mina라고 불러 / 〈call+목적어+목적격보어(명사)〉 / 너는 Amy Tillerman이지 / Amy는 고개를 끄덕였다 그리고 바라보았다 / 학교의 유일한 전학생으로서 / As: ~로서(자격) / 〈the+only+명사〉: only는 정관사 the와 함께 쓰임 / 그녀는 기뻤다 / 실험실 파트너가 생겨서 / to have: 부사적 용법(감정의 원인) / 하지만 Amy는 궁금했다 / Mina가 그녀를 선택한 건지 아닌지 / if: 명사절 접속사(~인지 아닌지) / 그녀가 전학생을 안쓰럽게 여겼기 때문에 / had felt: 과거완료 / the new kid = Amy)

* stool: (등받이가 없는) 의자

KEY 1 상황과 등장인물 파악
전학생 Amy와 그녀에게 말을 건네는 Wilhemina가 등장함

KEY 2 문맥을 고려하여 대명사가 가리키는 대상 확인
전학 온 첫날, 예상치 못한 Wilhemina의 접근에 당황스러우면서도 실험실 파트너가 생겨서 기뻐하는 Amy의 상황 ➡ ④ she는 전학생인 Amy임을 알 수 있음

KEY 3 대명사를 원래 대상으로 바꾸어 정답 재확인
①, ②, ③, ⑤는 Wilhemina로, ④는 Amy로 바꾸어 정답 재확인

해석

❶Amy의 새 학교에서의 첫날, 어떤 활기찬 목소리가 "같이 할래?"라고 말했다. ❷Wilhemina였다. ❸Amy는 너무 놀라서 고개를 끄덕이는 것 말고는 아무것도 할 수 없었다. ❹이 몸집이 큰 흑인 소녀는 그녀의 공책을 Amy의 공책 옆에 내려놓았다. ❺공책을 내려놓은 후, 그녀는 Amy 옆에 있는 의자에 올라앉았다. ❻"나는 Wilhemina Smiths라고 해. 양 끝에 's'가 있는 Smiths 말이야."라고 그녀가 친근하게 웃으며 말했다. ❼"내 친구들은 나를 Mina라고 불러. ❽너는 Amy Tillerman이지." ❾Amy는 고개를 끄덕이면서 바라보았다. ❿학교의 유일한 전학생으로서 그녀는 실험실 파트너가 생겨서 기뻤다. ⓫하지만 Amy는 그녀가 전학생을 안쓰럽게 여겼기 때문에 자신을 선택한 것인지 아닌지가 궁금했다.

해설

①, ②, ③, ⑤는 Wilhemina를 가리키지만, ④는 Amy를 가리킨다.

오답 노트

① ➡ Amy의 공책 옆에 자신의 공책을 내려놓은 사람은 Wilhemina이다.
② ➡ Amy의 옆에 있는 의자에 올라앉은 사람은 Wilhemina이다.
③ ➡ Wilhemina Smiths라고 자신을 소개했으므로 웃으며 말을 한 사람은 Wilhemina이다.
⑤ ➡ 전학생인 Amy를 안쓰럽게 여겼을 수도 있는 사람은 Wilhemina이다.

구문 해설

❸Amy was **too surprised to do** anything but nod.
too surprised to do는 〈too+형용사(부사)+to부정사〉의 형태로 '너무 놀라서 할 수 없다'라는 뜻을 나타내며 〈so+형용사(부사)+that+주어+can't〉로 바꿔 쓸 수 있다. (= Amy was so surprised that she couldn't do anything but nod.)

❼My friends **call me Mina.**
call me Mina는 〈call+목적어+목적격보어〉의 형태인 5형식으로, 목적격보어로는 명사(Mina)가 쓰였으며 '~을 …라고 부르다'라고 해석한다.

⓫But Amy wondered **if** Mina chose her because she **had felt sorry** for the new kid.
if는 '~인지 아닌지'라는 뜻으로 동사 wondered의 목적어 역할을 하는 명사절 접속사이며, whether로 바꿔 쓸 수 있다. Mina가 그녀(Amy)를 선택한(chose) 것보다 전학생인 Amy를 안쓰럽게 여긴 것이 더 이전에 일어난 일이므로 과거완료인 had felt가 쓰였으며 2형식 동사 felt 다음에는 주격보어로 형용사 sorry가 왔다.

More & More

2 ① Amy가 전학을 온 첫날 만난 소녀이다.
② 몸집이 큰 흑인 소녀이다.
③ 학교의 유일한 전학생은 Amy이다.
⑤ Amy를 파트너로 선택한 이유가 무엇인지는 알 수 없다.

2

• 본문 081쪽

답 ③

❶Serene tried to do a pirouette / in front of her mother / but fell to the floor. ❷Serene's mother helped ①her / off the floor. ❸She told her to keep trying. ❹However, / Serene was almost in tears. ❺②She had been practicing very hard / but it did not seem to work. ❻Serene's mother said / that ③she herself had tried many times / before succeeding / at Serene's age. ❼She had fallen so often / that she injured her ankle. ❽So, / she had to rest for three months / before she could dance again. ❾Serene was surprised. ❿Her mother was a famous ballerina. ⓫Serene thought / that ④her mother had never fallen or made a mistake. ⓬Listening to her mother / made ⑤her realize / that she had to work harder.

동사₁ / ~의 앞에서 / 동사₂ / 〈tell+목적어+목적격보어(to부정사)〉 / 〈keep+-ing〉: 계속해서 ~하다 / 눈물을 흘리며, 울며 / 과거완료진행형(had been+동사원형-ing) / 〈seem+to부정사〉: ~처럼 보이다 / 명사절 접속사(동사 said의 목적어) / 강조 용법 / 과거완료 / 〈전치사+동명사〉 / 〈so ~ that ...〉: 너무 ~해서 …하다 / have to: ~해야 한다(의무) / 〈for+구체적인 기간을 나타내는 숫자〉 / 시간 접속사(~하기 전에) / 명사절 접속사(동사 thought의 목적어) / make a mistake: 실수하다 / 동명사구(주어) / 〈make+목적어+목적격보어(동사원형)〉

Serene은 피루엣을 하려고 했다 그녀의 어머니 앞에서 하지만 바닥으로 넘어졌다 Serene의 어머니는 그녀를 도왔다 바닥에서 일어나는 것을 그녀는 Serene에게 계속 노력해야 한다고 말했다 그러나 Serene은 눈물이 날 지경이었다 그녀는 정말 열심히 연습해왔다 하지만 효과가 있는 것 같지 않았다 Serene의 어머니는 말했다 자기 자신이 여러 번 시도했다고 성공하기 전에 Serene의 나이 때에 그녀는 너무 자주 넘어져서 그녀는 발목을 다쳤다 그래서 그녀는 세 달 동안 쉬어야만 했다 그녀가 다시 춤을 출 수 있기 전에 Serene은 놀랐다 그녀의 어머니는 유명한 발레리나였다 Serene은 생각했다 그녀의 어머니는 결코 넘어지거나 실수를 하지 않았을 거라고 그녀의 어머니의 말을 들은 것은 그녀로 하여금 깨닫게 했다 그녀가 더 열심히 노력해야 한다는 것을

* pirouette: 피루엣(한쪽 발로 서서 빠르게 도는 발레 동작)

유형 해결 전략

KEY 1 상황과 등장인물 파악
발레 동작인 피루엣을 연습 중인 Serene과 넘어진 그녀를 일으킨 어머니가 등장함

KEY 2 문맥을 고려하여 대명사가 가리키는 대상 확인
연습한 동작이 잘 되지 않아 눈물이 날 것 같은 Serene에게 유명한 발레리나였던 어머니가 자신의 경험담을 들려주며 위로하는 상황
➡ ③ she는 Serene의 나이에 비슷한 경험을 한 자신에 대해 이야기하고 있는 'Serene의 어머니'임을 알 수 있음

KEY 3 대명사를 원래 대상으로 바꾸어 정답 재확인
①, ②, ④, ⑤는 Serene으로, ③은 Serene's mother(Serene의 어머니)로 바꾸어 정답 재확인

해석

❶Serene은 그녀의 어머니 앞에서 피루엣을 하려고 했지만 바닥으로 넘어졌다. ❷Serene의 어머니는 그녀가 바닥에서 일어나는 것을 도왔다. ❸그녀는 계속 노력해야 한다고 Serene에게 말했다. ❹하지만 Serene은 눈물이 날 지경이었다. ❺그녀는 정말 열심히 연습했지만 효과가 있는 것 같지 않았다. ❻Serene의 어머니는 자기 자신이 Serene의 나이였을 때 성공해 내기 전에 여러 번 (동작을) 시도했다고 말했다. ❼그녀는 너무 자주 넘어져서 발목을 다쳤다. ❽그래서 그녀는 다시 춤을 출 수 있기 전 3개월 동안 쉬어야 했다. ❾Serene은 놀랐다. ❿그녀의 어머니는 유명한 발레리나였다. ⓫Serene은 자신의 어머니는 결코 넘어지거나 실수를 한 적이 없었다고 생각했다. ⓬어머니의 말을 듣고 그녀는 자신이 더 열심히 노력해야 한다고 깨달았다.

해설

①, ②, ④, ⑤는 Serene을 가리키지만, ③은 Serene의 어머니를 가리킨다.

오답 노트

① ➡ 바닥에서 일어날 수 있도록 Serene의 어머니의 도움을 받은 사람은 Serene이다.
② ➡ 피루엣을 성공하기 위해 열심히 연습한 사람은 Serene이다.
④ ➡ 어머니가 넘어지거나 실수하지 않았다고 생각했던 사람은 Serene이다.
⑤ ➡ 어머니의 경험담을 통해 더 열심히 노력해야 한다고 깨달은 사람은 Serene이다.

구문 해설

❸She **told her to keep** trying.
told her to keep은 〈tell+목적어+목적격보어(to부정사)〉의 형태인 5형식으로, tell은 5형식에서 목적격보어로 to부정사를 취하는 동사이다.

❻Serene's mother said that she **herself** had tried many times **before** succeeding at Serene's age.
herself는 주어인 she를 강조하는 재귀대명사의 강조 용법으로 쓰였으며 생략할 수 있다. before는 여기서 전치사로 쓰였으므로 뒤에 동명사 succeeding이 왔다.

❼She had fallen **so** often **that** she injured her ankle.
〈so ~ that ...〉은 '너무 ~해서 …하다'라는 뜻으로 결과를 나타내는 접속사이다. *cf.* so that은 '~하기 위해서'라는 뜻으로 목적을 나타내는 접속사이다.

More & More

2 Serene은 피루엣을 매우 열심히 연습했지만 연습의 효과가 없었다고 했으므로 ①은 글의 내용과 일치하지 않는다.

답 ③

❶When Gandhi was fifteen, / he stole a piece of gold / from his brother's bracelet. ❷Gandhi was so troubled / by his guilt / that one day / ①he decided to tell his father / what he had done. ❸He wrote a letter / asking his father / to punish ②him. ❹Then, / Gandhi handed the letter / to his father / who was lying ill in bed. ❺His father quietly sat up / and read the letter / and soaked it with ③his tears. ❻A little later, / his father tore up the letter. ❼Through his father's action / of tearing up the letter, / Gandhi knew / ④he was forgiven. ❽From that day on, / ⑤he always kept / his father's tears and love / in his heart / and went on to be a great leader.

(금 한 조각 / 〈so ~ that ...〉: 너무 ~해서 …하다 / 명사적 용법(목적어) / 관계대명사 / 과거완료 / 현재분사 / 〈ask+목적어+목적격보어(to부정사)〉 / 〈hand+직접목적어+to+간접목적어〉: 3형식 / 주격 관계대명사 / lie ill in bed: 병상에 누워 있다 / 동사₁ / 동사₂ / 동사₃ / = the letter / tear up: (종이를) 찢다(tear-tore-torn) / ~을 통해(수단, 매체) / 동명사(전치사 of의 목적어) / by his father 생략 / 계속 / 부사적 용법(결과))

Gandhi가 15세였을 때 / 그는 금 한 조각을 훔쳤다 / 그의 형의 팔찌에서 / Gandhi는 너무 괴로워서 / 죄책감으로 / 어느 날 / 그는 / 아버지에게 말하기로 결심했다 / 그가 저지른 일을 / 그는 편지를 썼다 / 그의 아버지에게 / 청하는 / 그를 벌해 달라고 / 그 다음에 / Gandhi는 편지를 건넸다 / 그의 아버지에게 / 병으로 침대에 누워 있는 / 그의 아버지는 조용히 바로 앉았다 / 그리고 그 편지를 읽었다 / 그리고 그것을 그의 눈물로 적셨다 / 잠시 후 / 그의 아버지는 그 편지를 찢었다 / 그의 아버지의 행동을 통해 / 그 편지를 찢어버린 / Gandhi는 알았다 / 그가 용서 받았다는 것을 / 그날 이후 쭉 / 그는 항상 간직했다 / 그의 아버지의 눈물과 / 사랑을 / 그의 마음속에 / 그리고 계속 나아가 위대한 지도자가 되었다

* soak: (흠뻑) 적시다 ** tear: 눈물; 찢다

유형 해결 전략

KEY 1 상황과 등장인물 파악
절도를 저지른 Gandhi와 그의 아버지가 등장함

KEY 2 문맥을 고려하여 대명사가 가리키는 대상 확인
15세의 Gandhi는 금 한 조각을 훔친 일로 죄책감에 괴로워하다 아버지에게 벌을 청하는 편지를 줌. 아버지는 눈물을 흘리며 편지를 찢어버리고, 그 일로 아버지의 사랑을 깨달은 Gandhi는 훗날 위대한 지도자가 됨
➡ ③ his는 편지를 눈물로 적신 당사자이므로 Gandhi의 아버지임을 알 수 있음

KEY 3 대명사를 원래 대상으로 바꾸어 정답 재확인
①, ②, ④, ⑤는 Gandhi로, ③은 Gandhi's(his) father's로 바꾸어 정답 재확인

해석

❶Gandhi가 15세였을 때, 그는 그의 형의 팔찌에서 금 한 조각을 훔쳤다. ❷Gandhi는 죄책감으로 너무 괴로워서 어느 날 그는 아버지께 그가 저지른 일을 말하기로 결심했다. ❸그는 아버지에게 그를 벌해 달라고 청하는 한 통의 편지를 썼다. ❹그 다음에 Gandhi는 그 편지를 병상에 누워 있는 그의 아버지에게 건넸다. ❺아버지는 조용히 바로 앉아 편지를 읽고 그것을 그의 눈물로 적셨다. ❻잠시 후, 아버지는 그 편지를 찢었다. ❼Gandhi는 편지를 찢어버린 아버지의 행동을 통해 그가 용서 받았다는 것을 알았다. ❽그날 이후 쭉, 그는 항상 아버지의 눈물과 사랑을 그의 마음에 간직했고 계속 나아가 위대한 지도자가 되었다.

해설

①, ②, ④, ⑤는 Gandhi를 가리키지만, ③은 Gandhi가 준 편지를 눈물로 적신 Gandhi의 아버지를 가리킨다.

오답 노트

① ➡ 아버지에게 자기가 저지른 일을 말하기로 결심한 사람은 Gandhi이다.

② ➡ '자신'을 벌해 달라고 아버지에게 편지를 쓴 사람은 Gandhi이다.

④ ➡ 눈물을 흘리며 편지를 찢은 아버지의 행동을 통해 용서를 받았다고 느낀 사람은 Gandhi이다.

⑤ ➡ 아버지의 눈물과 사랑을 항상 마음속에 간직하고 위대한 지도자로 성장한 사람은 Gandhi이다.

구문 해설

❷Gandhi was **so** troubled by his guilt **that** one day he decided **to tell** his father **what** he **had done**.

〈so ~ that...〉 구문은 '너무 ~해서 …하다'라는 뜻을 나타내며, to tell은 동사 decided의 목적어 역할을 하는 to부정사의 명사적 용법으로 쓰였다. what은 '~하는 것'이라는 뜻으로 선행사를 포함하는 관계대명사이며, 관계대명사절(what he had done)이 동사 tell의 직접목적어 역할을 한다. 아버지에게 말하기로 결심한(decided) 것보다 그가 일을 저지른 것이 더 이전에 일어났으므로 과거완료 had done이 쓰였다.

❼Through his father's action of **tearing** up the letter, Gandhi knew he **was forgiven**.

tearing은 전치사 of의 목적어 역할을 하는 동명사이며, 동사 knew의 목적어 역할을 하는 명사절 접속사 that이 동사 knew 뒤에 생략되었다. was forgiven은 '용서 받았다'라는 뜻의 수동태로 뒤에 〈by+행위자(목적격)〉인 by his father가 생략되었다.

More & More

2 Gandhi는 편지를 찢어버린 아버지의 행동을 통해 자기가 용서 받았다는 것을 알았다고 했으므로 ④는 글의 내용과 일치하지 않는다.

• 본문 083쪽

답 ③

❶Leaving a store, / I returned to my car only to find / that I'd locked / my car key and cell phone inside the vehicle. ❷A teenager riding his bike / saw me kick a tire / in frustration. ❸"What's wrong?" / ① he asked. ❹I explained my situation. ❺"But even if I could call my husband," I said, / "he can't bring me his car key, / since this is our only car." ❻② He handed me / his cell phone. ❼The boy said, / "Call your husband / and tell him / I'm coming to get ③ his key." ❽"Are you sure? ❾That's four miles round trip." ❿"Don't worry about it." ⓫An hour later, / he returned with the key. ⓬I offered ④ him some money, / but he refused. ⓭"Let's just say / I needed the exercise," / he said. ⓮Then, / ⑤ he rode off into the sunset.

(Leaving: 분사구문 / only to find: 부사적 용법(결과) / that: 명사절 접속사(동사 find의 목적어) / riding his bike: 현재분사구 / saw me kick: 〈see+목적어+목적격보어(동사원형)〉 / What's wrong? = What's the matter? / even if: 양보 접속사(비록 ~할지라도) / bring me his car key: 〈수여동사 bring+간접목적어+직접목적어〉 / since: 이유 접속사(~ 때문에) / Call: 명령문₁(동사₁) / tell: 명령문₂(동사₂) / him: 간접목적어 / I'm coming to get his key: 직접목적어 / round trip: 왕복)

가게를 떠난 뒤 / 나는 내 차로 돌아와서 알게 됐다 / 내가 문을 잠갔다는 것을 / 내 차 열쇠와 휴대 전화를 차 안에 두고 / 자전거를 탄 십 대 한 명이 / 내가 타이어를 차는 것을 봤다 / 절망에 빠져 / "무슨 일이죠?" / 그는 물었다 / 나는 내 상황을 설명했다 / "비록 내가 남편에게 전화할 수 있다고 해도", 내가 말했다 / 그는 나에게 그의 차 열쇠를 가져다 줄 수 없어요 / 이것이 우리의 유일한 차이기 때문에 / 그는 나에게 건네주었다 / 그의 휴대 전화를 / 그 소년은 말했다 / "남편에게 전화해서 / 그 분께 말하세요. / 제가 그(남편)의 차 열쇠를 가지러 간다고 / 진심이에요? / 왕복 4마일 거리예요." / "걱정하지 마세요." / 한 시간 후 / 그는 열쇠를 가지고 돌아왔다 / 나는 그에게 약간의 돈을 주려 했다 / 하지만 그는 거절했다 / 그냥 ~라고 치죠 / 제가 운동이 필요했다고 / 그는 말했다 / 그러고 나서 / 그는 석양 속으로 자전거를 타고 떠났다

유형 해결 전략

KEY 1 상황과 등장인물 파악
차 주인인 'I'와 자전거를 타고 지나가던 십 대 소년이 등장함

KEY 2 문맥을 고려하여 대명사가 가리키는 대상 확인
자동차 열쇠와 휴대 전화를 차 안에 두고 문을 잠근 'I'를 도와주려는 십 대 소년 ➡ ③ his는 자동차 열쇠의 소유자인 'I'(글쓴이)의 남편임을 알 수 있음

KEY 3 대명사를 원래 대상으로 바꾸어 정답 재확인
①, ②, ④, ⑤는 a teenager(어느 십 대)로, ③은 your husband(I(글쓴이)의 남편)로 바꾸어 정답 재확인

해석

❶가게를 떠난 뒤, 나는 내 차로 돌아와서 내가 차 안에 나의 차 열쇠와 휴대 전화를 넣고 문을 잠갔다는 것을 알게 됐다. ❷자전거를 탄 십 대 한 명이 내가 절망에 빠져 타이어를 차는 것을 보았다. ❸"무슨 일이에요?"라고 그는 물었다. ❹나는 내 상황을 설명했다. ❺"내가 남편에게 전화할 수 있다고 해도 이것이 우리의 유일한 차이기 때문에 그는 나에게 그의 차 열쇠를 가져다줄 수 없어요."라고 나는 말했다. ❻그는 그의 휴대 전화를 나에게 건네주었다. ❼그 소년은 말했다. "남편에게 전화해서 그의 차 열쇠를 제가 가지러 간다고 말씀하세요." ❽"진심이에요? ❾왕복 4마일 거리예요." ❿"걱정하지 마세요." ⓫한 시간 후, 그는 열쇠를 가지고 돌아왔다. ⓬나는 그에게 돈을 조금 주려 했지만, 그는 거절했다. ⓭"그냥 제가 운동이 필요했다고 치죠."라고 그는 말했다. ⓮그러고 나서, 그는 석양 속으로 자전거를 타고 떠났다.

해설

①, ②, ④, ⑤는 곤경에 빠진 'I'를 도와주는 십 대 소년을 가리키지만, ③은 'I'의 남편을 가리킨다.

오답 노트

① ➡ 'I'가 곤란한 상황에 빠진 것을 발견하고 무슨 일인지를 묻는 사람은 십 대 소년이다.
② ➡ 'I'에게 휴대 전화를 건네준 사람은 십 대 소년이다.
④ ➡ 'I'가 고마운 마음에 약간의 돈을 주려던 대상은 십 대 소년이다.
⑤ ➡ 석양 속으로 자전거를 타고 떠난 사람은 십 대 소년이다.

구문 해설

❶**Leaving** a store, I returned to my car **only to find** that I'd **locked** my car key and cell phone inside the vehicle.
Leaving은 '떠난 후에'라는 뜻으로 시간의 의미를 나타내는 분사구문이며, 접속사를 써서 After I left ~.의 절로 바꿔 쓸 수 있다. 〈~, only+to부정사〉는 '~했으나 결국 …해 버렸다'라는 뜻으로, 결과의 의미를 나타내는 to부정사의 부사적 용법으로 쓰였다. 'I'가 차 안에 차 열쇠와 휴대 전화를 넣고 잠근 것이 차로 돌아온(returned) 시점보다 더 이전에 일어난 상황이므로 과거완료 had locked가 쓰였다.

❼The boy said, "**Call** your husband and **tell him I'm coming to get his key.**"
Call ~과 tell ~은 명령문으로 등위접속사 and로 인해 병렬 연결되었으며, tell him I'm coming to get his key는 〈수여동사 tell+간접목적어+직접목적어〉의 형태의 4형식으로, I'm coming to get his key 앞에 동사 tell의 목적어 역할을 하는 명사절 접속사 that이 생략되었다.

More & More

2 'I'가 차에 차 열쇠와 휴대 전화를 두고 차를 잠근 상황에서 낯선 십 대 소년이 남편과 연락할 수 있도록 휴대 전화를 빌려주고 직접 남편의 차 열쇠를 가져다줬다는 내용이다. 따라서 글의 제목으로 가장 적절한 것은 ⑤ '한 십 대가 나에게 보여 준 것: 진실한 친절'이다.
① 낯선 이와 이야기하는 팁
② 물건을 잃어버리지 않는 방법
③ 잠긴 차에서 차 열쇠를 꺼내는 법
④ 십 대들의 급격한 자동차 범죄 상승

UNIT 10 빈칸 내용 완성하기

• 본문 086쪽

대표 예제

해석 ❶ 인내가 항상 가장 중요하다는 것을 기억하라. ❷ 비록 어떤 사람이 여러분의 사과를 받아들이지 않더라도, 그 말을 끝까지 들어줬다는 것에 대해 그에게 감사하라. ❸ 그러고 나서 그에게 나중에 화해할 기회를 주어라. ❹ 어떤 사람이 여러분의 사과를 받아들인다고 해서 그것이 그가 여러분을 완전히 용서하고 있다는 뜻은 아니라는 것을 기억하라. ❺ 상처받은 당사자가 완전히 떨쳐 버리고 여러분을 온전히 다시 믿을 수 있기까지는 시간이 걸릴 수 있고, 어쩌면 오래 걸릴 수 있다. ❻ 이 과정을 빨라지게 하기 위해 여러분이 할 수 있는 것은 거의 없다. ❼ 그 사람이 여러분에게 진정으로 중요하다면, 그에게 치유하는 데 필요한 시간과 공간을 주는 것이 도움이 된다. ❽ 그 사람이 즉시 평상시처럼 행동하는 것으로 바로 돌아갈 것이라고 기대하지 마라.

어휘 **be of the essence** 가장 중요하다 **hear ~ out** ~을 끝까지 듣다 **party** 당사자 **completely** 완전히 **let go** (걱정·근심 등을) 떨쳐 버리다 **fully** 완전히, 충분히 **process** 과정 **heal** 치유하다 **normally** 정상적으로, 보통 **immediately** 즉시 **patience** 인내

READING 

• 본문 088~091쪽

More & More

1	①	1 time, effort 2 ④
2	③	1 back, attract 2 ②
3	③	1 accepted, own 2 ④
4	①	1 values 2 ⑤

1

• 본문 088쪽

답 ①

❶Most of us / are suspicious of rapid cognition. ❷We believe / that the

be suspicious of: ~을 의심하다 명사절 접속사(동사 believe의 목적어)

우리 대부분은 신속한 인식을 의심한다 우리는 생각한다 결정의 질은

quality of the decision / is directly related to the time and effort / that went

be related to: ~와 관계가 있다 선행사 주격 관계대명사

= decision 시간과 노력과 직접적인 관계가 있다고 그것(결정)을

into making it. ❸That's what we tell our children: / "Haste makes waste."

동명사(전치사 into의 목적어) 관계대명사

내리는 데 들어간 그게 우리가 자녀들에게 말하는 것이다 "서두르면 일을 망친다"

❹"Look before you leap." ❺"Stop and think." ❻"Don't judge a book by its

명령문 부정명령문

"돌다리도 두드려 보고 건너라" "멈춰서 생각하라" "겉만 보고 판단하지 마라"

cover." ❼We believe / that it is always desirable / to make the best use of

가주어 진주어 make use of: ~을 이용하다

우리는 생각한다 항상 바람직하다고 이용 가능한 정보와 시간을 최대한

information and time available / in careful consideration. ❽But there are

~가 있다

활용하는 것이 신중하게 고려하여 그러나 때가 있다

times, / particularly in time-driven, important situations, / when haste does

선행사 관계부사

특히 시간에 쫓기는 중요한 상황 속에서 서두르는데도 일을

not make waste. ❾In those situations, / quick judgments and first

망치지 않는 그러한 상황 속에서 빠른 판단과 첫인상이

~을 파악하다(이해하다)

impressions / give us a better way / to make sense of the world. ❿Survivors

형용사적 용법

우리에게 더 나은 방법을 준다 세상을 파악하는 생존자들은

have in some way learned this lesson / and have developed and sharpened /

현재완료 현재완료

어떤 식으로든 이 교훈을 배웠다 그리고 발전시켜서 연마했다

their skill of rapid cognition.

신속하게 인식하는 능력을

* cognition: 인식 ** time-driven: 시간에 쫓기는

유형 해결 전략

KEY 2 도입부를 통해 글의 주제나 중심 소재 파악

수많은 속담, 격언들은 양질의 결정을 하는 데 필요한 것이 많은 시간과 노력이라고 하지만, 그것이 전부는 아니라는 내용이 글의 주제임

KEY 1 빈칸이 포함된 문장의 역할 파악

시간에 쫓기는 중요한 상황 속에서 '어떤' 때가 있다 → 빈칸 뒤의 내용에서 빈칸의 내용을 부연 설명하고 있다. 빈칸에 포함된 상황이 '특히 시간에 쫓기는 상황 속에서의 빠른 판단과 첫인상이 세상을 파악하는 데 더 나은 방법을 준다'고 했으므로 '서두름'을 긍정적인 것으로 보는 시각임

KEY 3 후반부를 통해 글의 흐름 재확인

생존자들은 '신속하게 인식하는 능력'을 발전시키고 연마함

해석

❶우리 대부분은 신속한 인식을 의심한다. ❷우리는 결정의 질은 결정을 내리는 데 들어간 시간과 노력과 직접적인 관계가 있다고 생각한다. ❸그게 우리가 자녀들에게 말하는 것인데, "서두르면 일을 망친다." ❹"돌다리도 두드려 보고 건너라." ❺"멈춰서 생각하라." ❻"겉만 보고 판단하지 마라."이다. ❼우리는 이용 가능한 정보와 시간을 신중하게 고려하여 최대한 활용하는 것이 항상 바람직하다고 생각한다. ❽하지만 특히 시간에 쫓기는 중요한 상황에서, 서두르는데도 일을 망치지 않는 때가 있다. ❾그러한 상황 속에서, 재빠른 판단과 첫인상은 우리에게 세상을 파악하는 더 나은 방법을 제공한다. ❿생존자들은 어떤 식으로든 이 교훈을 배웠고, 신속하게 인식하는 능력을 발전시켜서 연마했다.

해설

결정을 내리는 데 있어서 많은 시간을 들여 심사숙고하는 것이 가장 좋은 방법이라고들 생각한다는 고정관념이 제시된 후, 그와 대조되는 내용이 이어지면서 시간에 쫓기는 상황에서는 빠르게 인식하고 판단하는 능력이 더 나을 수 있다고 했다. 따라서 빈칸에 들어갈 말로 가장 적절한 것은 ① '서두르는데도 일을 망치지 않는다'이다.

오답 노트

② 배움이 결코 늦지 않다

③ 일손이 많아지면 일거리를 덜어준다

④ 더디고 꾸준하면 경주에서 이긴다

⑤ 겉모습으로 판단하지 않는다

➡ ②, ③, ④, ⑤는 모두 기존의 고정관념과 동일한 의미를 지닌 선택지로서, 고정관념에 반하는 내용을 제시해야 하는 빈칸에는 알맞지 않다.

구문 해설

❸That's **what** we tell our children: "Haste makes waste."

what은 '~하는 것'이라는 뜻으로 선행사를 포함하는 관계대명사로 쓰였으며 여기에서는 문장의 보어 역할을 한다.

❽But there are times, **particularly in time-driven, important situations**, **when** haste does not make waste.

particularly in time-driven, important situations는 삽입어구이고 when은 시간 선행사 times를 꾸며 주는 관계부사로 쓰였다.

More & More

1 대부분의 사람들은 결정의 질은 '시간, 노력'과 직접적인 관계가 있다고 생각한다.

2 우리는 결정을 내릴 때 시간과 노력을 들여야 한다고 믿지만, 시간에 쫓기는 중대한 상황에서는 빠른 판단이 더 나을 때가 있다고 했다. 따라서 글의 제목으로 가장 적절한 것은 ④ '때로는 신속한 인식이 더 나을지도 모른다'이다.

① 첫 인상의 중요성

② 우리가 어떻게 우리의 시간과 노력을 낭비하는가

③ 신속한 인식을 항상 의심하라

⑤ 신속한 인식이 오해를 불러일으키는 이유

답 ③

❶Within a store, / the wall marks the back of the store, / but not the end of the marketing. ❷Merchandisers often use the back wall / as a magnet, / because it means / that people have to walk / through the whole store. ❸This is a good thing / because travel distance directly relates / to sales per customer. ❹It is more direct than any other consumer variable. ❺Sometimes, / the wall's attraction / such as a wall decoration and background music / is simply appealing to the senses. ❻Sometimes / the attraction is specific goods. ❼In supermarkets, / the dairy is often at the back, / because people frequently come / just for milk. ❽At video rental shops, / it's the new releases.

~ 안에 / 상점 안에서 / 벽은 매장의 뒤쪽을 나타낸다 / 하지만 마케팅의 끝을 나타내지는 않는다 / 종종, 자주(빈도부사) / ~으로써(수단, 방법) / 상품 판매업자는 종종 뒷벽을 사용한다 / 자석(사람을 끄는 것)으로써 / = the back wall / 명사절 접속사(동사 means의 목적어) / 왜냐하면 그것이 의미하기 때문이다 / 사람들이 걸어야 한다는 것을 / 매장 전체를 / relate to: ~에 관련(연관)되다 / 이것은 좋은 일이다 / 이동 거리가 직접적으로 관련되어 있기 때문에 / 고객 당 판매량과 / 비교급을 이용한 최상급 표현 / 그것은 다른 어떤 소비자 변수보다 더 직접적이다 / 빈도부사 / ~와 같은(= like) / 때때로 / 그 벽의 매력 요소는 / 벽장식과 배경 음악과 같이 / 동명사(보어) / 단순히 감각의 관심을 끄는 것이다 / 때때로 / 그 매력 요소는 특정 상품이다 / 슈퍼마켓에서 / 유제품은 흔히 뒤편에 있다 / 사람들이 자주 오기 때문에 / 우유만을 위해 / 비디오 대여점에서는 / 그것은 새로운 출시작들이다

* merchandiser: 상품 판매업자 ** variable: 변수

유형 해결 전략

KEY 1 중심 소재 및 빈칸이 포함된 문장의 역할 파악
'상점 뒷벽이 사람을 끌어들이는 역할을 한다'는 중심 소재를 파악 ➡ 이것이 의미하는 바에 대한 설명이 빈칸 내용임을 추측

KEY 2 부연 설명으로 제시된 내용을 통해 반복되거나 강조하는 내용 확인
고객의 이동 거리가 판매량과 직접적으로 관련되어 있음을 파악, 슈퍼마켓의 뒤편에 놓인 유제품, 비디오 대여점의 뒤편에 놓인 신작의 예를 통해 뒷벽의 중요성 강조
➡ '고객이 상점 전체를 돌아보게 하는 것'과 관련된 선택지를 빈칸 내용으로 추측

해석

❶상점 안에서 벽은 매장의 뒤쪽을 나타내지만, 마케팅의 끝을 나타내지는 않는다. ❷상품 판매업자는 종종 뒷벽을 자석(사람을 끄는 것)으로 사용하는데, 이것은 사람들이 매장 전체를 걸어야 한다는 것을 의미하기 때문이다. ❸이것은 이동 거리가 고객 당 판매량과 직접적으로 관련되어 있기 때문에 좋은 일이다. ❹그것은 다른 어떤 소비자 변수보다 더 직접적이다. ❺때때로 그 벽의 매력 요소는 벽장식과 배경 음악과 같이 단순히 감각의 관심을 끄는 것들이다. ❻때때로 그 (벽의) 매력 요소는 특정 상품이기도 하다. ❼슈퍼마켓에서 유제품은 흔히 뒤편에 있는데, 사람들이 우유만을 (사기) 위해 자주 오기 때문이다. ❽비디오 대여점에서는, 그것은 새 출시작들이다.

해설

상품 판매업자가 뒷벽을 자석(사람 마음을 끄는 것)으로 사용해 마케팅에 활용한다는 것은 사람들이 뒷벽까지 오기 위해 매장 전체를 걸어 다니도록 만든다는 것을 의미한다. 빈칸 뒤에서 이동 거리가 고객 당 판매량과 직접적으로 관련되어 있다고 한 것에서도 이를 유추할 수 있다. 따라서 빈칸에 들어갈 말로 가장 적절한 것은 ③ '사람들이 매장 전체를 걸어야 한다'이다.

오답 노트

① 그 매장은 실제보다 더 커 보인다 ➡ 뒷벽이 매장을 커 보이게 한다는 내용은 언급되지 않았다.
② 더 많은 제품이 그곳에 보관될 수 있다 ➡ 뒷벽의 용적에 대한 내용은 언급되지 않았다.
④ 그 상점은 고객들에게 문화 행사를 제공한다 ➡ 고객들의 관심을 끈다고 했지, 문화 행사를 제공한다는 내용은 언급되지 않았다.
⑤ 사람들이 상점에서 너무 많은 시간을 보낼 필요가 없다 ➡ 상점 전체를 걷도록 하므로, 더 많은 시간을 보내게 할 것이다.

구문 해설

❹It is **more direct than any other consumer variable.**
〈비교급+than any other+단수 명사〉의 형태인 비교급을 이용한 최상급 표현으로, '그것은 다른 어떤 소비자 변수보다 더 직접적이다.'라는 뜻으로 최상급의 의미를 나타낸다.

❺**Sometimes**, **the wall's attraction** such as a wall decoration and background music **is** simply **appealing** to the senses.
sometimes는 '때때로'라는 뜻의 빈도부사이다. 빈도부사는 보통 be동사 뒤, 일반동사 앞에 위치하지만 sometimes는 문장 앞에 위치하는 경우도 있다. appealing은 문장에서 보어 역할을 하는 동명사로 쓰였으며, 여기서 문장의 주어는 the wall's attraction, 동사는 is이므로 핵심 주어인 attraction이 곧 appealing을 의미한다.

More & More

1 슈퍼마켓에서는 고객을 '끌어들이기' 위해 '뒤편'에 유제품을 놓는다고 했다.
2 벽은 판매량과 관련된 소비자 변수인 소비자의 이동 거리를 늘리는데 쓰이며, 이를 위해 벽장식이나 배경 음악을 이용하거나, 인기 상품을 벽 쪽에 배치한다는 내용이다. 따라서 글의 제목으로 가장 적절한 것은 ② '상점 내의 벽: 마케팅을 위한 전략적 포인트'이다.
① 매장 내 제품 배치에 대한 유용한 안내서
③ 배경 음악이 쇼핑 행동에 어떤 영향을 미치는가
④ 고객을 끌어들이는 독특한 벽 전시 아이디어
⑤ 고객이 오래 매장에 머무르는 이유

3

답 ③

유형 해결 전략

❶ In an experiment, / researchers presented participants / with two photos of faces / and asked participants to choose the photo / that they thought was more attractive, / and then handed participants that photo. ❷ Through a clever trick / inspired by stage magic, / participants received the other less attractive photo. ❸ Surprisingly, / most participants accepted this photo / as their own choice / and then proceeded to give arguments / for why they had chosen that face / in the first place. ❹ This revealed a dramatic mismatch / between our choices and our ability / to rationalize outcomes. ❺ This same finding has since been observed / in various domains / including taste for jam and financial decisions.

〈present A with B〉: A에게 B를 제시하다 / 〈ask+목적어+목적격보어(to부정사)〉 / 주격 관계대명사 / 삽입절 / 비교급 / 지시형용사 / ~을 통해서 / 과거분사구 / 〈proceed+to부정사〉: 계속해서 ~하다 / ~에 대한 / 과거완료 / 지시형용사 / 맨 처음에 / 〈between A and B〉: A와 B 사이에 / 형용사적 용법 / 현재완료 수동태 / ~을 포함하여

한 실험에서 / 연구자들은 참가자들에게 제시하였다 / 두 장의 얼굴 사진을 / 그리고 참가자들에게 사진을 고르라고 요청했다 / 그들이 더 매력적이라고 생각하는 / 그리고 나서 그 사진을 참가자들에게 건네주었다 / 교묘한 속임수를 통해 / 무대 마술에 의해 영감을 얻은 / 참가자들은 덜 매력적인 다른 사진을 받았다 / 놀랍게도 / 대부분의 참가자들은 이 사진을 받아들였다 / 그들 자신의 선택으로 / 그런 다음 계속하여 논거를 제시했다 / 왜 그들이 그 얼굴을 선택했는지에 대한 / 처음에 / 이것은 극적인 불일치를 드러냈다 / 우리의 선택들과 우리의 능력 사이의 / 결과를 합리화하는 / 이와 똑같은 결과가 그 이후로 관찰되어 왔다 / 다양한 분야에서 / 잼의 맛과 금전적인 결정을 포함한

KEY 2 도입부를 통해 글의 주제나 중심 소재 파악
선호하는 사진을 고르는 실험을 통해, 참가자들은 그들이 고르지 않은 사진을 받았음에도 그들이 그것을 왜 선택했는지에 대한 논거를 제시함 ➡ 선택하지 않은 결과에 대한 합리화 시도가 소재임을 파악

KEY 1 빈칸이 포함된 문장의 역할 파악
실험의 연구 결과가 '우리의 선택들과 우리의 어떤' 능력 사이의 놀라운 불일치를 드러냈다.' ➡ 빈칸에는 우리의 능력을 부연 설명하는 내용이 들어간다는 것을 파악, 결정의 '합리화'와 연관됨을 추측

KEY 3 후반부를 통해 글의 흐름 재확인
선택과 결과를 합리화하는 우리의 능력은 이후 잼의 맛과 금전적 결정을 포함한 다양한 분야에서 관찰됨

해석

❶ 한 실험에서 연구자들은 참가자들에게 두 장의 얼굴 사진을 제시하고 더 매력적이라고 생각하는 사진을 고르라고 요청한 후에 그 사진을 참가자들에게 건네주었다. ❷ 무대 마술에 의해 영감을 얻은 교묘한 속임수를 통해, 참가자들은 덜 매력적인 다른 사진을 받았다. ❸ 놀랍게도, 대부분의 참가자들은 이 사진을 그들 자신의 선택으로 받아들였고, 그런 다음 계속해서 왜 처음에 그들이 그 얼굴을 선택했는지에 대한 논거를 제시했다. ❹ 이것은 우리의 선택들과 결과를 합리화하는 우리의 능력 사이의 극적인 불일치를 드러냈다. ❺ 이와 똑같은 결과가 그 이후로 잼의 맛과 금전적인 결정을 포함한 다양한 분야에서 관찰되어 왔다.

해설

실험 참가자들은 자신들이 선택했던 사진이 아닌 다른 사진을 받았음에도 불구하고, 그것을 자신들이 선택한 사진이라고 생각하며 그것을 선택한 이유를 제시했다고 했다. 이것은 자신들의 선택에 대한 합리화이므로, 빈칸에 들어갈 말로 가장 적절한 것은 ③ '결과를 합리화하는'이다.

오답 노트

① 계속 집중하는 ➡ 선택과 집중에 관한 내용이 아니므로 적절하지 않다.
② 문제를 해결하는 ➡ 참가자들이 보인 행동 양상은 문제를 해결하기 위한 것이라고 보기에는 적절하지 않다.
④ 우리의 감정을 통제하는 ➡ 감정에 관한 내용은 언급되지 않았다.
⑤ 다른 사람들의 주목을 끄는 ➡ 사진을 고른 이유에 대해 설명하는 것이 다른 사람의 주목을 끌기 위한 것이라고 보기는 어렵다.

구문 해설

❶ ~ and **asked participants to choose** the photo **that they thought** was more attractive, and then handed participants **that** photo.

asked participants to choose는 〈ask+목적어+목적격보어〉의 형태인 5형식으로, 5형식 동사 ask의 목적격보어로 to부정사인 to choose가 쓰였다. 첫 번째 that은 the photo를 선행사로 받는 주격 관계대명사이며 뒤에 나온 they thought은 삽입절이다. 두 번째 that은 뒤의 명사 photo를 꾸며 주는 지시형용사이다.

❸ ~ and then proceeded to give arguments for **why they had chosen** that face in the first place.

why they had chosen ~은 〈의문사+주어+동사〉의 어순인 간접의문문으로 전치사 for의 목적어 역할을 한다. had chosen은 그들이 그 얼굴을 선택했던 것이 논거를 제시한(proceeded) 것보다 더 이전에 일어난 일이므로 과거완료로 쓰였다.

❺ This same finding **has** since **been observed** in various domains including taste for jam and financial decisions.

finding(발견)은 동사 observe의 대상이지 주체가 아니므로, '관찰되어왔다'라는 뜻으로 〈have[has] been+과거분사〉의 형태인 현재완료 수동태로 쓰였다.

More & More

1 참가자들은 그들의 선택과는 다른 사진을 '자신의' 선택으로 '받아들였다'고 했다.
2 참가자들은 자신들이 처음에 선택한 사진이 속임수를 통해 바뀌더라도 바뀐 사진이 매력적이라고 생각했던 논거를 제시하면서 결과를 합리화했다고 했으므로 ④는 글의 내용과 일치하지 않는다.

4

• 본문 091쪽

답 ①

❶Behavioral norms reflecting values / are of high educational significance.
현재분사구
가치를 반영하는 행동적 규범은 높은 교육적인 의미이다
❷They "translate" a general value / — such as cooperation or respect for
〈translate A into B〉: A를 B로 전환하다 ~와 같은
그것들(행동적 규범들)은 일반적인 가치를 '전환'한다 협력이나 타인에 대한 존중과 같은
other people — / into specific behavioral rules. ❸Examples might include
~일지도 모른다(추측)
특정한 행동 규칙으로 예시들은 규범을 포함할지도 모른다
norms / such as waiting and taking turns in a conversation / which reflect
선행사 동명사$_1$ 동명사$_2$ 주격 관계대명사
대화에서 기다리고 차례로 하는 것 같은 존중의 가치를
the value of respect. ❹Norms such as training children / to share toys / or
핵심 주어
반영하는 아이들을 훈련시키는 것 같은 규범들은 장난감을 공유하기 위해
부사적 용법(목적)
solve problems together / reflect the value of cooperation. ❺Literature on
동사 핵심 주어 ~에 관한
또는 함께 문제를 해결하기 위해 협력의 가치를 반영한다 규범에 관한 문헌들은
norms / emphasizes the importance of value-reflecting norms. ❻However, /
가치를 반영하는 규범의 중요성을 강조한다 하지만
the existence of behavior learned from norms / is not necessarily proof /
과거분사구 부분부정
규범에서 배운 행동의 존재가 반드시 증거인 것은 아니다
that the person holds the value / and internalized it. ❼For example, / many
동격 접속사(= proof) = the value
그 사람이 그 가치를 가지고 있다 그리고 그것을 내재화했다 예를 들어 많은
men open doors for women / and let them pass first, / but their acts are not
〈사역동사 let+목적어+목적격보어(동사원형)〉
남성들이 여성들을 위해 문을 연다 그리고 그들을 먼저 지나가게 한다 하지만 그들의 행동이 반드시
necessarily / from sincere respect. ❽Sometimes the behavioral expression /
부분부정
~것은 아니다 진심 어린 존경에서 비롯된 때때로 행동 표현은
— especially if overdone — / is a mask / hiding the absence of the relevant
현재분사
특히 과장되어 있다면 가면이다 관련된 가치의 부재를 감추는
value!

유형 해결 전략

KEY 1 빈칸이 포함된 문장의 역할 추측
규범에서 배운 행동을 보인다는 것이 반드시 그 사람이 '무엇'을 한다는 증명은 아님

KEY 2-1 도입부를 통해 글의 주제나 중심 소재 파악
가치를 반영하는 행동적 규범은 높은 교육적 의미를 가지며, 규범에 관한 문헌들은 가치를 반영하는 규범의 중요성을 강조함

KEY 2-2 예시를 통해 강조하는 내용 확인
남성이 여성을 위해 문을 열어주는 행위의 예를 들어, 그 행동이 반드시 진심(가치의 존재)을 보여 주는 것은 아님을 주장

KEY 3 후반부를 통해 글의 흐름 재확인
규범에서 배운 행동의 존재는 그 규범에 반영된 가치의 존재 및 가치의 내재화와 다르다는 내용이 글의 요지임을 파악

해석

❶가치를 반영하는 행동적 규범은 높은 교육적 의미를 갖는다. ❷그것들(행동적 규범들)은 일반적인 가치, 즉 협력이나 타인에 대한 존중과 같은 가치들을 특정한 행동 규칙으로 '전환'한다. ❸예시들은 대화에서 기다리고 차례로 하는 것(번갈아 말하는 것)과 같이, 존중의 가치가 반영된 규범들을 포함할지도 모른다. ❹장난감을 공유하도록 하거나 함께 문제를 해결하도록 아이들을 훈련시키는 것과 같은 규범들은 협력의 가치를 반영한다. ❺규범에 관한 문헌들은 가치를 반영하는 규범의 중요성을 강조한다. ❻하지만 규범에서 배운 행동의 존재가 반드시 그 사람이 그 가치를 가지고 있고 그것을 내재화했다는 증거인 것은 아니다. ❼예를 들어, 많은 남성들이 여성들을 위해 문을 열고 여성들이 먼저 지나가게 하지만, 그들의 행동이 반드시 진심 어린 존경에서 비롯된 것은 아니다. ❽때때로 행동 표현은, 특히 과장된다면, 그것은 관련된 가치의 부재를 감추는 가면이다!

해설

규범에서 배운 행동의 존재가 반드시 그 사람이 '무엇을' 한다는 증거는 아니라고 했고, 빈칸 뒤에서 남성들이 여성들을 위해 문을 열어주는 것이 꼭 존경에서 비롯된 것은 아니라는 예시를 들고 있다. 따라서 빈칸에 들어갈 말로 가장 적절한 것은 ① '그 가치를 가지고 있고 그것을 내재화했다'이다.

오답 노트

② 타인에게 영향을 미치거나 그들의 가치를 변화시킨다
③ 협력의 사회적 가치를 존중한다
④ 개인적인 가치보다 공적인 가치를 우선시한다
⑤ 일반적 가치를 특정한 가치로 전환한다
➡ ②, ③, ④, ⑤는 모두 규범에서 배운 행동을 보인다고 해서 반드시 그 가치를 반영하는 것은 아니라는 내용과는 맞지 않다.

구문 해설

❻ However, the existence of behavior **learned** from norms is not necessarily proof **that** the person ~.
learned는 과거분사로 수식어구인 from norms와 함께 명사 behavior를 뒤에서 꾸며 준다. that은 앞의 명사 proof를 보충 설명하는 동격 접속사로 쓰였다.
❼ For example, many men open doors for women and **let them pass** first, ~.
let them pass는 〈사역동사 let+목적어+목적격보어〉의 형태인 5형식이며, 사역동사 let의 목적격보어로 동사원형 pass가 쓰였다.

More & More

1 규범은 교육적인 중요성을 가진 '가치'를 반영할 수 있다고 했다.
2 가치를 반영하는 행동적 규범을 갖고 있다고 해서 반드시 관련된 가치를 내재화한 것은 아닐 수 있다고 했다. 따라서 글의 요지로 가장 적절한 것은 ⑤이다.

무관한 문장 찾기

● 본문 094쪽

대표 예제

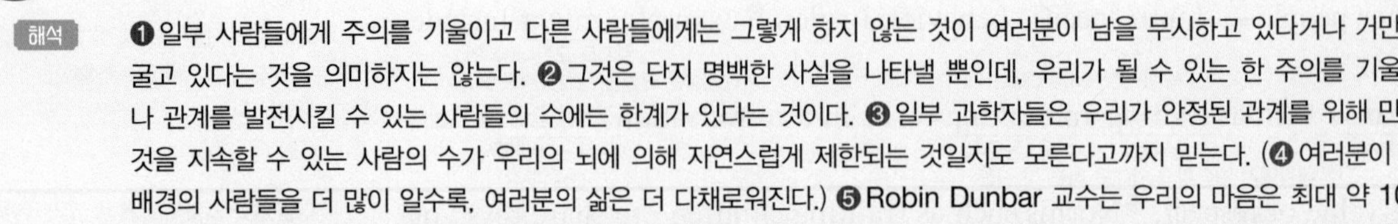

해석 ❶ 일부 사람들에게 주의를 기울이고 다른 사람들에게는 그렇게 하지 않는 것이 여러분이 남을 무시하고 있다거나 거만하게 굴고 있다는 것을 의미하지는 않는다. ❷ 그것은 단지 명백한 사실을 나타낼 뿐인데, 우리가 될 수 있는 한 주의를 기울이거나 관계를 발전시킬 수 있는 사람들의 수에는 한계가 있다는 것이다. ❸ 일부 과학자들은 우리가 안정된 관계를 위해 만나는 것을 지속할 수 있는 사람의 수가 우리의 뇌에 의해 자연스럽게 제한되는 것일지도 모른다고까지 믿는다. (❹ 여러분이 다른 배경의 사람들을 더 많이 알수록, 여러분의 삶은 더 다채로워진다.) ❺ Robin Dunbar 교수는 우리의 마음은 최대 약 100명의 사람들과 의미 있는 관계를 형성할 수 있다고 설명했다. ❻ 그것이 사실이든 아니든, 우리가 모든 사람과 진정한 친구가 될 수 있는 것은 아니라고 가정하는 것이 안전하다.

어휘 **pay attention to** ~에 주의를 기울이다 **limit** 한계; 제한하다 **possibly** 될 수 있는 한, 어떻게든지 **stable** 안정된 **relationship** 관계 **meaningful** 의미 있는

READING 1 ~ 4

● 본문 096~099쪽

More & More

1	④	1 audience feedback / 청중의 피드백 2 ②
2	④	1 guide them to the products you want to sell / 여러분이 팔고 싶은 제품들로 그들을 안내하다 2 ⑤
3	④	1 they considered online customer ratings and reviews important / 그들은 온라인 고객 평점과 후기를 중요하게 고려했다 2 ④
4	③	1 Many of us live our lives without examining why we habitually do what we do and think what we think. / 우리들 중 많은 사람들이 왜 우리들은 우리가 습관적으로 하는 것을 하고 생각하는 것을 생각하는지에 대한 고찰 없이 삶을 살아간다. 2 ③

1

• 본문 096쪽

답 ④

유형 해결 전략

❶Public speaking is audience-centered / because speakers "listen" to their audiences / during speeches. ❷They monitor audience feedback, / the verbal and nonverbal signals / that an audience gives a speaker. ❸① Audience feedback often indicates / whether listeners understand, / have interest in, / and are ready to accept / the speaker's ideas. ❹② This feedback assists the speaker / in many ways. ❺③ It helps the speaker know / when to slow down, / explain things more, / and tell the audience / that an issue will be talked about / later after the speech. ❻④ It is important for the speaker to memorize his or her script / to reduce anxiety on stage. ❼⑤ Audience feedback assists the speaker / in creating a respectful connection with the audience.

(대중 연설은 청중 중심이다 / 이유 접속사(~ 때문에) / 연사들이 그들의 청중에게 '귀 기울이기' 때문에 / ~ 동안: 뒤에 명사가 옴 / 연설 동안 / = Speakers / 그들은 청중의 피드백을 주시한다 / 언어적, 비언어적 신호를 / 목적격 관계대명사 / 청중이 연사에게 주는 / 청중의 피드백은 / 명사절 접속사(동사 indicates의 목적어): ~인지 아닌지 / 흔히 보여 준다 / 청중들이 이해하는지 아닌지 / ~에 관심이 있다 / 관심을 갖는지 / be ready to: ~할 준비가 되다 / 그리고 받아들일 준비가 되었는지를 / 연사의 생각을 / 이 피드백은 연사를 돕는다 / 여러 면에서 / 〈help+목적어+목적격보어(동사원형)〉 / 그것은 연사가 알도록 도와준다 / 〈의문사 when+to부정사〉: 언제 ~할지 / 언제 속도를 늦출지 / 〈수여동사 tell+간접목적어+직접목적어(that절)〉 / (언제) 어떤 것을 좀 더 설명할지 / 그리고 (언제) 청중에게 ~라고 말할지 / 어떤 주제가 논의될 것이다 / 연설이 끝난 후에 / 가주어 / 의미상 주어 / 연사가 자신의 원고를 암기하는 것이 중요하다 / 진주어 / 부사적 용법(목적) / 무대에서 불안을 줄이기 위해 / 청중의 피드백은 / 〈assist+목적어+in-ing〉: ~가 …하는 것을 돕다 / 연사를 돕는다 / 청중과 존중하는 관계를 만드는 것을)

* verbal: 언어적인 ** nonverbal: 비언어적인

KEY 1 핵심 소재 파악
audience-centered, audience feedback 등을 통해 '청중의 피드백'이 핵심 소재임을 파악

KEY 2 글의 전개 방식 예측
청중의 피드백이 연설에 미치는 다양한 영향을 나열하고 있음

KEY 3 흐름에 반하는 문장 검색
연사가 원고를 암기하는 것은 지금까지의 흐름과 무관함

KEY 4 문맥상 흐름이 자연스러운지 재확인
청중의 피드백이 주는 영향에 관한 핵심 소재로 돌아와 글을 마무리하고 있음을 확인

해석

❶연사들이 연설 동안에 그들의 청중에게 '귀를 기울이기' 때문에, 대중 연설은 청중 중심이다. ❷그들은 청중의 피드백, 청중이 연사에게 주는 언어적, 비언어적 신호를 주시한다. ❸청중의 피드백은 흔히 청중들이 연사의 생각을 이해하고, 그것에 관심을 갖고, 그것을 받아들일 준비가 되었는지를 보여 준다. ❹이 피드백은 연사를 여러 면에서 도와준다. ❺그것은 연사가 언제 속도를 늦출지, 언제 어떤 것을 좀 더 설명할지, 그리고 어떤 주제가 연설이 끝난 후에 논의될 것임을 언제 청중에게 말할지를 파악하도록 돕는다. (❻무대에서 불안을 줄이기 위해서는 연사가 자신의 원고를 암기하는 것이 중요하다.) ❼청중의 피드백은 연사가 청중과 존중하는 관계를 만드는 것을 도와준다.

해설

연사가 대중 연설을 할 때 청중의 피드백이 연사에게 미치는 다양한 영향에 대한 내용이므로, 연사가 무대에서 불안을 줄이기 위해 원고를 암기해야 한다는 문장은 맥락에서 벗어난다. 따라서 전체 흐름과 관계 없는 문장은 ④이다.

오답 노트

① ➡ 청중의 피드백이 연사에게 무엇을 보여 주는지 설명하고 있다.
② ➡ 청중의 피드백이 연설을 하는 데 도움을 준다는 내용이다.
③ ➡ 청중의 피드백이 연사가 연설 중에 어떤 것을 해야 할지 알 수 있도록 도와준다는 내용이다.
⑤ ➡ 청중의 피드백이 연사가 청중과 존중하는 관계를 형성하도록 도와준다는 내용이다.

구문 해설

❸Audience feedback often indicates **whether** listeners **understand**, **have** interest in, **and are** ready to ~.
whether는 '~인지 아닌지'라는 뜻으로, 동사 indicates의 목적어 역할을 하는 명사절 접속사로 접속사 if와 바꿔 쓸 수 있으며, whether 절 안에서 동사 understand, have, are가 등위접속사 and로 인해 병렬 연결되어 있다.

❺It **helps the speaker know when to slow** down, explain things more, and tell the audience that an issue ~.
helps the speaker know는 〈help+목적어+목적격보어〉의 형태인 5형식이며, 동사 help의 목적격보어로 동사원형 know가 쓰였다. when to slow는 〈의문사 when+to부정사〉의 형태로 '언제 ~할지'라는 뜻을 나타내며 동사 know의 목적어 역할을 한다.

❻**It** is important **for the speaker to memorize** his or her script **to reduce** anxiety on stage.
It은 가주어, for the speaker는 의미상 주어, to memorize 이하는 진주어이다. to reduce는 '줄이기 위해서'라는 뜻으로 목적을 나타내는 to부정사의 부사적 용법으로 쓰였다.

More & More

2 연사는 청중들의 피드백을 바탕으로 연설의 진행에 도움을 받는다는 내용이다. 따라서 글의 제목으로 가장 적절한 것은 ② '연사에게 도움을 주는 청중들의 반응'이다.
① 의사소통에 있어서 비언어적 신호의 역할 ③ 연설에 청중을 참여하게 하는 기법 ④ 청중과의 관계를 만드는 것의 장점 ⑤ 청중 청취: 대중 연설의 대세

답 ④

❶ It would be very helpful / if you could take customers by the hand / and
손을 잡고
매우 도움이 될 것이다 만약 여러분이 고객들의 손을 잡을 수 있다면 그리고

guide them to the products / you want to sell. ❷ ① Most people, / however, /
= customers 목적격 관계대명사 which(that) 생략
그 제품들로 그들을 안내할 수 있다면 여러분이 팔고 싶은 대부분의 사람들은 그러나

would not particularly enjoy / having a stranger grab their hand / and drag
동사₁ 동명사(목적어) 〈사역동사 have+목적어+목적격보어(동사원형)〉 동사₂
특히 좋아하지 않을 것이다 낯선 사람이 그들의 손을 잡고 상점 안

them through a store. ❸ ② Rather, / let the store do it for you. ❹ ③ Have a
= most people 〈사역동사 let+목적어+목적격보어(동사원형)〉 명령문
여기저기로 끌고 다니도록 하는 것을 차라리 여러분을 위해 상점이 그것을 하게 하라 중앙 통로를

central path / that leads shoppers / through the store / and lets them look at /
주격 관계대명사 = shoppers ~을 보다
만들어라 쇼핑객들을 이끄는 상점 안 여기저기로 그리고 그들이 그것들을 볼 수 있도록 하라

many different departments or product areas. ❺ ④ You can use this effect
많은 다양한 매장 또는 상품이 있는 곳을 여러분은 음악의 이러한 효과를 활용할

of music / on shopping behavior / by playing it in the store. ❻ ⑤ This path
= music
〈by+-ing〉: ~ 함으로써
수 있다 소비 행동에 대한 상점에서 그것(음악)을 트는 것으로 이 통로는

leads your customers / from the entrance / through the store / on the route
여러분의 고객들을 이끈다 입구에서부터 상점 안 여기저기를 통해 여러분이 그들이

목적격 관계대명사 which(that) 생략
you want them to take / all the way to the checkout.
〈want+목적어+목적격보어(to부정사)〉 내내
걸었으면 하고 그들에게 바라는 경로로 계산대까지 내내

유형 해결 전략

KEY 1 핵심 소재 파악
customers, guide, the products you want to sell 등을 통해 '원하는 곳으로 고객들을 인도하기'가 핵심 소재임을 파악

KEY 2 글의 전개 방식 예측
역접의 접속사 however에 유의하여, 고객들은 타의에 의해 움직이는 것을 좋아하지 않기 때문에 상점 동선 배열을 이용해 고객들을 원하는 곳으로 유도하라는 내용임을 파악

KEY 3 흐름에 반하는 문장 검색
음악이 소비 행동에 끼치는 효과는 지금까지의 흐름과 무관함

KEY 4 문맥상 흐름이 자연스러운지 재확인
상점 동선을 이용한 고객 유도 마케팅 방법에 대한 핵심 소재로 돌아와 자연스럽게 결론으로 연결됨을 확인

해석

❶ 만약 여러분이 고객들의 손을 잡고 여러분이 팔고 싶은 제품들로 그들을 안내할 수 있다면 매우 도움이 될 것이다. ❷ 그러나 대부분의 사람들은 특히 낯선 사람이 그들의 손을 잡고 상점 안 여기저기로 끌고 다니도록 하는 것을 좋아하지 않을 것이다. ❸ 차라리 여러분을 위해 상점이 그것을 하게 하라. ❹ 쇼핑객들을 상점 안 여기저기로 이끌어 그들이 많은 다양한 매장 또는 상품이 있는 곳을 볼 수 있도록 하는 중앙 통로를 만들어라. (❺ 여러분은 상점에서 음악을 트는 것으로 소비 행동에 대한 음악의 이러한 효과를 활용할 수 있다.) ❻ 이 통로는 여러분의 고객들을 그들이 걸었으면 하고 여러분이 바라는 경로로 상점 안 여기저기를 통해 입구에서부터 계산대까지 내내 이끈다.

해설

상점의 동선을 이용해 고객들을 여기저기로 이동하게 만들어 판매를 유도하라는 내용이며, 소비 행동에 음악이 미치는 효과를 활용하라는 문장은 동선에 관한 맥락에서 벗어난다. 따라서 전체 흐름과 관계 없는 문장은 ④이다.

오답 노트

① ➡ 고객들의 손을 잡고 원하는 대로 끌고 다니는 것은 불가능하다는 내용으로, 그 대안을 제시하는 ②와 흐름상 이어진다.
② ➡ 상점의 동선을 조정하여 자신이 원하는 대로 쇼핑객들을 움직일 수 있게 만들라는 내용으로, ①과 이어진다.
③ ➡ 상점 안 중앙 통로를 만들어 고객들이 여기저기로 움직일 수 있게 하라는 내용이므로 이 글의 핵심 문장이다.
⑤ ➡ 상점에 만들어놓은 통로가 고객들이 걸었으면 하는 곳으로 안내하는 길이라고 했으므로 흐름과 일치한다.

구문 해설

❸ Rather, **let the store do** it for you.
let the store do는 〈사역동사 let+목적어+목적격보어〉의 형태인 5형식이며, 사역동사 let의 목적격보어로 동사원형 do가 쓰였다.

❻ This path leads your customers from the entrance through the store on the route **you want them to take** all the way to the checkout.
you 앞에는 the route를 선행사로 받는 목적격 관계대명사 which 또는 that이 생략되었다. want them to take는 〈want+목적어+목적격보어〉의 형태인 5형식이며, want의 목적격보어로 to부정사인 to take가 쓰였다.

More & More

2 이 글은 판매하고 싶은 상품들이 있는 곳으로 고객들을 인도할 수 있도록 매장의 여기저기로 통하는 중앙 통로를 만들라는 조언을 하고 있다. 따라서 글의 요지로 가장 적절한 것은 ⑤이다.

• 본문 098쪽

답 ④

❶In 2006, / 81% of surveyed American shoppers said / that they considered online customer ratings and reviews important / when planning a purchase. ❷Though an online comment / — positive or negative — / is not as powerful as a direct interpersonal exchange, / it can be very important for a business. ❸① Many people depend on online recommendations. ❹② And / [young people who rely on them] / are very likely to be influenced / by the Internet / when purchasing something. ❺③ [These individuals with broad social networks] / have the potential to reach thousands. ❻④ Experts suggest / that young people stop wasting their money / on unnecessary things / and start saving it. ❼⑤ It has been reported / that young people aged six to 24 influence / about 50% of all spending in the US.

(surveyed: 조사에 응한[참여한] / that: 명사절 접속사(동사 said의 목적어) / 〈consider+목적어+목적격보어(형용사)〉 / planning: 분사구문 / Though: 양보 접속사(비록 ~일지라도) / not as powerful as: 원급 비교 부정 / depend on: ~에 의존하다 / them = online recommendations / young people: 주어부 / who: 주격 관계대명사 / rely on: ~에 의존하다 / 〈be likely to+동사원형〉: ~하기 쉽다 / purchasing: 분사구문 / These individuals ~: 주어부 / have: 동사 / to reach: 형용사적 용법 / that: 명사절 접속사(동사 suggest의 목적어) / 〈stop+동명사〉: ~하는 것을 그만두다 / 〈start+동명사〉: ~하기를 시작하다 / it = their money / It: 가주어 / has been reported: 현재완료 수동태 / that ~: 진주어 / aged ~: 과거분사구 / about: 약, 대략)

2006년에 / 조사에 응한 미국 쇼핑객의 81퍼센트가 말했다 / 그들이 온라인 고객 평점과 후기를 중요하게 고려한다고 / 구매를 계획할 때 / 비록 온라인 평가는 ~일지라도 / 긍정적인 것이든 부정적인 것이든 / 사람 간의 직접적인 의견 교환만큼 강력하지는 않지만 / 사업에 매우 중요할 수 있다 / 많은 사람들이 온라인 추천에 의존한다 / 그리고 / 그것에 의존하는 젊은 사람들은 / 영향을 받을 가능성이 크다 / 인터넷에 의해 / 무언가를 살 때 / 폭넓은 인간관계망을 보유한 이러한 개인들은 / 수천 명에 영향을 미칠 잠재력이 있다 / 전문가들은 권한다 / 젊은 사람들이 돈을 낭비하는 것을 그만하기를 / 불필요한 것에 / 그리고 그것을 저축하는 걸 시작하기를 / 보고되었다 / 6세에서 24세의 젊은 사람들이 영향을 미치는 것으로 / 미국 전체 지출의 약 / 50퍼센트에

유형 해결 전략

KEY 1 핵심 소재 파악
considered online customer ratings and reviews important, very important for a business 등을 통해 '온라인 고객 평점 및 후기의 중요성'이 핵심 소재임을 파악

KEY 2 글의 전개 방식 예측
많은 사람들, 특히 젊은 사람들은 온라인 추천에 크게 의존하며, 폭넓은 인간관계망을 보유하여 수천 명에게 영향력을 끼칠 수 있다는 내용을 언급함

KEY 3 흐름에 반하는 문장 검색
젊은 사람들에게 저축을 권하는 것은 지금까지의 흐름과 무관함

KEY 4 문맥상 흐름이 자연스러운지 재확인
젊은 세대가 소비의 주체라는 핵심 소재로 돌아와 자연스럽게 결론으로 연결됨을 확인

해석

❶2006년에, 조사에 응한 미국 쇼핑객의 81퍼센트가 구매를 계획할 때 온라인 고객 평점과 후기를 중요하게 고려한다고 말했다. ❷비록 온라인 평가는 긍정적인 것이든 부정적인 것이든 사람 간의 직접적인 의견 교환만큼 강력하지는 않지만, 사업에 매우 중요할 수 있다. ❸많은 사람들이 온라인 추천에 의존한다. ❹그리고 그것에 의존하는 젊은 사람들은 물건을 살 때 인터넷에 의해 영향을 받을 가능성이 크다. ❺폭넓은 인간관계망을 보유하고 있는 이 사람들은 수천 명에 영향을 미칠 잠재력이 있다. (❻전문가들은 젊은 사람들이 불필요한 것에 돈을 낭비하기를 그만두고 저축을 시작해야 한다고 권한다.) ❼6세에서 24세의 젊은 사람들이 미국 전체 지출의 약 50퍼센트에 영향을 미치는 것으로 보고되었다.

해설

온라인 평가는 소비자의 구매에 상당한 영향을 미치므로 사업에 중요하다는 내용이며, 저축의 필요성에 대한 충고는 맥락에서 벗어난다. 따라서 전체 흐름과 관계 없는 문장은 ④이다.

오답 노트

① ➡ 앞의 내용에 이어 온라인 추천에 대한 의존성을 말하고 있다.
② ➡ 젊은 사람들 사이에서 온라인 평가가 중요하다는 내용이므로 흐름과 일치한다.
③ ➡ 젊은 사람들의 온라인에서의 영향력을 설명하는 관련 내용이 이어지고 있다.
⑤ ➡ 젊은 세대의 영향력을 말하는 ③의 내용에 이어 젊은 세대가 소비의 주체임을 말하고 있다.

구문 해설

❶In 2006, 81% of surveyed American shoppers said **that** they **considered online customer ratings and reviews important when planning** a purchase.
that은 동사 said의 목적어 역할을 하는 명사절 접속사이다. 〈consider+목적어+목적격보어〉의 형태인 5형식으로, consider의 목적격보어로 형용사 important가 쓰였다. planning은 시간의 의미를 나타내는 분사구문으로, 의미를 명확하게 하기 위해서 접속사 when을 생략하지 않고 그대로 썼으며, 절로 바꾸면 when they planned ~가 된다.

❷Though an online comment — positive or negative — is **not as powerful as** a direct interpersonal exchange ~.
not as powerful as는 〈not as+형용사(부사)의 원급+as〉의 형태로 '~만큼 …하지 않은'이라는 뜻인 원급 비교의 부정 표현으로 쓰였다.

❼It **has been reported** that young people **aged six to 24 influence** about 50% of all spending in the US.
has been reported는 〈have[has] been+과거분사〉의 형태로 쓰인 현재완료 수동태로, '~로 보고되어 왔다'라고 해석한다. 과거분사 aged는 뒤의 수식어구 six to 24 influence와 구를 이루어 앞의 명사 young people을 꾸며 준다.

More & More

2 젊은 사람들이 수천 명에게 영향을 미칠 잠재력이 있는 것이지 잠재력이 있는 사업을 위해 소통하는 것은 아니므로 ④는 글의 내용과 일치하지 않는다.

● 본문 099쪽

답 ③

동명사(전치사 without의 목적어)

❶Many of us live our lives without examining / [why we habitually do

~ 없이 / 간접의문문

우리들 중 많은 사람들이 고찰 없이 우리의 삶을 살아간다 / 왜 우리들은 우리가 습관적으로

what we do / and think what we think]. ❷Why do we spend / so much of

관계대명사 / 관계대명사 / 〈spend+시간+-ing〉: ~하면서 시간을 보내다

하는 것을 하고 / 생각하는 것을 생각하는지에 대한 / 왜 우리는 보낼까 / 하루 중 그렇게

each day working? ❸Why do we save up our money? ❹① If we are pressed

저축하다 / 〈because+주어+동사〉: ~ 때문에

많은 시간을 일하면서 / 왜 우리는 우리 돈을 저축할까? / 만약 그러한 질문들에

to answer such questions, / we may respond by saying / "because that's what

~일지도 모른다(추측) / 〈by+-ing〉: ~ 함으로써 / 관계대명사

대해 대답하기를 강요받는다면 / 우리는 말함으로써 대답할지도 모른다 / "그것이 우리 같은 사람들이

people like us do." ❺② But there is nothing natural about it; / instead, /

~같은 / 〈-thing+형용사〉 어순

하는 것이기 때문이다."라고 / 하지만 그것에 대해서 자연스러운 것은 아무것도 없다 / 대신에

we do so / because of the culture we live in. ❻③ As we try to find answers /

〈because of+명사(구)〉: ~ 때문에 / 목적격 관계대명사 which(that) 생략 / 시간 접속사(~할 때)

우리는 그렇게 행동한다 / 우리가 살고 있는 문화 때문에 / 우리가 답을 찾으려고 노력할 때

to the questions of cultural diversity, / we realize / that cultures are not /

명사절 접속사(동사 realize의 목적어)

문화적 다양성에 관한 질문들의 / 우리는 깨닫는다 / 문화는 아니라는 것을

about being right or wrong. ❼④ [The culture / that we inhabit] / shapes

동명사(전치사 about의 목적어) / 주어부 핵심 주어 / 목적격 관계대명사 / 동사

옳거나 틀린 것에 대한 것이 / 문화는 / 우리가 살고 있는 / 우리가

how we think, feel, and act / in the most pervasive ways. ❽⑤ We are who

관계부사 / ~에도 불구하고

생각하고, 느끼고, 행동하는 방식을 형성한다 / 가장 널리 스며있는 방식으로 / 우리가 우리인 것은

we are / not in spite of our culture / but precisely because of it.

〈not A but B〉: A가 아니라 B인 / = our culture

우리의 문화에도 불구하고가 아니라 / 바로 우리의 문화 때문이다

* pervasive: 널리 스며있는

유형 해결 전략

KEY 1 핵심 소재 파악

Many of us live our lives without examining, why we habitually do what we do 등을 통해 '고찰 없이 삶을 살아가는 사람들이 많은 이유'가 핵심 소재임을 파악

KEY 2 글의 전개 방식 예측

우리가 고찰 없이 하는 습관적인 행동은 바로 우리가 속한 문화가 우리에게 그것을 하도록 강요하기 때문이라며 문화의 중요성을 언급함

KEY 3 흐름에 반하는 문장 검색

문화적 다양성에 관한 내용은 지금까지의 흐름과 무관함

KEY 4 문맥상 흐름이 자연스러운지 재확인

문화는 우리가 생각하고, 느끼고, 행동하는 방식을 형성하며, 우리가 우리인 것은 문화 때문임을 언급하여 문화의 중요성에 대한 핵심 소재로 돌아와 자연스럽게 결론으로 연결됨을 확인

해석

❶우리들 중 많은 사람들이 왜 우리들은 우리가 습관적으로 하는 것을 하고 생각하는 것을 생각하는지에 대한 고찰 없이 삶을 살아간다. ❷왜 우리는 하루 중 그렇게 많은 시간을 일하면서 보낼까? ❸왜 우리는 돈을 저축할까? ❹만약 그러한 질문들에 대해 대답하기를 강요받는다면, 우리는 "그것이 우리 같은 사람들이 하는 것이기 때문이다."라고 말함으로써 대답할지도 모른다. ❺하지만 그것(우리가 그렇게 하는 것)에 있어서 자연스러운 것은 없으며, 대신에, 우리는 우리가 속해 있는 문화 때문에 그렇게 행동한다. (❻우리가 문화적 다양성에 대한 질문들의 답을 찾으려고 노력할 때, 우리는 문화가 옳거나 틀린 것에 대한 것이 아니라는 걸 깨닫는다.) ❼우리가 살고 있는 문화는 가장 널리 스며있는 방식으로 우리가 생각하고, 느끼고, 행동하는 방식을 형성한다. ❽우리는 우리의 문화에도 불구하고가 아니라, 바로 우리의 문화 때문에 우리들인 것이다.

해설

우리가 습관적으로 하는 것들은 보통 우리가 속해 있는 문화가 우리에게 강요하는 것들이며, 문화는 우리가 생각하고, 느끼고, 행동하는 방식을 형성하므로 우리가 우리들 자신인 것은 바로 우리의 문화 때문이라는 내용이다. 문화의 다양성에 대해서 언급하는 문장은 이 맥락에서 벗어난다. 따라서 전체 흐름과 관계 없는 문장은 ③이다.

오답 노트

① ➡ 앞의 질문에 대한 일반적인 답변을 말하는 내용이므로 흐름과 일치한다.

② ➡ 우리는 우리가 속한 문화에 강한 영향을 받는다는 내용으로, ④와 이어진다.

④ ➡ 우리가 생각하고, 느끼고, 행동하는 방식을 우리가 속한 문화가 형성한다는 내용이므로 흐름과 일치한다.

⑤ ➡ 우리가 우리인 것이 바로 우리의 문화 때문이라는 내용이므로 앞선 내용과 흐름이 일치한다.

구문 해설

❶Many of us live our lives without **examining why we habitually do what we do and think what we think.**

examining은 전치사 without의 목적어로 쓰인 동명사이다. why we habitually do ~ we think는 〈의문사+주어+동사〉의 어순인 간접의문문으로, examining의 목적어 역할을 한다. what은 여기서 모두 선행사를 포함한 관계대명사로 쓰여 간접의문문절에서 등위접속사 and로 인해 병렬 연결된 동사 do, think의 목적어 역할을 한다.

❼**The culture that we inhabit shapes how** we think, feel, and act in the most pervasive ways.

that은 선행사 The culture를 꾸며 주는 목적격 관계대명사로 쓰였으며, 여기서 문장의 주어부는 The culture that we inhabit이고, 동사는 shapes이다. how는 방법을 나타내는 관계부사로 선행사 the way로 바꿔 쓸 수 있지만, the way와 함께 쓸 수는 없다.

More & More

2 우리의 생각과 감정, 행동이 문화에 의해 영향을 받는다는 내용이므로 글의 요지로 가장 적절한 것은 ③이다.

글의 순서 배열하기

● 본문 102쪽

대표 예제

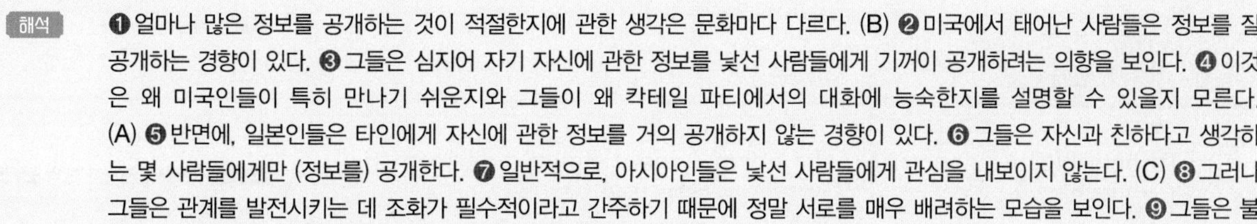

해석 ❶ 얼마나 많은 정보를 공개하는 것이 적절한지에 관한 생각은 문화마다 다르다. (B) ❷ 미국에서 태어난 사람들은 정보를 잘 공개하는 경향이 있다. ❸ 그들은 심지어 자기 자신에 관한 정보를 낯선 사람들에게 기꺼이 공개하려는 의향을 보인다. ❹ 이것은 왜 미국인들이 특히 만나기 쉬운지와 그들이 왜 칵테일 파티에서의 대화에 능숙한지를 설명할 수 있을지 모른다. (A) ❺ 반면에, 일본인들은 타인에게 자신에 관한 정보를 거의 공개하지 않는 경향이 있다. ❻ 그들은 자신과 친하다고 생각하는 몇 사람들에게만 (정보를) 공개한다. ❼ 일반적으로, 아시아인들은 낯선 사람들에게 관심을 내보이지 않는다. (C) ❽ 그러나 그들은 관계를 발전시키는 데 조화가 필수적이라고 간주하기 때문에 정말 서로를 매우 배려하는 모습을 보인다. ❾ 그들은 불리한 정보를 외부인들이 얻지 못하도록 열심히 노력한다.

어휘 **appropriate** 적절한, 알맞은 **disclose** 공개하다, 드러내다 **reach out to** ~에게 관심을 보이다 **willingness** 기꺼이 하려는 의향[마음] **harmony** 조화 **improve** 개선하다, 향상시키다 **unfavorable** 불리한

READING 1 ~ 4

● 본문 104~107쪽

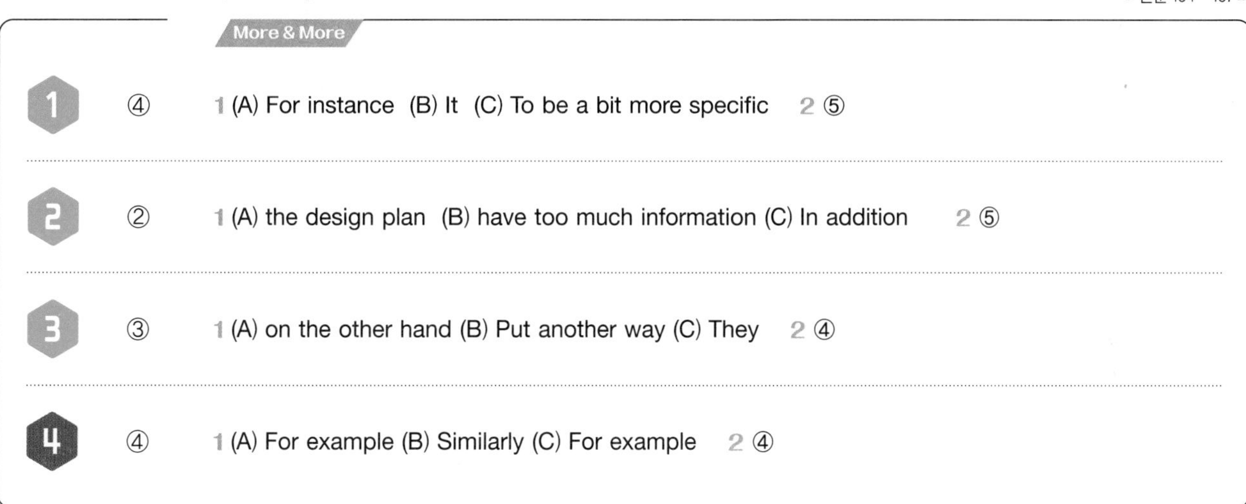

More & More

1	④	1 (A) For instance (B) It (C) To be a bit more specific 2 ⑤
2	②	1 (A) the design plan (B) have too much information (C) In addition 2 ⑤
3	③	1 (A) on the other hand (B) Put another way (C) They 2 ④
4	④	1 (A) For example (B) Similarly (C) For example 2 ④

1

● 본문 104쪽

답 ④

유형 해결 전략

❶The basic difference / between an AI robot and a normal robot / is to make decisions, and learn / and adapt to its environment / based on data from its sensors.

〈between A and B〉: A와 B 사이에 / 명사적 용법(보어) / ~에 기반하여

기본적인 차이점은 AI 로봇과 보통 로봇 사이의 결정을 하고 학습하는 것이다 그리고 그것의 환경에 적응하는 것이다 센서로부터 얻은 데이터에 기반하여

KEY 1 주어진 글의 내용 및 핵심 소재 파악
'AI 로봇과 보통 로봇의 차이'가 핵심 소재이며, 두 종류의 로봇을 비교·대조할 것임을 예측

(C) ❷To be a bit more specific, / the normal robot shows deterministic behaviors. ❸That is, / for the same situation, / the robot will do the same thing.

다시 말해, 즉 / = the normal robot

좀 더 구체적으로 말해서 보통 로봇은 결정론적인 행동을 보인다 다시 말해 동일한 상황에서 그 로봇은 똑같은 것을 할 것이다

(A) ❹For instance, / when running into an obstacle / the robot will always do the same thing, / like going to the left. ❺On the other hand, / an AI robot can make decisions / and learn from experience.

분사구문 / run into: ~와 우연히 만나다 / = the normal robot / ~와 같이 동명사(전치사 like의 목적어)

예를 들어 장애물을 우연히 마주칠 때 그 로봇은 항상 똑같은 행동을 할 것이다 왼쪽으로 가는 것과 같이 반면에 AI 로봇은 결정을 내릴 수 있고 경험으로부터 학습할 수 있다

(B) ❻It will adapt to circumstances, / and may do something different / in each situation. ❼The AI robot may try to / push the obstacle out of the way, / or make up a new route, / or change goals.

= AI robot / ~일 수도 있다(가능성) 〈-thing+형용사〉 어순 / 〈each+단수 명사〉 / 〈try+to부정사〉: ~하려고 노력하다 / push ~ out of: ~을 밀어내다

그것은 환경에 적응할 것이다 그리고 다른 무언가를 할 수도 있다 각각의 상황에서 AI 로봇은 ~하려고 노력할 수도 있다 경로에서 장애물을 밀어내거나 새로운 경로를 만들거나 목표를 바꾸려고

* deterministic: 결정론적인

KEY 2 연결사, 지시어 등의 단서로 흐름 파악
(C) ① 단서: To be a bit more specific ➡ 주어진 글의 내용을 구체적으로 풀어 설명함
② 내용: 보통 로봇은 항상 정해져 있는 똑같은 행동을 보임

(A) ① 단서: For instance ➡ (C)에서 언급한 보통 로봇에 대한 추가 설명을 예시로 제시
② 내용: 장애물을 만날 때 보통 로봇은 한 가지 똑같은 행동만을 취함

(B) ① 단서: It ➡ (A)의 후반에 언급한 AI 로봇을 가리킴
② 내용: AI 로봇은 환경에 적응하므로 상황마다 다른 행동을 할 수 있음

해석

❶AI 로봇과 보통 로봇의 기본적인 차이점은 센서로부터 얻은 데이터에 기반하여 결정을 하고 학습하고 환경에 적응하는 것이다. (C) ❷좀 더 구체적으로 말해서, 보통 로봇은 결정론적인(이미 정해진) 행동을 보인다. ❸다시 말해, 동일한 상황에서 그 로봇은 똑같은 것을 할 것이다. (A) ❹예를 들어, 장애물을 우연히 마주칠 때, 그 로봇은 항상 왼쪽으로 가는 것과 같이 똑같은 행동을 할 것이다. ❺반면에, AI 로봇은 결정을 내리고 경험으로부터 학습하는 것을 할 수 있다. (B) ❻그것은 환경에 적응할 것이고, 각각의 상황에서 다른 무언가를 할 수도 있다. ❼AI 로봇은 경로에서 장애물을 밀어내거나, 새로운 경로를 만들거나, 목표를 바꾸려고 할 수도 있다.

해설

주어진 글은 'AI 로봇과 보통 로봇의 차이'라는 핵심 소재를 제시한다. (C)에서 우선 보통 로봇의 특징을 설명하고, (A)에서는 어떤 상황에서 보통 로봇이 어떻게 행동하는지 구체적인 예시를 든 뒤, (B)에서 그와 대조되는 AI 로봇에 대한 예시가 이어지는 것이 자연스럽다. 따라서 이어질 글의 순서로 가장 적절한 것은 ④ (C) – (A) – (B)이다.

오답 노트

① (A) – (C) – (B) ➡ 주어진 글 다음에 (A)가 오면, (A)가 무엇에 대한 예시인지 모호해진다.
② (B) – (A) – (C) / ③ (B) – (C) – (A) ➡ 주어진 글 다음에 (B)가 오면 (B)의 It이 가리키는 대상이 모호하다.
⑤ (C) – (B) – (A) ➡ (C)에서 보통 로봇을 설명하다가 AI 로봇에 대한 설명인 (B)가 이어지고 다시 보통 로봇을 설명하는 (A)로 연결되는 것은 부자연스럽다.

구문 해설

❶ **The basic difference between an AI robot and a normal robot is to make** decisions, and **learn** and **adapt** to ~.
문장의 주어는 The basic ~ a normal robot, 동사는 is, to make ~ 이하는 보어이므로 to make는 to부정사의 명사적 용법으로 쓰였으며, 등위접속사 and로 인해 learn, adapt와 병렬 연결되어 있다.

❹ For instance, **when running** into an obstacle the robot will always do the same thing, like going to the left.
running은 시간의 의미를 나타내는 분사구문으로, 분사구문의 의미를 명확하게 하기 위해 앞에 시간 접속사 when을 그대로 썼으며 when the robot runs into ~인 절로 바꿔 쓸 수 있다.

More & More

2 AI 로봇과 보통 로봇의 차이를 대조적인 예시를 들어 설명하고 있다. 따라서 글의 제목으로 가장 적절한 것은 ⑤ 'AI 로봇과 보통 로봇의 차이점'이다.
① AI 로봇의 혜택 ② 오늘날 AI 로봇의 활용 사례 ③ AI 로봇과 인간의 미래 ④ AI 로봇이 여러분을 위해 할 수 있는 세 가지

● 본문 105쪽

답 ②

❶You should first clarify the question / you are trying to answer. ❷It can be harmful / to start collecting and analyzing data without it.

~해야 한다(의무) / 목적격 관계대명사 which(that) 생략 / 가주어 / 진주어 / 동명사(동사 start의 목적어) / 앞 문장을 가리킴

여러분은 먼저 질문을 분명하게 해야 한다 / 여러분이 답하고자 하는 / 위험할 수도 있다 / 그것 없이 데이터를 수집하고 분석하기 시작하는 것은

(B) ❸You'll have too much information / and realize / that it was a waste of time. ❹To avoid this problem, / you should develop a problem-solving design plan / before you start collecting information.

명사절 접속사(동사 realize의 목적어) / 시간 낭비 / 부사적 용법(목적) / 시간 접속사(~하기 전에)

여러분은 너무 많은 정보를 갖게 될 것이다 / 그리고 깨달을 것이다 / 그것이 시간 낭비였음을 / 이러한 문제를 피하기 위해서 / 여러분은 문제 해결 설계 계획을 세워야 한다 / 정보를 수집하는 것을 시작하기 전에

(A) ❺In the design plan, / you clarify the issues to solve, / state your hypotheses, / and list what is required to prove them. ❻Developing this plan / before you start researching / will greatly increase / your problem-solving productivity.

동사$_1$ / 형용사적 용법 / 동사$_2$ / 동사$_3$ / 관계대명사 / = the hypotheses / 동명사구(주어)

그 설계 계획에서 / 여러분은 해결하려는 문제를 분명히 하고 / 여러분의 가설을 진술하고 / 그 가설들을 증명하는 데 필요한 것의 목록을 만든다 / 이러한 계획을 세우는 것이 / 조사를 시작하기 전에 / 크게 증가시킬 것이다 / 여러분의 문제 해결 생산성을

(C) ❼In addition, / writing your plan down on paper / will not only clarify your thoughts. ❽If you're in a team, / this plan will also help your team focus on / what to do.

게다가(첨가) / 동명사구(주어) / ~ 뿐만이 아닌 / ⟨help+목적어+목적격보어(동사원형)⟩ / ~에 집중하다 / ⟨의문사 what+to부정사⟩: 무엇을 해야 할지

게다가 / 여러분의 계획을 종이에 적는 것은 / 여러분의 생각을 분명하게 할 뿐만이 아니다 / 만약 여러분이 팀에 있다면 / 이 계획은 또한 여러분의 팀이 집중하도록 도와줄 것이다 / 무엇을 해야 할지

* hypothesis: 가설

유형 해결 전략

KEY 1 주어진 글의 내용 및 핵심 소재 파악
문제를 먼저 파악하지 않고 데이터를 수집 및 분석하는 것은 위험할 수 있음

KEY 2 연결사, 지시어 등의 단서로 흐름 파악
(B) ① 단서: have too much information ➡ 주어진 글의 be harmful의 구체적인 내용 제시
② 내용: 문제 해결을 위한 설계 계획이 없으면 너무 많은 정보를 얻고, 이는 시간 낭비임

(A) ① 단서: the design plan ➡ (B)의 a problem-solving design plan을 가리킴
② 내용: 설계 계획에 포함할 내용과 그것의 장점 언급

(C) ① 단서: In addition ➡ (A)에 언급된 장점에 덧붙여 또 다른 장점 추가 제시
② 내용: 기록된 설계 계획은 팀으로 일하는 데에도 이점이 있음

해석

❶ 여러분은 여러분이 답하고자 하는 질문을 먼저 분명하게 해야 한다. ❷ 그것 없이 데이터를 수집하고 분석하기 시작하는 것은 위험할 수 있다. (B) ❸ 여러분은 너무 많은 정보를 갖게 될 것이고 그것이 시간 낭비였다는 것을 깨달을 것이다. ❹ 이러한 문제를 피하기 위해서, 여러분은 정보 수집을 시작하기 전에 문제 해결 설계 계획을 세워야 한다. (A) ❺ 그 설계 계획에서, 여러분은 해결하려는 문제를 분명히 하고, 여러분의 가설을 진술하고, 그 가설들을 증명하는 데 필요한 것의 목록을 만든다. ❻ 조사를 시작하기 전에 이러한 계획을 세우는 것이 여러분의 문제 해결의 생산성을 크게 증가시킬 것이다. (C) ❼ 게다가, 여러분의 계획을 종이에 적는 것은 여러분의 생각을 분명하게 할 뿐만이 아니다. ❽ 만약 여러분이 팀에 속해 있다면, 이 계획은 또한 여러분의 팀이 무엇을 해야 할지에 집중하도록 도와줄 것이다.

해설

주어진 글에서 명확한 계획 없이 정보를 수집하고 분석하는 경우의 단점을 언급했으므로 이러한 상황의 해결을 위해 설계 계획의 필요성을 언급한 (B)가 오고, 그 다음에 그 설계 계획의 효과를 언급한 (A)와 설계 계획의 추가 이점을 언급한 (C)가 이어져야 자연스럽다. 따라서 이어질 글의 순서로 가장 적절한 것은 ② (B) – (A) – (C)이다.

오답 노트

① (A) – (C) – (B) ➡ 주어진 글에 대한 부연 설명과 결과가 (B)에 나오므로 (A)가 맨 앞에 오는 것은 어색하다.
③ (B) – (C) – (A) ➡ (A)에 대한 부가적인 내용이 (C)에 나오므로 (A) 다음에 (C)가 와야 한다.
④ (C) – (A) – (B) / ⑤ (C) – (B) – (A) ➡ (C)는 다른 내용에 대한 추가이므로 주어진 글 바로 다음에 이어질 수 없다.

구문 해설

❷ **It** can be harmful **to start collecting** and **analyzing** data without it.
It은 가주어, to start 이하는 진주어이다. collecting과 analyzing은 동사 start의 목적어로 쓰인 동명사로, start는 목적어로 동명사, to부정사를 모두 쓸 수 있으며 의미상 차이가 없다.

❺ In the design plan, you clarify the issues **to solve**, state your hypotheses, and list **what** is required to prove them.
to solve는 앞의 명사구 the issues를 꾸며 주는 to부정사의 형용사적 용법으로 쓰였다. what은 '~하는 것'이라는 뜻으로 선행사를 포함하는 관계대명사이며 관계대명사절은 동사 list의 목적어 역할을 한다.

More & More

2 데이터를 수집하기 전에 계획을 세우고 문제를 명확히 하면 생각을 분명히 할 수 있을 뿐만 아니라 팀을 이루어 일하는 경우에도 도움이 된다는 내용이다. 따라서 글의 주제로 가장 적절한 것은 ⑤이다.

3

답 ③

유형 해결 전략

❶To be successful, / you need to understand the vital difference / between believing you will succeed, / and believing you will succeed easily.
부사적 용법(목적)
성공하기 위해서 / 여러분은 중요한 차이를 이해할 필요가 있다
〈between A and B〉: A와 B 사이에
여러분이 성공할 것이라고 믿는 것과 / 여러분이 쉽게 성공할 것이라고 믿는 것 사이의

KEY 1 주어진 글의 내용 및 핵심 소재 파악
성공할 것이라는 믿음에는 두 가지 서로 다른 종류의 믿음이 있음

(B) ❷Put another way, / it's the difference / between being a realistic optimist, / and an unrealistic optimist. ❸Realistic optimists believe / that they will succeed, / but also believe / they have to make success happen.
다시 말해서
다시 말해서 / 그것은 차이이다 / 현실적인 낙관주의자가 되는 것과 / 비현실적인 낙관주의자가 되는 것 사이의 / 현실적인 낙관주의자들은 믿는다
명사절 접속사 that 생략
명사절 접속사(동사 believe의 목적어)
〈make+목적어+목적격보어(동사원형)〉
그들이 성공할 것이라고 / 그러나 또한 믿는다 / 그들이 성공이 일어나게 만들어야 한다는 것을

KEY 2 연결사, 지시어 등의 단서로 흐름 파악
(B) ① 단서: Put another way
➡ 주어진 글의 내용을 부연 설명
② 내용: 현실적인 낙관주의자와 비현실적인 낙관주의자를 언급한 후 전자에 대한 설명 제공

(C) ❹They recognize / the need for giving serious thought / to [how they will deal with obstacles]. ❺This preparation only increases their confidence / in their own ability / to get things done.
= Realistic optimists
동명사(전치사 for의 목적어)
~에 대해 / 간접의문문
그들은 인식한다 / 심각하게 고려할 필요가 있다는 것을 / 그들이 장애물을 어떻게 다룰지에 대해
~을 다루다
이런 준비만이 그들의 자신감을 높여준다
형용사적 용법 / 〈get+목적어+목적격보어(과거분사)〉
그들 자신의 능력에 대한 / 일이 수행될 수 있게 만드는

(C) ① 단서: They ➡ Realistic optimists를 가리킴 / giving serious thought ➡ (B)의 make success happen에 대한 예시
② 내용: 앞서 말한 현실적인 낙관주의자의 성향에 대한 추가 정보 제공

(A) ❻Unrealistic optimists, / on the other hand, / believe / that success will happen to them. ❼They believe / that they will be rewarded for their positive thinking / and quickly become a person / who can overcome obstacles.
비현실적인 낙관주의자들은 / 반면에 / 믿는다 / 성공이 그들에게 일어날 것이라고
= unrealistic optimists
조동사가 포함된 수동태(조동사 will+be+과거분사)
그들은 믿는다 / 그들이 그들의 긍정적인 사고에 대해 보상받을 것이라고
주격 관계대명사
그리고 사람이 빨리 될 것이라고 / 장애물을 극복할 수 있는

* optimist: 낙관주의자

(A) ① 단서: on the other hand
➡ (C)와 대조적인 상황을 제시
② 내용: 현실적인 낙관주의자들과 대조적인 성향을 보이는 비현실적인 낙관주의자들에 대한 설명 제공

해석

❶성공하기 위해서는, 여러분이 성공할 것이라고 믿는 것과 여러분이 쉽게 성공할 것이라고 믿는 것 사이의 중요한 차이를 이해할 필요가 있다. (B) ❷다시 말해서, 그것은 현실적인 낙관주의자가 되는 것과 비현실적인 낙관주의자가 되는 것 사이의 차이이다. ❸현실적인 낙관주의자들은 그들이 성공할 것이라고 믿을 뿐 아니라, 성공이 일어나게 만들어야 한다고 믿는다. (C) ❹그들은 어떻게 그들이 장애물을 다룰지에 대해 심각하게 고려할 필요가 있다는 것을 인식한다. ❺이런 준비만이 일이 수행될 수 있게 만드는 그들 자신의 능력에 대한 그들의 자신감을 높여준다. (A) ❻반면에, 비현실적인 낙관주의자들은 성공이 그들에게 일어날 거라고 믿는다. ❼그들은 그들이 자신들의 모든 긍정적인 사고에 대해 보상받을 것이고, 장애물을 극복할 수 있는 사람이 빨리 될 거라고 믿는다.

해설

주어진 글에서 핵심 소재를 제시한 후 (B)에서 현실적인 낙관주의자에 대해 말하고, (C)에서 이를 부연 설명한 뒤 (A)에서 그들과 대조되는 비현실적인 낙관주의자를 설명한다. 따라서 이어질 글의 순서로 가장 적절한 것은 ③ (B) – (C) – (A)이다.

오답 노트

① (A) – (C) – (B) ➡ (A)는 현실적인 낙관주의자에 대한 설명과 대조되는 내용이므로 가장 마지막에 와야 자연스럽다.
② (B) – (A) – (C) / ④ (C) – (A) – (B) / ⑤ (C) – (B) – (A) ➡ (C)는 (B)에 대한 부연 설명이므로 (B)의 바로 뒤에 와야 자연스럽다.

구문 해설

❸Realistic optimists believe **that** they will succeed, but also believe they have to **make success happen**.
that은 첫 번째 동사 believe의 목적어인 명사절 접속사이며, 두 번째 동사 believe와 they 사이에는 명사절 접속사 that이 생략되었다. make success happen은 〈make+목적어+목적격보어〉의 5형식으로, 사역동사 make의 목적격보어로 동사원형 happen이 쓰였다.

❺~ their own ability to **get things done**.
get things done은 〈get+목적어+목적격보어〉의 형태인 5형식으로, 목적어와 목적격보어의 관계가 수동이므로 목적격보어로 과거분사 done이 쓰였다.

More & More

2 성공에 대한 믿음에 있어서 현실적인 낙관주의자와 비현실적인 낙관주의자의 차이를 설명하고 있으므로 글의 주제로 가장 적절한 것은 ④이다.

● 본문 107쪽

답 ④

❶In negotiation, / there often will be issues / that you do not care about / — but that the other side cares about very much! ❷It is important / to identify these issues.

협상에서 / 이슈들이 흔히 있을 것이다 / 여러분은 신경을 쓰지 않는 (목적격 관계대명사, care about: ~에 대해 신경 쓰다) / 하지만 상대편에서는 매우 신경을 쓰는 (목적격 관계대명사) / 가주어 중요하다 / 이러한 이슈들을 알아보는 것은 (진주어)

(C) ❸For example, / you may not care about / when you start your new job. ❹But / if your potential boss strongly prefers / that you start as soon as possible, / that's valuable information.

예를 들어 / 여러분은 신경 쓰지 않을 수도 있다 / 언제 새로운 직장 생활을 시작하는지 (간접의문문: 〈의문사+주어+동사〉 어순) / 그러나 / 만약 장차 여러분의 상사가 될 사람이 강력히 원한다면 (조건 접속사(만약 ~라면)) / 여러분이 가능한 한 빨리 일을 시작하기를 (명사절 접속사(동사 prefers의 목적어), 가능한 한 빨리) / 그것은 귀중한 정보이다

(A) ❺Now you are able to give her something / that she values / (at no cost to you) / and get something of value in return. ❻For example, / you might start a month earlier / and receive a larger bonus.

이제 여러분은 그녀에게 뭔가를 제공할 수 있다 (be able to: ~할 수 있다(= can), 동사₁) / 그녀가 소중하게 생각하고 (목적격 관계대명사) / (여러분은 손해를 보지 않는) / 그리고 그 보답으로 가치 있는 어떤 것을 얻을 수 있는 (동사₂, 보답으로) / 예를 들어 / 여러분은 / 한 달 더 일찍 일을 시작할 수도 있다 / 그리고 더 큰 보너스를 받을 수도 있다

(B) ❼Similarly, / when purchasing my home, / the seller was very interested / in closing the deal as soon as possible. ❽So I agreed to close one month earlier, / and the seller agreed to a lower price.

마찬가지로 / 내가 나의 집을 구매했을 때 (분사구문(= when I purchased)) / 판매자는 매우 관심이 있었다 (be interested in: ~에 관심이 있다) / 가능하면 빨리 거래를 매듭짓는 것에 (동명사(전치사 in의 목적어)) / 그래서 나는 한 달 더 일찍 거래를 매듭짓는 것에 동의했고 / 판매자는 더 낮은 가격에 동의했다

유형 해결 전략

KEY 1 주어진 글의 내용 및 핵심 소재 파악
사람마다 협상에서 신경 쓰는 이슈에는 차이가 있으며, 이러한 이슈들을 알아보는 것은 중요함

KEY 2 연결사, 지시어 등의 단서로 흐름 파악
(C) ① 단서: For example ➡ 주어진 글의 these issues에 대한 예시 제시
② 내용: 협상에서 상대방만이 특히 신경 쓰는 이슈의 예시를 들며 이러한 이슈를 아는 것이 귀중한 정보임을 재강조

(A) ① 단서: For example ➡ (C)에서 언급한 예시의 상황 속에 대한 또 다른 예시를 제시
② 내용: 상대방이 원하는 대로 일을 한 달 일찍 시작하는 대신 더 큰 보너스를 받을 수도 있음을 언급

(B) ① 단서: Similarly ➡ 비슷한 상황의 또 다른 예시를 제시하여 (A)의 내용을 뒷받침
② 내용: 상대방이 집을 빨리 처분하길 원할 때, 그것에 동의하여 혜택을 받았음을 언급

해석

❶협상에서, 여러분은 신경을 쓰지 않지만 상대편에서는 매우 신경을 쓰는 이슈들이 흔히 있을 것이다! ❷이러한 이슈들을 알아보는 것은 중요하다. (C) ❸예를 들어, 여러분은 언제 새로운 직장 생활을 시작하는지 신경 쓰지 않을 수도 있다. ❹그러나 장차 여러분의 상사가 될 사람이 여러분이 가능한 한 빨리 일을 시작하기를 강력히 원한다면, 그것은 귀중한 정보이다. (A) ❺이제 여러분은 그 사람이 소중하게 생각하는 (여러분은 손해를 보지 않는) 무언가를 제공하고 그 보답으로 가치 있는 어떤 것을 얻을 수 있다. ❻예를 들어, 여러분은 한 달 더 일찍 일을 시작하고 더 큰 보너스를 받을 수도 있다. (B) ❼마찬가지로, 내가 집을 구매했을 때, 판매자는 가능하면 빨리 거래를 매듭짓는 것에 매우 관심이 있었다. ❽그래서 나는 한 달 더 일찍 거래를 매듭짓는 것에 동의했고, 판매자는 더 낮은 가격에 동의했다.

해설

주어진 글에서 협상 시에 상대방만이 신경 쓰는 이슈들은 중요한 정보라고 했다. (C)에서 그 예로 새로운 직장 생활의 시작 시기와 관련된 이야기를 하고, 그것의 부연 설명인 (A)가 이어진 후 (A)와 비슷한 상황의 추가 사례를 제시하는 (B)가 와야 자연스럽다. 따라서 이어질 글의 순서로 가장 적절한 것은 ④ (C) – (A) – (B)이다.

오답 노트

① (A) – (C) – (B) ➡ (A)는 (C)에 대한 부연 설명이므로 (C)보다 앞서 나오는 것은 자연스럽지 않다.
② (B) – (A) – (C) / ③ (B) – (C) – (A) / ⑤ (C) – (B) – (A) ➡ (B)는 (A)에 제시된 사례와 유사한 추가 사례이므로 (A)보다 뒤에 와야 자연스럽다.

구문 해설

❶In negotiation, there often will be issues **that** you do not care about — but **that** the other side cares about very much!
that은 둘 다 issues를 선행사로 받는 목적격 관계대명사이다.

❹But **if** your potential boss strongly prefers that you start **as soon as possible**, that's valuable information.
if는 '만약 ~라면'이라는 뜻으로 조건의 부사절을 이끄는 접속사이다.
as soon as possible은 〈as+부사의 원급+as possible〉의 형태로 '가능한 한 빨리'라는 뜻이며 〈as+부사의 원급+as+주어+can〉으로 바꿔 쓸 수 있다. (= as soon as you can)

More & More

2 자신은 신경을 쓰지 않지만 상대편에서는 신경을 쓰는 이슈들을 알아보는 것이 협상에 중요하다는 내용이다. 따라서 글의 요지로 가장 적절한 것은 ④이다.

주어진 문장 위치 파악하기

• 본문 110쪽

대표 예제

해석 ❷자연계는 예술과 문학에서 사용되는 상징의 풍부한 원천을 제공한다. ❸식물과 동물은 전 세계의 신화, 춤, 노래, 시, 의식, 축제 그리고 기념일의 중심에 있다. ❹각기 다른 문화는 주어진 종에 대해 상반되는 태도를 보일 수 있다. ❺예를 들어, 뱀은 일부 문화에서는 숭배되고 다른 문화에서는 증오를 받는다. ❻쥐는 유럽과 북아메리카의 많은 지역에서 유해 동물로 여겨지고, 인도의 일부 지역에서는 매우 중시된다. ❶물론 (같은) 문화 내에서 개인의 태도는 극적으로 다를 수 있다. ❼예를 들어, 영국에서는 많은 사람들이 설치류를 싫어하지만, 설치류는 National Mouse Club과 National Fancy Rat Club과 같은 몇몇 협회에 의해 헌신적으로 길러진다.

어휘 **dramatically** 극적으로 **symbol** 상징 **central** 중심인, 중심의 **mythology** 신화 **poetry** 시 **ritual** 의식, 의례 **exhibit** 보이다; 전시하다 **opposite** 상반되는; 반대의 **species** 종(생물 분류의 기초 단위) **honor** 숭배하다 **breed** 기르다(-bred-bred) **devotion** 헌신 **association** 협회

READING 1 ~ 4

• 본문 112~115쪽

More & More

		More & More
1	②	1 learn 2 ⑤
2	②	1 complement 2 ②
3	⑤	1 Group work, instruction 2 ③
4	③	1 reduce, positive 2 ⑤

1

답 ②

유형 해결 전략

❶When you reach puberty, / however, / sometimes these forever-friendships / go through growing pains.
(시간 접속사(~할 때) / 빈도부사 / 주어 / ~을 겪다 / growing pain: 성장통)
사춘기가 되면 / 그러나 / 때로는 이런 아주 오래 된 우정이 / 성장통을 겪는다

KEY 1 주어진 문장 파악
시간 부사절 다음의 however로 보아 사춘기가 된 후의 상황을 앞선 내용과 대조하는 내용임을 파악

❷[Childhood friends who you've known forever] / are really special. (①)
(주어부 핵심 주어 / 주격 관계대명사 / 현재완료(계속 용법) / 복수 동사)
아주 오랫동안 알고 지낸 어린 시절의 친구들은 / 정말 특별하다

❸They know everything about you, / and you've shared lots of things / that you did for the first time. (❷)
(= Childhood friends / 현재완료(계속 용법) = a lot of / 주격 관계대명사)
그들은 여러분에 관한 모든 것을 알고 있다 / 그리고 여러분은 많은 일들을 공유해 왔다 / 여러분이 처음으로 했던

❹You find / that you have less in common / than you used to. (③)
(명사절 접속사(동사 find의 목적어) / little의 비교급 / 〈used to+동사원형〉: ~하곤 했다)
여러분은 알게 된다 / 공통으로 지닌 것이 더 적다는 것을 / 예전에 그랬던 것보다

KEY 2 문장 간 흐름 파악
아주 오래 된 친구들은 처음 하는 많은 일들을 공유할 정도로 특별하며 서로 모든 것을 알고 있음

❺Maybe / you're into rap and she's into pop, / or you go to different schools / and have different groups of friends. (④)
(be into: ~을 좋아하다 / you 생략)
어쩌면 / 여러분은 랩을 좋아하고 그 친구는 팝을 좋아한다 / 또는 서로 다른 학교에 다닌다 / 그리고 서로 다른 무리의 친구들을 사귈 것이다

KEY 3 문장 간 연결 고리 파악
오래 된 친구 간에 예전보다 공유하는 것이 더 적어진다는 말과 함께 관심사가 다른 친구들에 대한 내용이 이어지면서 논리의 비약이 발생
➡ 주어진 문장이 글의 흐름을 바꾸는 연결 고리임을 파악

❻Change can be scary, / but remember: / Friends, even best friends, / don't have to be exactly alike. (⑤)
(명령문 / 주어 / ~할 필요 없다(= need not))
변화가 무서울 수도 있다 / 하지만 기억하라 / 친구들, 심지어 가장 친한 친구들도 / 완전히 똑같을 필요는 없다는 것을

❼Having friends with other interests / keeps life interesting / — just think of / what you can learn from each other.
(동명사구 주어 / 단수 동사 / 〈keep+목적어+목적격보어(형용사)〉 / 관계대명사)
관심사가 다른 친구들을 갖는 것은 / 삶을 흥미롭게 한다 / 그저 생각해 보라 / 서로에게서 배울 수 있는 것에 대해

* puberty: 사춘기

해석

❷아주 오랫동안 알고 지낸 어린 시절의 친구들은 정말 특별하다. ❸그들은 여러분에 관한 모든 것을 알고 있으며, 여러분은 여러분이 처음으로 했던 많은 일들을 공유해 왔다. ❶그러나 사춘기가 되면, 때로는 이런 아주 오래 된 우정이 성장통을 겪는다. ❹여러분은 예전보다 공통으로 지닌 것이 더 적다는 것을 알게 된다. ❺어쩌면 여러분은 랩을 좋아하는데 그 친구는 팝을 좋아한다거나, 서로 다른 학교에 다니며 서로 다른 무리의 친구들을 사귈 것이다. ❻변화가 무서울 수도 있지만, 친구들, 심지어 가장 친한 친구들도 완전히 똑같을 필요는 없다는 것을 기억하라. ❼관심사가 다른 친구들을 갖는 것은 삶을 흥미롭게 하니, 그저 서로에게서 배울 수 있는 것에 대해 생각해 보라.

해설

②의 앞까지는 오래 된 친구 관계의 특별한 점에 대해 언급하다가 ②의 뒤에서는 그 오래 된 친구 관계에서 달라지는 점과 변화들에 대한 내용이 이어지므로, 역접의 접속사와 함께 변화의 시점을 나타내는 문장이 필요하다. 따라서 주어진 문장이 들어가기에 가장 적절한 곳은 ②이다.

오답 노트

① ➡ 오래 된 친구가 왜 특별한지에 대한 설명으로, ①의 앞·뒤 문장이 서로 자연스럽게 이어진다.
③ ➡ 전보다 공유하는 것들이 적어진 것을 알게 된다고 하며, 그 예시들을 언급하는 뒤 문장으로 자연스럽게 이어진다.
④ ➡ 앞에서 말한 변화들이 겁나긴 하지만 친구라고 해서 똑같을 필요는 없다는 말이 전개된다.
⑤ ➡ 앞 문장을 부연 설명하며 친구들끼리 관심사가 다르면 삶이 흥미로워진다는 마무리로 이어진다.

구문 해설

❷ **Childhood friends who** you'**ve known** forever **are** really special.
who는 Childhood friends를 선행사로 받는 목적격 관계대명사이다. 선행사 Childhood friends는 관계대명사절의 꾸밈을 받는 문장의 핵심 주어이므로 동사는 복수형 are가 쓰였다. have known은 '(계속) 알아왔다'라는 뜻이므로 현재완료의 계속 용법으로 쓰였다.

❹ You find **that** you have less in common than you **used to.**
that은 동사 find의 목적어 역할을 하는 명사절 접속사이고, 〈used to+동사원형〉은 '(과거에) ~하곤 했다'라는 뜻으로 과거의 규칙적인 습관이나 상태를 나타내는데, 여기서는 used to 뒤에 동사원형인 have가 생략되어 있다.

More & More

1 관심사가 다른 친구와 사귀는 것은 삶을 흥미롭게 유지시킨다고 하면서 서로에게서 배울 수 있는 것들을 생각해 보라고 했다.
2 가장 친한 친구라도 모든 것이 같을 필요는 없으며 관심사가 다른 친구와 사귀는 것은 삶을 흥미롭게 한다는 내용이다. 따라서 글의 요지로 가장 적절한 것은 ⑤이다.

2

답 ②

❶This may have worked in the past, / but today, / with interconnected team processes, / we don't want all people who are the same.

〈may have+과거분사〉: ~이었을지도 모른다 / ~로 인해(원인, 이유) / 주격 관계대명사

이것이 과거에는 효과가 있었을지도 모른다 / 하지만 오늘날에는 / 상호 연결된 팀의 업무 과정으로 인해 / 우리는 전원이 똑같은 사람이기를 원치 않는다

❷Most of us have hired many people / based on human resources criteria / along with some technical and personal information. (①) ❸I have found / that most people like to hire people just like themselves. (❷) ❹In a team, / some need to be leaders, / some need to be creative, / some need to be inspirers, / and so on. (③) ❺In other words, / we are looking for a diversified team / where members complement one another. (④) ❻When we hire team members, / we need to look into / how their strengths complement the team. (⑤) ❼The bigger the team, / the more possibilities exist for diversity.

현재완료 / ~에 근거하여 / ~와 더불어 / 현재완료 / 명사절 접속사(동사 have found의 목적어) / 재귀 용법 / 다시 말해서 / 선행사 / 관계부사 / (셋 이상) 서로 / 주의 깊게 보다 / 간접의문문: 〈의문사+주어+동사〉 어순 / 〈the+비교급 ~, the+비교급 …〉: ~하면 할수록 더 …하다

우리 대부분은 많은 사람을 고용해 왔다 / 인적 자원 기준에 근거하여 / 어떤 전문적인 정보와 개인 정보와 더불어 / 나는 알게 되었다 / 대부분의 사람이 자신과 똑 닮은 사람을 고용하고 싶어 한다는 것을 / 팀 내에서 / 어떤 사람은 지도자일 필요가 있다 / 어떤 사람은 창의적일 필요가 있다 / 어떤 사람은 사기를 불어넣는 사람일 필요가 있다 / 그리고 등등 / 다시 말해서 / 우리는 다양화된 팀을 찾고 있다 / 구성원들이 서로를 보완해 주는 / 우리가 / 팀 구성원을 고용할 때 / 우리는 주의 깊게 볼 필요가 있다 / 그들의 강점이 어떻게 팀을 보완하는지 / 팀이 크면 클수록 / 다양함의 가능성이 더 많이 / 존재한다

* criteria: 기준

유형 해결 전략

KEY 1 주어진 문장 파악
과거와 달리 요즘에는 팀원들이 같은 성향이길 바라지 않는다는 내용이므로 This가 가리키는 것은 이와 대조되는 내용임을 파악

KEY 2 문장 간 흐름 파악
과거에는 전문적인 정보 및 개인 정보와 같은 인적 자원 기준에 근거해 자신과 닮은 사람을 고용하고자 하는 양상을 보였음

KEY 3 문장 간 연결 고리 파악
팀 내에는 여러 역할이 있으므로 각 역할을 수행할 수 있는 다양한 개인이 필요하다는 흐름이 이어지며 논리적 비약이 생김 ➡ 주어진 문장이 글의 흐름을 다양성 추구에 대한 내용으로 바꿀 연결 고리임을 파악

해석

❷우리 대부분은 어떤 전문적인 정보 및 개인 정보와 더불어, 인적 자원 기준에 근거하여 많은 사람을 고용해 왔다. ❸나는 대부분의 사람이 자신과 똑 닮은 사람을 고용하고 싶어 한다는 것을 알게 되었다. ❶이것이 과거에는 효과가 있었을지도 모르지만, 오늘날에는 상호 연결된 팀의 업무 과정으로 인해 우리는 전원이 똑같은 사람이기를 원치 않는다. ❹팀 내에서는, 어떤 사람은 지도자일 필요가 있고, 어떤 사람은 창의적일 필요가 있으며, 어떤 사람은 사기를 불어넣는 사람 등등일 필요가 있다. ❺다시 말해서, 우리는 구성원들이 서로를 보완해 주는 다양화된 팀을 찾고 있다. ❻우리가 팀 구성원을 고용할 때 우리는 그들의 강점이 우리 팀을 어떻게 보완하는지 주의 깊게 볼 필요가 있다. ❼팀이 크면 클수록 다양함의 가능성이 더 많이 존재한다.

해설

②의 앞에서는 과거에 서로 비슷한 성향의 사람들을 고용하고자 하는 경향이 있었다고 하는 반면, ②의 뒤에서는 팀 내의 여러 가지 역할을 수행하도록 개인의 다양성을 중시하며 상호 보완할 수 있는 팀 구성원을 고용하는 내용이 이어진다. 따라서 주어진 문장이 들어가기에 가장 적절한 곳은 ②이다.

오답 노트

① ➡ 과거에 팀원을 고용할 때 중요시했던 부분에 대한 부연 설명이 이어지고 있다.

③ ➡ 연결사인 In other words로 앞 문장을 보충하는 내용이 이어진다.

④, ⑤ ➡ 팀 구성원을 고용할 때 팀을 보완하는 사람을 필요로 하며, 팀이 커질수록 다양성의 여지가 더 많아진다는 내용으로 이어진다.

구문 해설

❶This **may have worked** in the past, but today, ~ all people **who** are the same.

may have worked는 〈조동사 may+have+과거분사〉의 형태로, '~했을지도 모른다'라는 뜻으로 과거의 사실에 대한 약한 추측을 나타낸다. who는 all people을 선행사로 받는 주격 관계대명사이다.

❺In other words, we are looking for **a diversified team where** members complement one another.

관계부사 where의 선행사인 a diversified team을 여기서는 공간적인 의미로 보아 '장소'의 선행사로 받았다.

❼**The bigger** the team, **the more** possibilities exist for diversity.

〈the+비교급(+주어+동사), the+비교급(+주어+동사)〉의 형태로 '~하면 할수록 더 …하다'라는 뜻을 나타낸다.

More & More

1 만약 여러분과 똑 닮은 사람들을 고용한다면, 구성원들은 서로를 '보완해' 줄 수 없다.

2 서로를 보완해 주는 다양한 구성원을 고용해야 한다고 했으므로 글의 요지로 가장 적절한 것은 ②이다.

3

● 본문 114쪽

답 ⑤

❶Yet libraries must still provide quietness / for study and reading, / because many of our students want / a quiet study environment.
~해야 한다(= have to) / 이유 접속사(~ 때문에) / 〈many of+복수 명사〉 / 복수 동사
그러나 도서관은 여전히 조용함을 제공해야 한다 / 공부와 독서를 위한 / 많은 학생들이 원하기 때문에 / 조용한 학습 환경을

❷Acoustic concerns / in school libraries / are much more complex today / than they were in the past. (①) ❸Years ago, / before electronic resources, / we had only to deal with noise / produced by people. (②) ❹Today, / computers, printers, and other equipment / have added machine noise. (③) ❺People noise has also increased, / because of group work and instruction. (④) ❻So, / the modern school library / is no longer the quiet zone / it once was. (❺) ❼Considering this need for library surroundings, / it is important to design spaces / where noise can be eliminated / or at least kept to a minimum.

비교급 강조 / 비교급 표현 / 〈have only+to부정사〉: ~하기만 하면 되다 / ~을 처리하다 / 과거분사구 / 현재완료 / 〈because of+명사(구)〉: ~ 때문에 / 더 이상 ~이 아닌(= not anymore) / the quite zone 생략 / 비인칭 독립분사구문 / 가주어 / 진주어 / 관계부사 / 적어도

소리에 대한 염려는 / 학교 도서관에서 / 오늘날 훨씬 더 복잡하다 / 과거에 그랬던 것보다 / 오래 전 / 전자 장비들 전에 / 우리는 소음을 처리하기만 하면 되었다 / 사람들에 의해 만들어지는 / 오늘날에는 / 컴퓨터, 프린터 그리고 다른 장비들이 / 기계 소음을 더했다 / 사람들의 소음도 또한 증가했다 / 그룹 과제와 (교사의) 설명 때문에 / 그래서 / 현대의 학교 도서관은 / 더 이상 조용한 구역이 아니다 / 한때 그랬던 / 도서관 환경에 대한 이러한 요구를 고려하면 / 공간을 / 만드는 것이 중요하다 / 소음이 제거될 수 있거나 / 적어도 최소한으로 / 유지될 수 있는

* acoustic: 소리의

유형 해결 전략

KEY 1 주어진 문장 파악
접속사 Yet을 통해 '도서관은 조용한 학습 환경을 제공해야 한다'는 주어진 문장의 내용과 대조되는 흐름이 앞에 와야 함을 파악

KEY 2 문장 간 흐름 파악
학교 도서관 소음 관련 문제는 오늘날 더 복잡해졌고, 예전에는 사람들의 소음만 있었으나 오늘날에는 기계 소음도 있으며 사람들의 소음도 증가하여 더 이상 도서관은 조용한 구역이 아님

KEY 3 문장 간 연결 고리 파악
this need가 가리키는 것이 주어진 문장에 언급된 '도서관은 여전히 조용한 학습 환경을 제공해야 한다.'는 요구임을 파악 ➡ 주어진 문장이 마지막 문장의 내용으로 이어지는 연결 고리임을 파악

해석

❷학교 도서관에서 소리에 대한 염려는 오늘날 과거에 그랬던 것보다 훨씬 더 복잡하다. ❸오래 전, 전자 장비들 전에는, 사람들이 만들어 내는 소음을 처리하기만 하면 되었다. ❹오늘날에는, 컴퓨터, 프린터 그리고 다른 장비들이 기계 소음을 더했다. ❺그룹 과제와 (교사의) 설명 때문에, 사람들의 소음도 또한 증가했다. ❻그래서 현대의 학교 도서관은 더 이상 한때 그랬던 것처럼 조용한 구역이 아니다. ❶그러나 많은 학생들이 조용한 학습 환경을 원하기 때문에, 도서관은 여전히 공부와 독서를 위한 조용함을 제공해야 한다. ❼도서관 환경에 대한 이러한 요구를 고려할 때, 소음이 제거되거나 적어도 최소한으로 유지될 수 있는 공간을 만드는 것이 중요하다.

해설

주어진 문장의 Yet을 통해 앞과 상반되는 내용임을 알 수 있으며, ⑤의 다음 문장에 나온 this need는 주어진 문장에서 언급된 '조용한 학습 환경'에 대한 학생들의 요구를 가리킨다. 따라서 주어진 문장이 들어가기에 가장 적절한 곳은 ⑤이다.

오답 노트

① ➡ 학교 도서관에서의 소리에 대한 염려가 오늘날 더 복잡하다는 내용에 이어 과거에는 어땠는지를 말하는 내용이다.

② ➡ 과거 소음에 대한 내용에 이어 오늘날의 소음에 대한 내용이 이어진다.

③ ➡ 오늘날에는 기계 소음이 더해진 것뿐만 아니라 사람들의 소음도 증가했다는 내용으로 흐름이 이어진다.

④ ➡ 앞서 나온 내용을 받아 이러한 이유로 현대의 학교 도서관은 조용한 공간이 아니라는 내용이 이어진다.

구문 해설

❷Acoustic concerns in school libraries are **much** more complex today than they were in the past.

much는 비교급 앞에 쓰여 '훨씬'이라는 뜻으로 비교급을 강조하는 부사이며, a lot, far, still, even 등으로 바꿔 쓸 수 있다.

❼**Considering** this need for library surroundings, **it** is important **to design** spaces **where** noise can be ~.

Considering은 분사구문의 주어가 일반인(we)인 경우로, 주절의 주어와 분사구문의 주어가 일치하지 않아도 주어를 생략하는 비인칭 독립분사구문이며, '~을 고려하면', '~을 고려할 때'로 해석한다. it은 가주어이고, to design 이하는 진주어이다. where는 장소의 선행사 spaces를 꾸며 주는 관계부사이다.

More & More

1 '그룹 과제'와 '(교사)의 설명'은 학교 도서관에서 사람들의 소음을 증가시켰다.

2 도서관의 소음이 늘어났지만 여전히 많은 학생들이 조용한 환경을 원한다고 했다. 따라서 빈칸 (A), (B)에 들어갈 말로 가장 적절한 것은 ③ 'increased(늘어나다) – quiet(조용한)'이다.

4

● 본문 115쪽

답 ③

❶In addition to positive comments, / the director and manager will undoubtedly have comments / about what still needs work.
~뿐만 아니라 / 관계대명사
긍정적인 의견뿐만 아니라 / 총감독과 부감독은 의심할 바 없이 의견을 가지고 있을 것이다 / 여전히 작업이 필요한 부분에 대한

❷After the technical rehearsal, / the theater company will meet / with the director, technical managers, and stage manager / to review the rehearsal.
시간 접속사(~ 후에) / 부사적 용법(목적)
테크니컬 리허설(기술 연습) 후에 / 극단은 만날 것이다 / 총감독, 기술 감독들 그리고 무대 감독과 / 리허설을 검토하기 위해

❸Usually there will be comments / about all the good things / about the performance. (①)
유도부사구
보통은 의견이 있을 것이다 / 온갖 좋은 것들에 관한 / 공연에 대한

❹The positive comments / about their own personal contributions / are as worthy of note as those / directed toward the crew and the entire company. (②)
~할 만한 가치가 있는 / 〈as+형용사[부사]의 원급+as〉: ~만큼 …한 / = positive comments
긍정적인 의견은 / 그들의 개인적인 기여에 대한 / 긍정적인 의견만큼 주의를 기울일 가치가 있다 / 단원들과 극단 전체를 향한

❺Building on positive accomplishments / can reduce nervousness. (❸)
동명사구 주어 / build on: ~을 바탕으로 하다
긍정적인 성과를 바탕으로 하는 것은 / 긴장감을 줄일 수 있다

❻Sometimes, / these negative comments / can seem overwhelming and stressful. (④)
〈seem+형용사〉: ~처럼 보이다
때때로 / 이러한 부정적인 의견은 / 당황스럽고 스트레스를 주는 것처럼 보일 수 있다

❼Time pressures / to make these last-minute changes / can be a source of stress. (⑤)
형용사적 용법
시간적 압박은 / 이렇게 마지막 순간에 변경을 해야 하는 / 스트레스의 원인이 될 수 있다

❽Take each suggestion / with good humor and enthusiasm / and tackle each task one by one.
명령문$_1$ / 명령문$_2$ / 하나씩(차례차례)
각 제안을 받아들여라 / 좋은 기분으로 그리고 열정을 가지고 / 그리고 각 과제를 하나씩 해결해 나가라

유형 해결 전략

KEY 1 주어진 문장 파악
In addition to positive comments로 보아 주어진 문장의 앞에는 긍정적인 의견에 대한 내용이 있었음을 추측

KEY 2 문장 간 흐름 파악
공연 전 기술 리허설 뒤에는 보통 긍정적인 의견이 주어지며, 이러한 긍정적인 성과를 통해 긴장감을 줄일 수 있다고 함

KEY 3 문장 간 연결 고리 파악
앞과 상반되는 내용인 부정적인 의견에 관한 흐름이 이어지며 논리적 비약이 발생 ➡ (③) 뒤의 these negative comments가 가리키는 것이 주어진 문장의 comments about what still needs work임을 파악 ➡ 주어진 문장이 글의 흐름을 부정적인 의견에 대한 설명으로 바꾸는 연결 고리임을 파악

해석

❷테크니컬 리허설(기술적인 부분의 연습) 후에, 극단은 리허설을 검토하기 위해 총감독, 기술 감독들, 그리고 무대 감독과 만날 것이다. ❸보통은 공연에 대한 온갖 좋은 것들에 관한 의견이 있을 것이다. ❹그들의 개인적인 기여에 대한 긍정적인 의견은 단원들과 극단 전체를 향한 긍정적인 의견만큼 주의를 기울일 가치가 있다. ❺긍정적인 성과를 바탕으로 하는 것은 긴장감을 줄일 수 있다. ❶긍정적인 의견뿐만 아니라, 총감독과 부감독은 의심할 바 없이 여전히 작업이 필요한 부분에 대한 의견도 가지고 있을 것이다. ❻때때로, 이러한 부정적인 의견은 당황스럽고 스트레스를 주는 것처럼 보일 수 있다. ❼이렇게 마지막 순간에 변경을 해야 하는 시간적 압박은 스트레스의 원인이 될 수 있다. ❽각 제안을 좋은 기분으로 그리고 열정을 가지고 받아들이고 각 과제를 하나씩 해결해 나가라.

해설

③의 앞 문장에서는 긍정적인 피드백에 대한 이야기를 하다가 갑자기 ③의 뒤에서 부정적인 의견에 대해 언급하고 있다. 따라서 주어진 문장이 들어가기에 가장 적절한 곳은 ③이다.

오답 노트

①, ② ➡ 공연 리허설 후의 긍정적인 의견에 관한 내용들이 서로 자연스럽게 이어진다.
④, ⑤ ➡ 부정적인 의견은 스트레스를 줄 수도 있지만 좋은 기분과 열정으로 이를 받아들이라는 흐름으로 자연스럽게 이어진다.

구문 해설

❶~, the director and manager will undoubtedly have comments about **what** still needs work.
what은 '~하는 것'이라는 뜻으로 선행사를 포함하는 관계대명사이며, 전치사 about의 목적어 역할을 하는 절을 이끈다.

❼Time pressures **to make** these last-minute changes can be a source of stress.
to make는 앞의 명사구 Time pressures를 꾸며 주는 to부정사의 형용사적 용법으로 쓰였다.

More & More

1 긴장감을 '줄이기' 위해서는 '긍정적인' 성과를 바탕으로 하는 것이 도움이 될 수 있다.

2 극단이 리허설 후에 관계자들로부터 받는 피드백의 종류에 따른 주의할 점을 나타내는 글이다. 따라서 글의 제목으로 가장 적절한 것은 ⑤ '극단이 리허설 피드백에서 주의해야 할 것'이다.
① 시간적 압박을 제거하는 방법
② 개인적인 기여의 중요성
③ 리허설을 통해 확인해야 할 것들
④ 큰 무대를 앞두고 강한 팀 정신을 만드는 법

요약문 완성하기

• 본문 118쪽

대표 예제

❶ 협동에는 진화적이거나 문화적인 많은 이유가 있다. ❷ 가장 중요한 협동 수단 중 하나는 눈이다. ❸ 시선의 마주침은 우리가 차량 운행 중에 잃는 가장 강력한 인간의 힘일지도 모른다. ❹ 그것이 보통은 인간이 꽤 협동적인 종임에도 불구하고, 도로에서 그렇게 비협조적이 될 수 있는 거의 틀림없는 이유이다. ❺ 대부분의 시간에 우리는 너무 빨리 움직이고 있어서, 시속 20마일 정도에서 시선을 마주치는 능력을 잃기 시작하거나, 혹은 (서로를) 보는 것이 안전하지 않다. ❻ 어쩌면 우리의 시야가 차단되어 있을 수도 있다. ❼ 흔히 다른 운전자들이 선글라스를 끼고 있거나, 그들의 차에는 색이 옅게 들어간 창문이 있을 수 있다. ❽ 때로 우리는 백미러를 통해 시선을 마주치지만, '얼굴을 마주하고 있는 것'이 아니기 때문에 그것은 약하게, 처음에는 전혀 믿을 수 없게 느껴진다.

➡ ❾ 운전하는 동안, 사람들은 (A) 비협조적이 되는데, 왜냐하면 그들이 (B) 거의 시선을 마주치지 않기 때문이다.

evolutionary 진화적인 **means** 수단 **eye contact** 시선의 마주침 **force** 힘 **arguably** 거의 틀림없이; 주장하건데 **noncooperative** 비협조적인 **cooperative** 협조적인 **rearview mirror** (자동차의) 백미러

READING 1~4

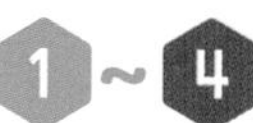

• 본문 120~123쪽

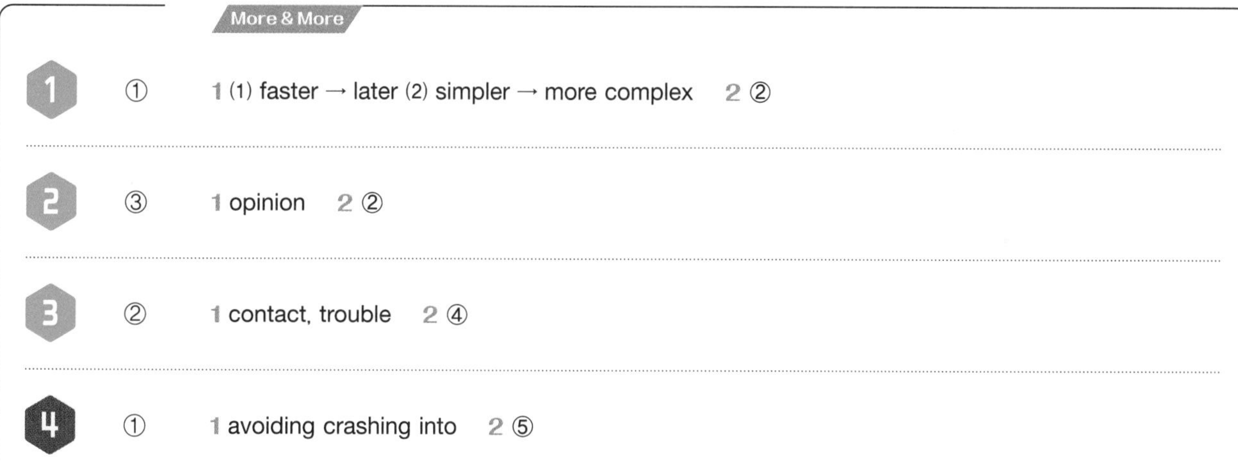

		More & More
1	①	1 (1) faster → later (2) simpler → more complex 2 ②
2	③	1 opinion 2 ②
3	②	1 contact, trouble 2 ④
4	①	1 avoiding crashing into 2 ⑤

1

• 본문 120쪽

답 ①

유형 해결 전략

❶Crows are a remarkably clever family of birds. ❷They can solve many more complex problems / when they're compared to other birds, / such as chickens. ❸After hatching, / chickens are able to peck / for their own food. ❹On the other hand, / crows rely on / the parent bird for food / in the nest. ❺However, / as adults, / chickens have very limited hunting skills, / while crows are much more flexible / in hunting for food. ❻Crows also end up with / bigger and more complex brains. ❼Their extended period / between hatching and leaving the nest / enables them to develop intelligence.

까마귀는 놀랄 만큼 영리한 조류이다 / 그들은 더 복잡한 많은 문제들을 해결할 수 있다 / 그들이 다른 새들과 비교될 때 / 닭과 같은 / 부화한 후에 / 닭은 쪼아 먹을 수 있다 / 자신들의 먹이를 / 반면에 / 까마귀는 의존한다 / 먹이를 위해 부모 새에게 / 둥지에서 / 하지만 / 다 자랐을 때 / 닭은 매우 제한적인 사냥 기술을 지닌다 / 까마귀는 훨씬 더 유연한 반면에 / 먹이를 찾는 데 있어서 / 까마귀는 또한 결국 ~하게 된다 / 점점 더 크고 더 복잡한 뇌를 / 그들의 길어진 기간은 / 부화와 / 둥지를 떠남 사이에 / 그들이 지능을 발달시키는 것을 가능하게 한다

family of birds: 조류 / be compared to: ~와 비교하여 / such as: ~와 같은 / After hatching: 분사구문(시간) / rely on: ~에 의존하다 / as: 시간 접속사(~할 때) / while: 대조 접속사(~인 반면에) / much: 비교급 강조(훨씬) / end up: 결국 ~하게 되다(결과) / ⟨비교급+and+비교급⟩: 점점 더 ~한 / extended: 과거분사 / ⟨between A and B⟩: A와 B 사이에 / ⟨enable+목적어+목적격보어(to부정사)⟩

* peck: (모이를) 쪼아 먹다

➡ ❽Crows are more (A) intelligent than chickens / because crows have a longer period of (B) dependency.

까마귀는 닭보다 더 똑똑하다 / 왜냐하면 까마귀가 더 긴 의존 기간을 갖고 있기 때문이다

KEY 2 글의 핵심어 파악
까마귀는 닭과 같은 다른 새들보다 영리함

KEY 3 연구와 결과를 통해 글의 핵심 내용 파악
- 부모 새에 의존하는 기간이 긴 까마귀와 부화 후에 스스로 먹이를 쪼아 먹는 닭의 생태 비교 → 성년기의 까마귀는 닭에 비해 사냥 기술이 월등해짐을 밝힘 → bigger and more complex brains를 통해 까마귀의 높은 지능 파악 ➡ (A)의 단서
- 둥지에서 떠나기까지 상대적으로 긴 의존 기간이 까마귀의 지능을 발달시킴 ➡ (B)의 단서

KEY 1 요약문 읽고 글의 내용 예측
'까마귀는 닭보다 (A)하며, 이는 더 긴 (B)의 기간을 가졌기 때문이다'라는 내용

해석

❶까마귀는 놀랄 만큼 영리한 조류이다. ❷그들은 닭과 같은 다른 새들과 비교했을 때 더 복잡한 많은 문제들을 해결할 수 있다. ❸부화한 후에, 닭은 자신의 먹이를 쪼아 먹을 수 있다. ❹반면에, 까마귀는 먹이를 위해 둥지에서 부모 새에게 의존한다. ❺하지만, 다 자랐을 때 닭은 매우 제한적인 사냥 기술을 지니는 반면, 까마귀는 먹이를 찾는 데 있어서 훨씬 더 유연하다. ❻까마귀는 또한 결국 점점 더 크고 더 복잡한 뇌를 가지게 된다. ❼그들의 부화와 둥지를 떠나는 것 사이에 길어진 기간은 그들이 지능을 발달시키는 것을 가능하게 해 준다.
➡ ❽까마귀는 더 긴 (B) 의존의 기간을 가지고 있기 때문에 닭보다 더 (A) 똑똑하다.

해설

까마귀는 닭과 달리 부모 새에게 의존하는 기간이 긴데, 그 결과 성년기에 이르면 더 크고 복잡한 뇌를 가지게 되고, 지능이 높아진다는 내용이다. 따라서 요약문의 빈칸에 들어갈 말로 가장 적절한 것은 ① 'intelligent(똑똑한) – dependency(의존)'이다.

오답 노트

② 수동적인 – 의존 ➡ 부모 새에게 먹이를 의존한다는 내용에서 '수동적인'을 고를 수는 있으나, 글을 요약하기에는 다소 충분하지 않다.
③ 이기적인 – 경쟁 ➡ 까마귀가 '경쟁' 기간이 길어서 '이기적'이라는 내용은 언급되지 않았다.
④ 똑똑한 – 경쟁 ➡ 까마귀가 '똑똑한' 것은 '경쟁' 기간이 길어서가 아니라 '의존' 기간이 길어서이다.
⑤ 수동적인 – 사냥 ➡ 까마귀가 '수동적인' 것은 '사냥' 기간이 길어서라는 내용은 언급되지 않았다.

구문 해설

❸ **After hatching**, chickens are able to peck for their own food.
After hatching은 시간을 나타내는 분사구문으로, 접속사의 의미를 명확하게 하기 위해 접속사를 생략하지 않았으며 After they hatch인 절로 바꿔 쓸 수 있다.

❻ Crows also end up with **bigger and more complex** brains.
bigger and more complex는 ⟨비교급+and+비교급⟩의 형태로 '점점 더 크고 더 복잡한'이라는 뜻이다.

❼ **Their extended period** between hatching and leaving the nest **enables them to develop** intelligence.
주어는 Their extended period, 동사는 enables이고, between ~ the nest는 주어를 꾸며 주는 전치사구이다. enables them to develop은 ⟨enable+목적어+목적격보어⟩의 형태인 5형식으로, 동사 enables의 목적격보어로 to부정사 to develop이 쓰였다.

More & More

1 까마귀는 닭보다 '더 늦게' 자신들의 먹이 사냥에 나서지만 결국 '더 복잡한' 뇌를 가지게 된다.
2 까마귀는 먹이를 가져다주는 부모 새에게 의존하는 기간이 길다고 했으므로 ②는 글의 내용과 일치하지 않는다.

• 본문 121쪽

답 ③

❶In one experiment, / two groups of subjects observed / a person solve 30 multiple-choice problems. ❷In all cases, / 15 of the problems were solved correctly. ❸One group of subjects saw / the person solve more problems correctly / in the first half. ❹Another group saw / the person solve more problems correctly / in the second half. ❺The group / that saw the person perform better / on the initial examples / rated the person as more intelligent. ❻They also recalled / that he had solved more problems correctly / while the other group formed the opposite opinion. ❼Once an opinion on the initial set of data is formed, / when opposing evidence is presented / it can be discounted. ❽This is done / by attributing later performance to some other cause.

〈지각동사 observe+목적어+목적격보어(동사원형)〉 / 한 실험에서 / 두 집단의 실험자들은 관찰했다 / 한 사람이 30개의 선다형 문제를 푸는 것을 / 수동태 / 모든 경우에 / 15개의 문제가 정확하게 해결되었다 / 〈지각동사 see+목적어+목적격보어(동사원형)〉 / 한 실험 대상자 집단은 보았다 / 그 사람이 더 많은 문제를 정확하게 푸는 것을 / 전반부에 / 또 다른 실험 대상자 집단은 보았다 / 그 사람이 더 많은 문제를 정확하게 푸는 것을 / 후반부에 / 그 집단은 / 주격 관계대명사 / 그 사람이 더 잘 하는 것을 본 / 초반의 예제에서 / 〈rate A as B〉: A를 B로 평가하다(여기다) / 그 사람을 더 똑똑하다고 평가했다 / 명사절 접속사(동사 recalled의 목적어) / 과거완료 / 그들은 또한 기억했다 / 그가 더 많은 문제들을 정확하게 풀었다고 / 대조 접속사(~인 반면에) / 다른 집단이 반대 의견을 형성한 반면에 / 일단 ~하면 / 일단 초기 / 정보 집합에 대한 의견이 형성되면 / 반대되는 증거가 제시될 때 / 조동사가 포함되는 수동태 / 그것은 무시될 수 있다 / 이것은 행해진다 / 〈by+-ing〉: ~함으로써(수단, 방법) / 나중의 과제 수행을 다른 어떤 원인의 탓으로 돌림으로써

* subject: 실험 대상자 ** attribute ~ to ...: ~을 …의 탓으로 돌리다

➡ ❾People tend to form an opinion / based on (A) earlier data, / and when evidence against the opinion is presented, / it is likely to be (B) ignored.

~하는 경향이 있다 / ~에 근거한 / 사람들은 의견을 형성하는 경향이 있다 / 초반의 정보에 근거하여 / 그리고 그 의견에 대한 반대 증거가 제시될 때 / 〈be likely to+동사원형〉: ~하기 쉽다, ~할 것 같다 / 그것은 무시되기 쉽다

유형 해결 전략

KEY 2 글의 핵심어 파악
문제를 푸는 것을 관찰하는 두 실험 대상자 집단 ➡ 한 집단은 특정 인물이 전반부(in the first half)에 문제를 잘 푸는 모습을, 다른 집단은 후반부에(in the second half) 잘 푸는 모습을 관찰함

KEY3 연구와 결과를 통해 글의 핵심 내용 파악
- 첫 번째 집단은 그 사람을 더 똑똑하다(more intelligent)고 판단 → 실제보다 더 많은 문제들을 바르게 풀었다고 기억함 ➡ (A)의 단서
- 두 번째 집단은 반대의 의견을 형성함(formed the opposite opinion) → 반대되는 증거가 제시되어도 다른 원인의 탓이라고 무시함 ➡ (B)의 단서

KEY 1 요약문 읽고 글의 내용 예측
'사람들이 (A)의 정보에 근거하여 의견을 형성하는 경향이 있고, 그에 대한 반대 증거가 제시될 때 (B)하기 쉽다'는 내용

해석

❶한 실험에서, 두 집단의 실험자들은 한 사람이 30개의 선다형 문제를 푸는 것을 관찰했다. ❷모든 경우에, 15개의 문제가 정확하게 해결되었다. ❸한 실험 대상자 집단은 그 사람이 전반부에 더 많은 문제를 정확하게 푸는 것을 보았다. ❹또 다른 실험 대상자 집단은 그 사람이 후반부에 더 많은 문제를 정확하게 푸는 것을 보았다. ❺그 사람이 초반의 예제에서 더 잘 하는 것을 본 집단은 그 사람을 더 똑똑하다고 평가했다. ❻그들은 또한 그가 더 많은 문제들을 정확하게 풀었다고 기억했던 반면, 다른 집단은 그 반대의 의견을 형성했다. ❼일단 초기 정보 집합에 대한 의견이 형성되면, 반대되는 증거가 제시될 때 그것은 무시될 수 있다. ❽이것은 나중의 과제 수행을 다른 어떤 원인의 탓으로 돌림으로써 행해진다.
➡ ❾사람들은 (A) 초반의 정보에 근거하여 의견을 형성하는 경향이 있고, 그 의견에 대한 반대 증거가 제시될 때 그것은 (B) 무시되기 쉽다.

해설

실험의 두 집단 중 한 집단은 어떤 사람이 전반부에 문제를 정확하게 푸는 모습을, 다른 집단은 후반부에 정확하게 푸는 모습을 관찰했다. 이때 전자는 그 사람을 똑똑하다고 판단했던 반면, 후자는 그와 반대로 판단했다. 따라서 사람들은 '초반의' 정보에 근거하여 의견을 형성하며, 반대 증거는 '무시되기' 쉽다는 내용이므로, 요약문의 빈칸에 들어갈 말로 가장 적절한 것은 ③ 'earlier(초반의) – ignored(무시되기)'이다.

오답 노트

① 더 많은 – 받아들여지기 ② 더 많은 – 검증받기 ④ 초반의 – 받아들여지기 ⑤ 더 쉬운 – 무시되기

구문 해설

❶ ~ two groups of subjects **observed a person solve** 30 multiple-choice problems. ❸ One group of subjects **saw the person solve** ~.
observed a person solve와 saw the person solve는 〈지각동사(observe, see)+목적어+목적격보어〉의 형태인 5형식으로, 지각동사의 목적격보어로 모두 동사원형 solve가 쓰였다.

❼ ~ when opposing evidence is presented it **can be discounted**.
can be discounted는 〈조동사 can+be+과거분사〉의 형태로 조동사가 포함된 수동태이다.

More & More

1 일단 '의견'이 형성되면 그것을 바꾸기는 쉽지 않다.
2 해결된 문제는 15개이므로 ②는 글의 내용과 일치하지 않는다.

• 본문 122쪽

답 ②

❶Every year the number of people living in Africa and Asia increases.
〈the number of+복수 명사〉: 단수 취급(주어) 현재분사구 단수 동사
매년 아프리카와 아시아에 사는 사람들의 수가 증가한다
❷As the human populations grow, / their need for land and resources also increases.
~함에 따라
인구가 증가함에 따라 땅과 자원에 대한 필요성도 증가한다
❸By cutting the trees and building houses, / people change natural habitats into farmland.
〈by+-ing〉: ~함으로써
나무를 자르고 집을 지음으로써 사람들은 자연의 서식지를
〈change A into B〉: A를 B로 바꾸다
농경지로 바꾼다
❹Their homes stand in places / where elephants once lived.
선행사 관계부사
그들의 집은 장소에 서 있다 코끼리가 한때 살았던
❺Elephants seeking food and water / are forced to look elsewhere.
현재분사구 5형식 문장의 수동태
음식과 물을 찾는 코끼리들은 다른 곳을 볼 수밖에 없다
❻With farmland dotting the landscape, / elephants now cannot travel freely.
dot the landscape: 곳곳에[도처에] 산재하다
농경지가 곳곳에 산재해지면서 코끼리들은 이제 자유롭게 여행할 수 없다
❼Without the ability to migrate across the continent, / they are cut off / from elephant society.
형용사적 용법
대륙을 가로질러 이주할 능력이 없어
~을 막다, 차단하다
그들은 단절된다 코끼리 사회로부터
❽Furthermore, / sharing land / puts humans and elephants in closer contact.
첨가 연결어(게다가) 동명사(주어)
게다가 땅을 공유하는 것은
단수 동사
인간과 코끼리를 더 가깝게 접촉하도록 만든다
❾For some elephant populations, / this contact means trouble.
일부 코끼리 개체군에게 있어 이 접촉은 문제를 의미한다
❿Wild elephants have been seen with wounds / from bullets and other weapons.
현재완료 수동태
야생 코끼리는 상처와 함께 목격되어져 왔다. 총알과 다른 무기로 인한
⓫Some have lost their tusks / after being caught.
현재완료
몇몇은 그들의 상아를 잃었다
접속사가 있는 분사구문 (= after they were)
(사람들에게) 잡힌 후

* tusk: (코끼리 따위의) 엄니[상아]

➡ ⓬Growth of human populations / in Africa and Asia / leads to (A) expansion into elephant habitats, / limiting elephants' movement / along with (B) cruel acts done to them.
lead to: ~로 이어지다
인구 증가는 아프리카와 아시아의 코끼리 서식지로의 확장으로 이어지고
분사구문(= and it limits)
코끼리의 이동을 제한한다
= elephants
그들에게 가해지는 잔인한 행위와 함께

유형 해결 전략

KEY 2 글의 핵심어 파악
'아프리카와 아시아의 인구 증가'가 소재

KEY 3 원인과 결과를 통해 글의 핵심 내용 파악
• 인구의 증가로 땅과 자원의 필요성 증대 ➡ (A)의 단서
• 코끼리 서식지로 인간이 침범하여 코끼리의 이동이 제한되고, 사냥에 의해 코끼리가 피해를 입음 ➡ (B)의 단서

KEY 1 요약문 읽고 글의 내용 예측
'아프리카와 아시아의 인구 증가가 코끼리 서식지로의 (A)로 이어지고, 코끼리들에게 (B)한 행위가 가해지면서 코끼리의 이동을 제한한다'는 내용

해석

❶ 매년 아프리카와 아시아에 사는 사람들의 수가 증가한다. ❷ 인구가 증가함에 따라, 땅과 자원에 대한 필요성도 증가한다. ❸ 사람들은 나무를 자르고 집을 지음으로써 자연의 서식지를 농경지로 바꾼다. ❹ 그들의 집은 코끼리가 한때 살았던 장소에 서 있다. ❺ 음식과 물을 찾는 코끼리들은 다른 곳을 볼 수밖에 없다. ❻ 농경지가 곳곳에 산재해지면서 코끼리들은 이제 자유롭게 여행할 수 없다. ❼ 대륙을 가로질러 이주할 능력이 없어, 그들은 코끼리 사회로부터 단절된다. ❽ 게다가, 땅을 공유하는 것은 인간과 코끼리를 더 가깝게 접촉하도록 만든다. ❾ 일부 코끼리 개체군에게 있어, 이 접촉은 문제를 의미한다. ❿ 야생 코끼리는 총알과 다른 무기로 인한 상처와 함께 목격되었다. ⓫ 몇몇은 (사람들에게) 잡힌 후 엄니[상아]를 잃었다.
➡ ⓬ 아프리카와 아시아의 인구 증가는 코끼리 서식지로의 (A) 확장으로 이어지고, 이것은 그들에게 가해지는 (B) 잔인한 행위와 함께 코끼리의 이동을 제한한다.

해설

아프리카와 아시아의 인구가 증가함에 따라 코끼리 서식지까지 인간의 영역이 확장되면서 코끼리가 잔인한 피해를 입고 있다는 내용이다. 따라서 요약문의 빈칸에 들어갈 말로 가장 적절한 것은 ② 'expansion(확장) – cruel(잔인한)'이다.

오답 노트

① 확장 – 유용한 ③ 축소 – 잔인한 ④ 축소 – 불공평한 ⑤ 이동 – 유용한

구문 해설

❶ Every year **the number of people** living ~ **increases.**
〈the number of+복수 명사〉의 주어는 the number이므로 단수 동사 increases가 쓰였다. *cf.* 〈a number of+복수 명사〉는 a number of 뒤의 복수 명사가 주어이므로 복수 동사를 쓴다.

More & More

1 인간과 일부 코끼리의 '접촉'은 '문제'를 의미한다.
2 땅을 공유하는 것은 코끼리가 피해를 입게 하므로 ④는 글의 내용과 일치하지 않는다.

● 본문 123쪽

답 ①

유형 해결 전략

❶In a study, / psychologist Laurence Steinberg and his co-author, psychologist Margo Gardner / divided 306 people / into three age groups: / young adolescents, with an average age of 14; / older adolescents, with an average age of 19; / and adults, aged 24 and older. ❷Subjects played a computerized driving game / in which the player must avoid crashing into a wall / that appears, / without warning, / on the roadway. ❸Steinberg and Gardner randomly / assigned some participants to play alone / or with two same-age peers looking on. ❹On an index of risky driving, / the driving of older adolescents / was 1.5 times more dangerous, / and the driving of early ones was twice as reckless / when others were around. ❺In contrast, / adults behaved in similar ways / regardless of whether they were on their own / or observed by others.

* index: 지수 ** reckless: 무모한

➡ ❻The (A) presence of peers makes adolescents, / but not adults, / more likely to (B) take risks.

(한 연구에서 / 심리학자 Laurence Steinberg와 그의 공동 저자인 심리학자 Margo Gardner는 (동격) / 306명의 사람들을 나누었다 (〈divide A into B〉: A를 B로 나누다) / 세 연령 집단으로 / 즉, 평균 나이 14세인 어린 청소년들 / 평균 나이 19세인 나이가 더 많은 청소년들 / 그리고 24세 이상인 성인들로 (과거분사구) / 실험 대상자들은 컴퓨터 운전 게임을 했다 / 게임 참가자가 벽에 충돌하는 것을 피해야 하는 (= where; 동명사(동사 avoid의 목적어)) / 나타나는 (주격 관계대명사) / 경고 없이 / 도로에 / Steinberg와 Gardner는 무작위로 / 몇몇 참가자들을 혼자 게임하게 했다 (〈assign+목적어+목적격보어(to부정사)〉) / 혹은 두 명의 같은 나이 또래들이 지켜보는 가운데 (〈with+목적어+현재분사(구)〉) / 위험 운전 지수에서 / 나이가 더 많은 청소년들의 운전은 / 1.5배 더 위험했다 / 그리고 어린 청소년들의 운전은 (ones = adolescents) / 두 배 더 무모했다 (두 배 더 ~하다) / 주변에 다른 사람들이 있을 때 / 대조적으로 / 성인들은 / 유사한 방식으로 행동했다 / 그들이 혼자 있든지에 상관없이 (~에 상관없이; 명사절 접속사(~인지 아닌지)) / 혹은 다른 사람들에 의해 관찰되든지 (they were 생략) / 또래들의 존재는 청소년들이 ~하게 만든다 / 성인들은 그렇지 않지만 / 더 위험을 감수하기 쉽게)

KEY 2 글의 핵심어 파악
세 그룹의 연령으로 이루어진 실험 대상자들이 컴퓨터 운전 게임에 참가

KEY 3 연구와 결과를 통해 글의 핵심 내용 파악
- 실험 대상자들은 혼자 게임하거나 두 명의 같은 나이 또래들이 지켜보는 가운데 게임을 함 ➡ (A)의 단서
- 또래의 다른 사람들이 지켜볼 때, 청소년들의 운전이 성인들에 비해 더 위험했음 ➡ (B)의 단서

KEY 1 요약문 읽고 글의 내용 예측
'또래들의 (A)가 성인들과는 달리 청소년들을 더 (B)하게 만든다'는 내용

해석

❶한 연구에서, 심리학자 Laurence Steinberg와 그의 공동 저자인 심리학자 Margo Gardner는 306명의 사람들을 세 연령 집단, 즉, 평균 나이 14세인 어린 청소년들, 평균 나이 19세인 나이가 더 많은 청소년들, 그리고 24세 이상인 성인들로 나누었다. ❷실험 대상자들은 게임 참가자가 도로에 경고 없이 나타나는 벽에 충돌하는 것을 피해야 하는 컴퓨터 운전 게임을 했다. ❸Steinberg와 Gardner는 무작위로 몇몇 참가자들을 혼자 게임하거나 혹은 두 명의 같은 나이 또래들이 지켜보는 가운데 게임을 하게 했다. ❹나이가 더 많은 청소년들의 운전은 주변에 다른 사람들이 있을 때 위험 운전 지수에서 약 1.5배 더 위험했고 어린 청소년들의 운전은 두 배 더 무모했다. ❺대조적으로, 성인들은 그들이 혼자 있든지 혹은 다른 사람들에 의해 관찰되든지 상관없이 유사한 방식으로 행동했다.
➡ ❻또래들의 (A) 존재는, 성인들은 그렇지 않지만, 청소년들이 더 (B) 위험을 감수하기 쉽게 만든다.

해설

한 연구에서 세 연령 집단을 대상으로 컴퓨터 운전 게임 시 또래의 존재가 미치는 영향에 대한 실험을 진행하였는데, 나이가 어릴수록 또래들이 지켜볼 때 위험 운전 지수가 높았다. 따라서 또래들의 '존재'가 청소년들이 성인과 달리 더 '위험을 감수하게' 만든다는 내용이므로, 요약문의 빈칸에 들어갈 말로 가장 적절한 것은 ① 'presence(존재) – take risks(위험을 감수하다)'이다.

오답 노트

② 존재 – 조심스럽게 행동하다 ③ 무관심 – 형편없게 수행하다 ④ 부재 – 모험을 즐기다 ⑤ 부재 – 독립적으로 행동하다

구문 해설

❸~ assigned some participants to play alone or **with two same-age peers looking on.**
assigned some participants to play는 〈assign+목적어+목적격보어〉의 형태인 5형식으로 '~에게 …하도록 명하다'라는 뜻이다. with two same-age peers looking on은 〈with+명사(구)+현재분사(구)〉의 형태로 '~한 채로'라는 뜻으로 동시동작의 의미를 나타내며 명사구와 분사가 능동 관계이므로 현재분사(구)가 쓰였다.

More & More

1 위험한 운전자는 갑자기 나타나는 벽에 '충돌하는 것을 피하는' 것에 서툴다.
2 청소년들의 운전이 다른 십 대들이 주변에 있을 때 더 위험해졌다는 내용이므로 글의 주제로 가장 적절한 것은 ⑤ '십 대의 운전에 부정적인 관중 효과'이다.

알맞은 어법·어휘 찾기

• 본문 126쪽

대표 예제

❶ '여러분이 먹는 것이 여러분 자신이다(여러분을 만든다).' ❷ 그 구절은 흔히 여러분이 먹는 음식과 여러분의 신체 건강 사이의 관계를 보여 주기 위해 사용된다. ❸ 하지만 여러분은 가공식품에 무엇이 들어있는지를 아는가? ❹ 제조식품 중 다수는 너무 많은 화학 물질과 인공적인 재료를 함유하고 있어서 때로는 그 안에 무엇이 들어 있는지 정확히 알기가 어렵다. ❺ 다행히도, 식품 라벨이 있다. ❻ 식품 라벨은 여러분이 먹는 식품에 관한 정보를 알아내는 좋은 방법이다. ❼ 식품의 라벨은 책에서 볼 수 있는 목차와 같다. ❽ 식품 라벨의 주된 목적은 여러분이 구입하고 있는 식품 안에 무엇이 들어 있는지 여러분에게 알려주는 것이다.

어휘 **physical** 신체적인 **processed** 가공된 **chemical** 화학 물질 **artificial** 인공적인 **ingredient** 재료, 성분 **fortunately** 다행히도

READING 1~4

• 본문 128~131쪽

More & More

1 ③ 1 layers 2 ⑤

2 ③ 1 Small changes 2 ⑤

3 ④ 1 reexamining, testing 2 ⑤

4 ③ 1 (1) 노력과 집중을 덜 필요로 했고 더 재미있었다. (2) 문자 채팅을 더 예의 바르다고 여겼다. 2 ②

1

답 ③

유형 해결 전략

❶Clothing doesn't have to be expensive / to provide comfort / during exercise. ❷Select clothing / ∧ appropriate for the temperature and environmental conditions / (A) [which / in which] you will be doing exercise. ❸Clothing / that is appropriate for exercise and the season / can improve your exercise experience. ❹In warm environments, / clothes that have a wicking capacity / (B) [is / are] helpful / in dissipating heat from body. ❺In contrast, / you should wear layers / in cold environments / to avoid sweating and remain (C) [comfortable / comfortably].

don't have to: ~할 필요 없다(= need not) / 부사적 용법(목적) / 〈during+명사〉 / 옷이 비쌀 필요는 없다 / 편안함을 제공하기 위해 / 운동하는 동안 / 명령문 / which[that] is 생략 / 옷을 선택하라 / 기온과 환경 조건에 알맞는 / = where / 미래진행형 / 여러분이 운동을 하고 있을 곳의 / 주어 / 주격 관계대명사 / 옷은 / 운동과 계절에 적합한 / 핵심 주어 / 여러분의 / 동사 / 운동 경험을 향상시킬 수 있다 / 따뜻한 환경에서 / 주격 관계대명사 / 수분을 흡수하거나 배출하는 능력이 있는 옷은 / 도움을 준다 / 동명사(전치사 in의 목적어) / 몸으로부터 열을 발산시키는 데 / 반대로 / ~해야 한다 / 여러분은 여러 겹을 입어야 한다 / 추운 환경에서 / 부사적 용법(목적) / 땀이 나는 것을 / 동명사(동사 avoid의 목적어) / 피하고 쾌적한 채로 있기 위해

* wick: (모세관 작용으로) 수분을 흡수하거나 배출하다 ** dissipate: (열을) 발산하다

(A) 뒤에 완전한 절이 이어지므로 부사 역할을 하는 〈전치사+관계대명사〉인 in which가 적절하다.

(B) 문장의 핵심 주어는 주격 관계대명사절(that have a wicking capacity)의 꾸밈을 받는 선행사인 clothes로, 복수 주어이므로 복수 동사 are가 적절하다.

(C) 2형식 동사인 remain의 뒤에 오는 주격보어는 형용사여야 하므로 comfortable이 적절하다.

해석

❶운동하는 동안 편안함을 주기 위해 옷이 비쌀 필요는 없다. ❷기온 및 여러분이 운동을 하고 있을 곳의 환경 조건에 알맞은 옷을 선택하라. ❸운동과 계절에 적합한 옷은 운동 경험을 향상시킬 수 있다. ❹따뜻한 환경에서, 수분을 흡수하거나 배출하는 능력이 있는 옷은 몸으로부터 열을 발산시키는 데 도움을 준다. ❺반대로, 추운 환경에서는 땀이 나는 것을 피하고 쾌적함을 유지하기 위해 여러분은 여러 겹의 옷을 입어야 한다.

오답 노트

(A) 뒤에 완전한 절이 이어지고 있으므로 불완전한 절을 이끄는 관계대명사 which는 적절하지 않다.
(B) 주어 clothes가 복수이므로 단수 동사인 is는 적절하지 않다.
(C) 2형식 동사 remain의 주격보어 자리이므로 부사인 comfortably는 적절하지 않다.

구문 해설

❷**Select clothing appropriate** for the temperature and environmental conditions in which you will be doing exercise.
Select ~.는 동사원형으로 시작하는 명령문이다. clothing과 appropriate 사이에는 clothing을 선행사로 취하는 〈주격 관계대명사+be동사〉인 which(that) is가 생략되어 있다. 〈주격 관계대명사+be동사〉가 생략된 경우, 현재분사, 과거분사, 형용사가 뒤에서 꾸며 주는데, 여기서는 뒤에 형용사 appropriate가 쓰였다.

❺In contrast, you should wear layers in cold environments **to avoid sweating** and **remain** comfortable.
avoid는 동명사를 목적어로 취하는 동사이므로 뒤에 동명사 sweating이 쓰였다. to avoid와 remain은 목적의 의미를 나타내는 to부정사의 부사적 용법으로, 등위접속사 and로 인해 병렬 연결되어 있으며 remain의 앞에는 to가 생략되었다.

More & More

1 추운 환경에서 운동할 때는 '여러 겹의 옷'을 입어 체온을 조절해야 한다고 했다.

2 운동 경험을 향상시키려면 비싼 옷보다 운동하는 환경에 적합한 옷을 선택하는 것이 좋다는 내용이므로 글의 요지로 가장 적절한 것은 ⑤이다.

2

● 본문 129쪽

답 ③

유형 해결 전략

❶We often ignore small changes / because they don't seem to ① matter very much / in the moment. ❷If you save a little money now, / you're still not a millionaire. ❸If you study Spanish for an hour, / you still haven't learned the language. ❹We make a few changes, / but the results never seem to come ② quickly / and so we slide back into our previous routines. ❺The slow pace of transformation / also makes it ③ easy(→ difficult) / to break a bad habit. ❻If you eat an unhealthy meal today, / the scale doesn't move much. ❼A single decision / is easy to ignore. ❽But when we ④ repeat small errors, / day after day, / our small choices add up to bad results. ❾Many wrong choices eventually / lead to a ⑤ problem.

〈seem+to부정사〉: ~인 것 같다
우리는 흔히 작은 변화들을 무시한다 / 그것들이 그다지 많이 중요한 것 같지 않아서 / 그 순간에는
조건 접속사(만약 ~라면)
지금 돈을 약간 모으더라도 / 여러분은 여전히 백만장자가 아니다
〈for+구체적인 숫자〉 / 현재완료 부정문
만약 여러분이 스페인어를 한 시간 동안 공부하더라도 / 여러분은 여전히 그 언어를 익힌 것은 아니다
우리는 약간의 변화를 만들어 본다 / 하지만 그 결과는 결코 빨리 오지 않는 것 같다 / 그래서 우리는 이전의 일상으로 다시 빠져든다
가목적어 / 진목적어
변화의 느린 속도는 / 또한 나쁜 습관을 버리기 쉽게(→ 어렵게) 만든다
만약 여러분이 오늘 몸에 좋지 않은 음식을 먹더라도 / 저울 눈금은 별로 움직이지 않는다
부사적 용법(형용사 수식)
하나의 결정은 / 무시하기 쉽다 / 하지만 우리가 작은 오류를 반복할 때 / 나날이
결국 ~가 되다
우리의 작은 선택들이 결국 좋지 않은 결과가 된다
~로 이어지다
많은 잘못된 선택들은 결국 / 하나의 문제로 이어진다

③ 변화의 느린 속도는 그 결과가 빨리 나타나지 않으므로, 나쁜 습관을 버리기 '쉽게' 만드는 게 아니라 '어렵게' 만들어야 문맥상 자연스럽다. 따라서 easy(쉬운)를 difficult(어려운)로 바꿔 쓰는 것이 적절하다.

해석

❶우리는 작은 변화들이 그 순간에는 그다지 많이 중요한 것 같지 않아서 그것들을 흔히 무시한다. ❷지금 돈을 약간 모으더라도, 여러분은 여전히 백만장자가 아니다. ❸만약 여러분이 스페인어를 한 시간 동안 공부하더라도, 여러분은 여전히 그 언어를 익힌 것은 아니다. ❹우리는 약간의 변화를 만들어 보지만, 그 결과는 결코 빨리 오지 않는 것 같고 그래서 우리는 이전의 일상으로 다시 빠져든다. ❺변화의 느린 속도는 또한 나쁜 습관을 버리기 쉽게(→ 어렵게) 만든다. ❻여러분이 오늘 몸에 좋지 않은 음식을 먹더라도, 저울 눈금은 별로 움직이지 않는다. ❼하나의 결정은 무시하기 쉽다. ❽하지만 우리가 작은 오류를 나날이 반복한다면, 우리의 작은 선택들이 결국 좋지 않은 결과가 된다. ❾많은 잘못된 선택들은 결국 하나의 문제로 이어진다.

해설

작은 변화들은 그로 인한 결과를 빨리 볼 수 없어서 다시 일상으로 빠지게끔 한다는 내용이므로, 변화의 속도가 느린 것은 나쁜 습관을 버리기 어렵게 만든다는 문맥이 적절하다. 따라서 ③ easy(쉬운)를 difficult(어려운)로 바꿔야 한다.

오답 노트

① 우리가 작은 변화들을 무시하는 이유는 그 순간에는 그 작은 변화들이 그다지 많이 '중요하지(matter)' 않은 것 같기 때문이다.
② 우리가 약간의 변화를 시도했다가 이전의 일상으로 다시 빠져드는 이유는 결과가 '빨리(quickly)' 오지 않는 것 같기 때문이다.
④ 우리의 작은 선택들이 결국 좋지 않은 결과를 만드는 것은 우리가 나날이 작은 오류들을 '반복할(repeat)' 때이다.
⑤ 많은 잘못된 선택들은 결국 하나의 '문제(problem)'로 이어진다.

구문 해설

❺The slow pace of transformation also makes **it** difficult **to break a bad habit.**

〈make+목적어+목적격보어〉의 형태인 5형식에서 목적어인 to부정사구(to break a bad habit)를 뒤로 보내고 목적어 자리에 가목적어 it을 쓴 〈가목적어 ~, 진목적어〉 구문이다.

❼A single decision is easy **to ignore**.

to ignore는 '무시하기에'라는 뜻으로 앞의 형용사 easy를 꾸며 주는 to부정사의 부사적 용법으로 쓰였다.

More & More

1 작은 변화들은 빠른 결과를 가져오지는 않지만 좋은 쪽으로든 나쁜 쪽으로든 작은 것들이 쌓이면 큰 결과로 이어진다는 내용이다. 따라서 '작은 변화들은 좋든 나쁘든 천천히 큰 결과를 만든다.'라는 말이 되어야 한다.

2 우리가 작은 오류를 나날이 반복한다면, 우리의 작은 선택들이 결국 좋지 않은 결과가 되고 결국 많은 잘못된 선택들은 하나의 문제로 이어진다고 했으므로 ⑤는 글의 내용과 일치하지 않는다.

3

• 본문 130쪽

답 ④

유형 해결 전략

❶There are many methods for finding answers / to the mysteries of the universe, / and science is only one of these. ❷However, science is unique. ❸Instead of making guesses, / scientists follow a system / ①designed to prove / if their ideas are true or false. ❹They constantly reexamine and test / their theories and conclusions. ❺Old ideas are replaced / when scientists find new information / ②that they cannot explain. ❻Once somebody makes a discovery, / others review it carefully / before ③using the information / in their own research. ❼This way of building new knowledge / on older discoveries / ④ensure(→ ensures) / that scientists correct their mistakes. ❽As people are armed with scientific knowledge, / people build tools and machines / that transform the way we live. ❾This makes our lives / ⑤much easier and better.

(finding: 동명사(전치사 for의 목적어) / to: ~에 관한 / 답을 찾기 위한 많은 방법들이 있다 / 우주의 불가사의한 것들에 관한 / these = many methods / 그리고 과학은 이러한 것들 중 단지 하나이다 / 그러나 과학은 독특하다 / Instead of: ~ 대신에 / making: 동명사(전치사 of의 목적어) / 추측하는 대신에 / 과학자들은 체계를 따른다 / 증명하도록 고안된 / to prove: 부사적 용법 (목적) / if: 명사절 접속사(~인지 아닌지) / 그들의 생각이 사실인지 거짓인지 / 그들은 끊임없이 재검토하고 시험한다 / 그들의 이론과 결론을 / Old: 기존의, 이전의 / 기존의 생각들은 대체된다 / 과학자들이 새로운 정보를 / new information: 선행사 / 찾을 때 / 그들이 설명할 수 없는 / Once: 일단 ~하면 / 일단 누군가가 발견을 하면 / it = the discovery / before: 전치사 / 다른 사람들은 그것을 주의 깊게 검토한다 / 그 정보를 사용하기 전에 / 그들 자신의 연구에서 / This way: 핵심 주어 / 새로운 지식을 쌓아가는 이러한 방법은 / 더 이전의 발견들에 / 보장한다 / that: 명사절 접속사(동사 ensures의 목적어) / 과학자들이 그들의 실수를 바로잡는다는 것을 / As: ~함에 따라 / be armed with: ~으로 무장하고 있다 / 사람들이 과학적 지식으로 무장함에 따라 / people: 주어 / build: 동사 / 사람들은 도구와 / 기기를 만든다 / that: 주격 관계대명사 / the way = 관계부사 how / 우리가 사는 방식을 변화시키는 / makes our lives: 〈make+목적어+목적격보어(형용사)〉 / 이것은 우리의 삶을 만든다 / 훨씬 더 쉽고 더 낫게)

④ 문장의 주어가 This way로 단수이므로 복수 동사 ensure는 단수 동사 ensures로 바꿔야 한다.

해석

❶우주의 불가사의한 것들에 관한 답을 찾는 많은 방법이 있고, 과학은 이러한 것들 중 단지 하나이다. ❷그러나 과학은 독특하다. ❸추측하는 대신에, 과학자들은 그들의 생각이 사실인지 거짓인지 증명하도록 고안된 체계를 따른다. ❹그들은 그들의 이론과 결론을 끊임없이 재검토하고 시험한다. ❺기존의 생각들은 과학자들이 그들이 설명할 수 없는 새로운 정보를 찾을 때 대체된다. ❻일단 누군가가 발견을 하면, 다른 사람들은 그들 자신의 연구에서 그 정보를 사용하기 전에 그것을 주의 깊게 검토한다. ❼더 이전의 발견들에 새로운 지식을 쌓아가는 이러한 방법은 과학자들이 그들의 실수를 바로잡는다는 것을 보장한다. ❽사람들이 과학적 지식으로 무장함에 따라, 사람들은 우리가 사는 방식을 변화시키는 도구와 기기를 만든다. ❾이것은 우리의 삶을 훨씬 더 쉽고 더 낫게 만든다.

해설

④ 문장의 주어부는 This way of building new knowledge on older discoveries로, on older discoveries는 부사구, of building new knowledge는 주어 This way를 꾸며 주는 수식어구이다. 따라서 문장의 핵심 주어인 This way는 단수이므로, 동사는 복수형인 ensure가 아니라 단수형인 ensures로 고쳐야 한다.

오답 노트

① 체계가 '고안된' 것이라는 수동 의미로 앞의 명사구 a system을 꾸며 주므로 과거분사 designed는 어법상 맞다.
② 뒤에 목적어가 없는 불완전한 절이 이어지므로 목적격 관계대명사 that은 어법상 맞다.
③ 전치사 before 뒤에는 동명사를 쓰므로 using은 어법상 맞다.
⑤ easier and better 앞에서 형용사구의 비교급을 강조하므로 much는 어법상 맞다.

구문 해설

❸Instead of making guesses, scientists follow a system designed to prove **if** their ideas are true or false.
if는 '~인지 아닌지'라는 뜻으로 동사 prove의 목적어 역할을 하는 명사절 접속사로 쓰였으며, whether로 바꿔 쓸 수 있다.

❽~, people build tools and machines **that** transform **the way** we live.
that은 tools and machines를 선행사로 받는 주격 관계대명사이며, which로 바꿔 쓸 수 있다. the way는 방법을 나타내는 선행사로 관계부사 how와 서로 바꿔 쓸 수 있지만, the way와 how를 함께 쓸 수는 없다.

More & More

1 과학이 우주에 대한 답을 찾는 데 있어서 독특한 이유는 그들의 이론을 끊임없이 '재검토하고 시험해서' 새로운 지식을 쌓기 때문이다.
2 과학은 추측을 사용하지 않고 이론의 검증을 반복하면서 오래된 정보를 새로운 정보로 바꿔가는 방식으로 답을 찾는다는 내용이다. 따라서 글의 주제로 가장 적절한 것은 ⑤이다.

• 본문 131쪽

답 ③

❶New technologies create / new interactions and cultural rules. ❷Social television systems now enable / social interaction / among TV viewers in different locations. ❸These systems are known to build / a greater sense of (A) connectedness / isolation / among TV-using friends. ❹One field study focused on / how five friends communicated / while watching TV at their homes. ❺The technology (B) allowed / forbade them to see / which of the friends were watching TV / and what they were watching. ❻They could choose to communicate / through voice chat or text chat. ❼The study showed a strong preference / for text over voice. ❽Users offered two key reasons / for (C) disliking / favoring text chat. ❾First, text chat required / less effort and attention, / and was more enjoyable / than voice chat. ❿Second, study participants viewed text chat / as more polite.

새로운 기술은 만든다 / 새로운 상호 작용과 문화적 규칙을 / 이제 소셜 텔레비전 시스템은 가능하게 한다 / 사회적 상호 작용을 / among: (셋 이상) 사이에 / 다른 장소에 있는 TV 시청자들 사이의 / 이런 시스템들은 만드는 것으로 알려져 있다 / be known to: ~으로 알려져 있다 / 더 큰 유대감을 / TV를 이용하는 친구들 사이에 / 한 현장 연구는 초점을 두었다 / focus on: ~에 초점을 두다 / 간접의문문: 〈의문사+주어+동사〉 어순 / 다섯 명의 친구들이 어떻게 의사소통하는지에 / 접속사가 있는 분사구문 / 그들의 집에서 TV를 보면서 / 그 기술은 그들이 알 수 있게 했다 / 〈allow+목적어+목적격보어(to부정사)〉 / 친구들 중 어떤 이가 TV를 보고 있는지와 / 간접의문문(동사 see의 목적어) / 그들이 무엇을 보고 있는지를 / 그들은 의사소통하는 것을 선택할 수 있었다 / 〈choose+to부정사〉 / 음성 채팅 혹은 문자 채팅을 통해서 / 그 연구는 강한 선호도를 보여 주었다 / 음성보다 문자에 대한 / 이용자들은 두 가지 주요한 이유를 제시했다 / 문자 채팅을 선호하는 / 동명사(전치사 for의 목적어) / 첫째, 문자 채팅은 요구했다 / 더 적은 노력과 집중을 / 그리고 더 재미있었다 / 음성 채팅보다 / 둘째, 연구 참가자들은 문자 채팅을 간주했다 / 〈view A as B〉: A를 B로 간주하다 / 더 예의 바르다고

유형 해결 전략

(A) 앞 문장에서 소셜 텔레비전 시스템이 시청자들 간의 사회적 상호 작용을 가능하게 한다고 했다. 따라서 이는 더 큰 '유대감'을 만든다고 볼 수 있으므로 connectedness가 적절하다.

(B) 친구들과 음성 채팅을 할지 문자 채팅을 할지를 선택한다는 내용은 어떤 친구가 TV를 보고 있는지와 그들이 무엇을 보고 있는지를 알 '수 있게 하는' 기술에 바탕한 것이므로 allowed가 적절하다.

(C) 앞 문장에서 문자 채팅의 선호도가 강하다고 했고, 뒤 문장에서 문자 채팅의 장점 두 가지가 이어진다. 따라서 문자 채팅을 '선호하는' 이유여야 하므로 favoring이 적절하다.

해석

❶새로운 기술은 새로운 상호 작용과 문화적 규칙을 만든다. ❷이제 소셜 텔레비전 시스템은 서로 다른 곳에 있는 TV 시청자들 사이의 사회적 상호 작용을 가능하게 한다. ❸이런 시스템들은 TV를 이용하는 친구들 사이에 더 큰 유대감을 만드는 것으로 알려져 있다. ❹한 현장 연구는 다섯 명의 친구들이 자신들의 집에서 TV를 보면서 어떻게 의사소통하는지에 초점을 두었다. ❺그 기술은 그들이 친구들 중 어떤 이가 TV를 보고 있는지와 그들이 무엇을 보고 있는지를 알 수 있게 했다. ❻그들은 음성 채팅 혹은 문자 채팅을 통해 의사소통하는 방법을 선택할 수 있었다. ❼그 연구는 음성보다는 문자에 대한 선호도가 강하다는 것을 보여 주었다. ❽이용자들은 문자 채팅을 선호하는 두 가지 주요한 이유를 제시했다. ❾첫째, 문자 채팅은 음성 채팅보다 노력과 집중을 덜 필요로 했고 더 재미있었다. ❿둘째, 연구 참가자들은 문자 채팅을 더 예의 바르다고 여겼다.

오답 노트

(A) 사회적 상호 작용을 가능하게 하는 기술이 친구들 사이에 '고립(isolation)'을 만든다는 것은 적절하지 않다.

(B) 어떤 친구가 TV에서 무엇을 보고 있는지를 알고 채팅 방식을 고른 것이므로, 이를 '금지했다(forbade)'고 하는 것은 적절하지 않다.

(C) 음성 채팅보다 문자 채팅을 선호한다는 연구 결과가 앞서 제시되었고 뒤에서는 문자가 음성보다 나은 두 가지 이유가 이어지므로 '싫어하는(disliking)'은 적절하지 않다.

구문 해설

❹One field study focused on **how five friends communicated while watching** TV at their homes.

how five friends communicated는 〈의문사+주어+동사〉의 어순인 간접의문문으로 전치차 on의 목적어 역할을 한다. while watching은 의미를 명확하게 하기 위해 접속사를 생략하지 않은 분사구문으로 while they were watching인 절로 바꿔 쓸 수 있다.

❺The technology **allowed them to see** which of the friends were watching TV and what they were watching.

〈allow+목적어+목적격보어〉의 형태인 5형식으로, '~가 …하게 (허락)하다'라는 뜻이며 동사 allow의 목적격보어로 to부정사인 to see가 쓰였다.

More & More

1 First, text chat required less effort and attention, and was more enjoyable than voice chat. Second, study participants viewed text chat as more polite.를 통해 음성 채팅보다 문자 채팅을 더 선호한 이유를 알 수 있다.

2 소셜 텔레비전 시스템은 시청자들이 TV를 보면서 채팅을 통해 소통할 수 있게 했다고 했으므로 빈칸 (A), (B)에 들어갈 말로 가장 적절한 것은 ② 'instant(즉각적인) – chat(채팅)'이다.

memo

memo

memo

memo

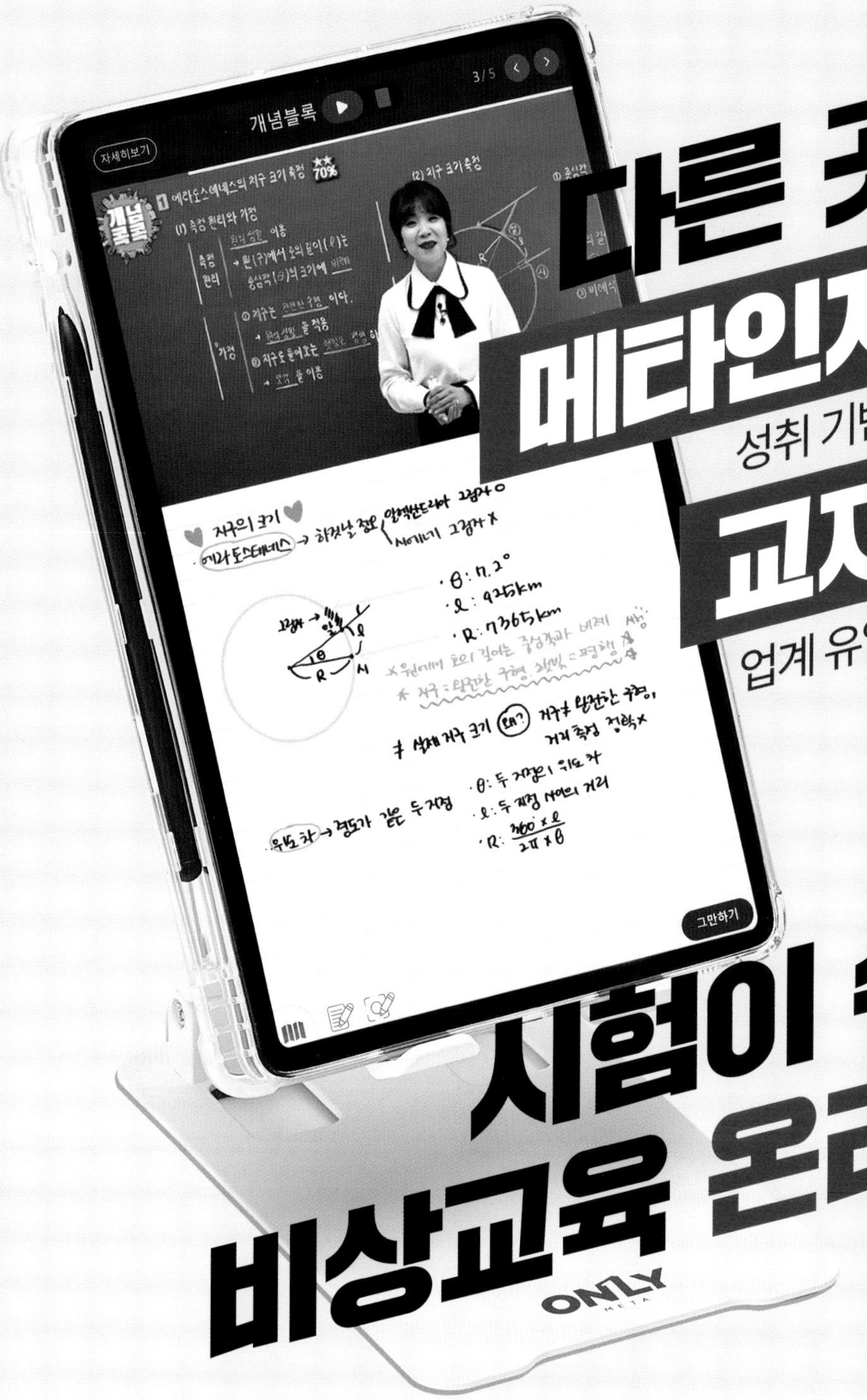

실전과 기출문제를 통해 어휘와 독해 원리를 익히며 단계별로 단련하는 수능 학습!

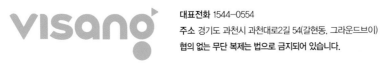

대표전화 1544-0554
주소 경기도 과천시 과천대로2길 54(갈현동, 그라운드브이)